LE CŒUR DU MONDE

Michel Antoine BELLANTE

Le cœur
du monde

-

Paranoïa, schizophrénie
ou déni du don de Dieu

Éditions Bénévent

Éditions Bénévent, 2012

Envois de manuscrits:
Éditions Bénévent – B.P. 4049 – 06301 Nice Cedex 4

PRÉAMBULE

Après une conspiration gouvernementale et religieuse à l'échelle mondiale, qui débuta à la fin de la Seconde Guerre mondial, en 1945, un traité secret vit le jour et fut ratifié par tous les pays, pour que de telles atrocités, engendrant d'horribles souffrances, ne se réitèrent plus dans l'avenir. Même la séparation du civil et du religieux dans presque tous les États du monde, l'événement extraterrestre ou d'espionnage de Roswell, en 1947, qui coïncida avec la guerre froide entre les États-Unis et l'URSS, ne pouvaient déroger à ce traité secret qui fut appliqué immédiatement.

Treize ans plus tard. En 1960, une rencontre au sommet convia tous les dirigeants d'États et tous les chefs religieux, dans une base militaire de haute sécurité suisse, à proximité de l'aéroport de Genève. Le but de cette rencontre, était de rendre compte de l'évolution que contient ce traité secret, qui servait à contenir et à maîtriser la vérité créatrice des êtres vivants. Pas celle de peintres, de sculpteurs ou d'artistes déjantés, qui si on approfondit est le message affectif de leur ressenti émotionnel, mais celui qui risquait de déclencher des retournements de situation qui ne seraient plus aux reflets idéologiques de leurs dirigeants. Et justement, les derniers rapports émis par des services secrets de la santé concluaient sur l'apparition de signes anormaux, au niveau du comportement de la population mondiale. Les conséquences de la guerre avait fait naître des mouvements contestataires diamétralement opposés, qui menaient un même combat idéologique pour obtenir une liberté expression, mais n'employaient pas les mêmes méthodes pour la défendre, ce qui faisait ressortir les différentes facettes de la vraie nature humaine.

D'un côté des mouvements contestataires d'une certaine catégorie d'individus, étiquetés comme des « hippies » qui se sentent investis de leurs sens originels d'Amour, de paix et de pacifismes, dont les seules armes pour défendre leurs idéologies, sont la puissance des sentiments cités, et dont l'impact commencent à prendre de l'ampleur dans le monde. Et du côté opposé, naissaient d'autres mouvements contestataires plus incisifs, d'une autre catégorie d'individus étiquetés comme des « Révolutionnaires » qui, pour défendre leurs idéologies, n'hésitaient pas à s'armer de vraies armes à feux, et dont la montée s'intensifiait aussi dans plusieurs parties du globe. Ce qui laisserait présager, en présence de la montée de ces mouvements, que ce que voulaient combattre ces gouvernements avides de manipulations, par la partie essentielle de ce traité secret, s'avéra répondre à l'effet inverse.

En effet, aux médicaments, aux vaccins, qui furent généreusement inoculés en prenant des allures de campagnes de lutte contre des maladies mortelles, étaient additionnés des molécules agissant sur le mental pour mieux contenir les foules. Avec le temps, la portée des effets escomptés de ces moléculaires manipulatrices injectées, diminuait d'intensité, forçant l'instinct humain à muter et à interréagir sur la réelle personnalité de chacun, ce qui légitimait ces observations.

Seuls des sujets triés par des aptitudes correspondant aux critères de sélection, dans la tranche d'âge des six/huit ans, n'étaient pas vaccinés avec les produits additionnels. Les écoles, sous le joug des gouvernements, étaient de plus en plus nombreuses et spécialisées, et leurs étaient consacrées, comme des usines de montage, à formater et à endoctriner leurs recrues les plus affûtées, à leur plus pure idéologie, pour un modèle de civilisation intellectuellement élitiste. Après la méticuleuse sélection, ceux qui ne passaient pas les tests, étaient vaccinés pour rejoindre les masses qui sous l'emprise de la molécule manipulatrice, se sentaient aspirer par la vie

superficiellement que ces industrielles leurs projetaient, appuyer par ces supports publicitaires, qui étaient diffusés à répétition sur les murs des édifices, par la radio et la télévision qui vit sa démocratisation dans ces années-là. Toute cette effervescence médiatique pour permettre des manipulations intellectuelles, à la limite de la lobotomisation, amenant le développent d'une société de consommation encore plus dépendante d'elle-même, en générant des capitaux colossaux et ainsi ces dirigeants de multinationales, deviennent des puissances industrielles incontestées et manipuler plus aisément les gouvernements. Toute cette mascarade pour garder la primeur de leurs consommateurs en occultant la partie supranormale qui reliait les êtres vivants à une énergie supérieure. Ce lien permet par les messages prodigués par un monde parallèle, d'émanciper les êtres vivants dans des directives hautement individuelles d'un dessein divin, ce qui finit par être régenté par l'homme avec ces manipulations génétiques et intellectuelles, bien sûr, dans ses propres intérêts, guidant et concentrant ses brebis dans ses seules bergeries.

Cette fabuleuse machine qu'est notre corps et qui renferme des pouvoirs insoupçonnés avait muté par lui-même avec le temps, et avait trouvé le moyen chimiquement organique de combattre les méfaits de ces produits inhibiteurs des dynamogènes. Ce qui entraîna par la suite, malgré les effets recherchés, une évolution dans le comportement génétique de l'homme en amplifiant ses dons originaux, quel que soit leur niveau déjà atteint.

Mais cette perspective n'est pas envisageable pour ces manipulateurs gouvernementaux. On ne doit pas se laisser dépasser par les événements, car où cela les mènerait-ils ?

Considérant narcissiquement avoir trouvé la direction de notre modèle de civilisation planétaire, il fallait remédier à ce phénomène rapidement, dans les intérêts de ces dirigeants et chefs religieux, pour reprendre le contrôle de ces dangereuses inepties, qui n'en étaient pas, d'ailleurs, et de cela, ils avaient conscience. Et les budgets pour la recherche génétique s'enflammèrent pendant une quinzaine d'années.

Cette période coïncida avec la révélation que fit le petit Benito, alors âgé de six ans, demeurant du côté de Marseille, en France, à ses parents, en leur disant qu'il entretenait des conversations avec des morts. De par son âge, les vaccins manipulateurs ne lui avaient pas encore été administrés, et il était le candidat idéal pour ces tests. Là, par des faits tenant du « hasard », la mère de Benito tomba sur l'annonce d'un journal, qui disait qu'un chercheur avait trouvé un psychotrope permettant d'inhiber toute affection ostentatoire de tout individu souffrant de « troubles mentaux ». À partir de ce moment-là, le positionnement émotionnel de Benito entre le monde matériel et le monde spirituel, induit par des essais cliniques toujours plus puissants, mais aux résultats peu probants sur un sujet développant des dons supranormaux hors du commun comme lui, n'eut de cesse de le conduire à une confusion des plus totales.

Chaque vie est une succession de mystérieuses et intéressantes pièces de théâtre, dont la toile de fond est gravée sur des grandes lignes universelles. Elles partent dans différentes directions qui sont inconnues, par méconnaissance, pour la majorité des êtres vivants qui demeurent sur cette planète. Elles laissent le choix de tricoter entre celles-ci, par des entremêlements d'échanges, pour tisser et créer une dynamique de libres actions d'improvisations originelles. Elles sont ressenties par le cœur ou calculées par l'esprit. Elles détermineront de leurs impacts, influencés par notre environnement et exécutés par notre conscience, l'issue qui reste malgré tout la direction malléable d'un paradoxe entre une réussite ou un échec dans le blanc comme dans le noir biblique d'une même évolution, quel que soit le sens d'ascension. Le choix nous est donné, à partir de nos propres convictions, de déterminer la direction de l'avenir de tous.

Dans les deux cas, une réussite est la peur d'un échec que l'on n'a pas voulu assumer, et *vice versa*, un échec est la peur d'une réussite que l'on n'a pas voulu assumer. Je me pardonne d'avoir choisi jusqu'à aujourd'hui, le versa, car le vice qui, à l'inverse de son sens premier, n'est pas immoralement péjoratif dans cette formulation, et ce que je vis actuellement me permet d'assumer respectueusement, toutes les facettes inusitées et anciennement apeurées, de ma personnalité. Entre nous, toutes les fibres de mon corps ne cessent de vibrer à l'unisson, et cela résonne tout autour de moi !

Ce livre est dédié à la lumière des êtres qui m'ont entouré et mon permis de les rejoindre dans celle-ci pour mieux voir. Merci à tous.

INTRODUCTION

Octobre 2021, conférence supranormale donnée à l'université de Sherbrooke, Québec.

Les yeux. Du latin : *oculus*. Ouvertures rondes ou ovales destinées à donner la lumière, au sens propre comme au figuré. Ils sont composés d'une cornée, d'une pupille, de l'humeur aqueuse, du cristallin et de l'iris, pour leur fonctionnement mécanique.

Habituellement, ce sont les premiers attraits que l'on remarque lorsque nous sommes en face d'une personne. Ceux-là mêmes qui, par leur expression, se transforment en un regard, dans l'émotion d'une situation. Le regard de l'autre en dit long sur ses intentions ou sur son état physique, car selon une légende, il serait le miroir de l'âme. Nous nous servons de celui-ci instinctivement, et nous en jouons consciemment pour arriver à nos fins.

N'est-ce pas jeunes gens ?

C'est l'intensité de l'iris qui donne l'illumination à ce regard, par son incroyable palette de nuances qui avive chacun de ses reflets. Il est teinté de couleurs, à des degrés d'intensité différents, qui passent par le noir, le brun, le bleu, le vert, pour les plus communes, et par les plus étranges aussi, comme des rouges, des indigos, et parfois même il est dépigmenté. Mais parmi ces gammes, il existe des couleurs des plus rares, des plus raffinées dirai-je, l'iris à la couleur dorée ou incrusté d'or qui forme l'oscillation d'une agate mystique.

Parfois même, ils sont de couleur opposée, recélant davantage de mystère et de profondeur dans le regard.

En dehors de ces critères de beauté, l'iris joue le rôle de focus. S'ajustant automatiquement par le rapprochement et l'éloignement de sa lentille, afin d'obtenir une image nette et précise, d'où porte notre regard.

Selon leur expression, les yeux laissent transparaître leur caractère à travers leurs émotions et dévoilent la sensibilité de leur propriétaire. Pour certains, ce sont des atouts de charme : faire les yeux doux ! Pour d'autres, atteint d'anomalies entraînant des troubles de la vision, l'ornement de paires de lunettes, et par la suite de lentilles, leur sert initialement de correcteur, afin d'ajuster leur vue. Sans l'aide de ces dispositifs, cela entraînerait certaines migraines non simulées et autres symptômes désobligeants. Au fil du temps, d'objets utilitaires, elles sont passées à accessoires de mode incontournables, pour la réalisation d'un total look vestimentaire.

De nombreuses expressions emploient les termes des fonctionnalités de l'œil, pour cibler le centre d'intérêt d'objets ou de situations, comme par exemple :

L'œil d'une aiguille ; l'axe d'une roue passe par son œil ; être dans l'œil du cyclone.

As-tu vu mon œil ! qui exprime la non-incrédulité relativement à une situation douteuse ; avoir bon pied, bon œil : qui exprime sa bonne santé ; obtenir quelque chose à l'œil : l'acquérir gratuitement.

Tant d'autres expressions lui sont octroyées pour se référer aux caractéristiques définissant sa symbolique.

D'un point de vue fonctionnel, les yeux sont de magistraux organes de perfection. D'une ingéniosité renversée par la technicité de la perception du cerveau pour analyser son positionnement dans l'espace. En fait, un sens incontournable, qui contribue à l'équilibre des cinq autres sens. Sans cette information de reconnaissance visuelle, l'orientation, la mobilité dans son environnement serait plus difficile, forçant la capacité des autres sens à se décupler pour compenser cette cécité.

Les yeux nous permettent de décoder et de percevoir des émotions. Dans des moments de bonheur, de peine et tous autres moments qui stabilisent nos repères dans notre quotidien, ils nous permettent aussi de capter et de figer des instants de contemplation, conscientisant les multiples beautés et malheureusement des laideurs aussi, qui nous entourent. Ensuite ils les enregistrent et les stockent dans des mémoires qui feront offices d'albums-photos sentimentaux ou sensoriels, tout au long de notre existence, et qui nous serviront de repères d'expressions sociales.

D'un point de vue mystique, pour certains peuples, c'est le symbole de la malédiction : être touché par le mauvais œil. Qui est affecté par celui-ci transforme les futurs moments de son existence, en des moments de désarroi et de malheur.

Pour d'autres, les yeux seraient le miroir de l'antériorité et contiendraient la postériorité de la vie de chacun. Le reflet de ses vies passées et de ses vies avenirs conserveraient ces connaissances dans des mémoires cellulaires.

Pour d'autres encore, l'ouverture du troisième œil leur permettrait d'observer les deux phénomènes précédents.

À y voir de plus près, la ramification des trois explications ne serait-elle pas liée pour obtenir des réponses ?

Léonard Da Vinci, personnage des plus illustres, scientifique, inventeur, poète, peintre, sculpteur et surtout homme de génie, attribuait ses trouvailles, à une duplication de ces œuvres par la connexion directe avec le monde du divin qui lui servait de modèle. Cette fameuse ouverture du troisième œil, qui correspondrait au sixième sens. Il avait l'habitude, dans ses peintures, ses inventions ou ses croquis, de retranscrire ces messages divins, qu'auparavant lui-même avait dû soigneusement déchiffrer, perturbant par ce fait aussi sa personnalité, pour la délivrer au commun des mortels. À son tour, par son génie, il en reconstitua des énigmes simplifiées, pour qu'elles soient, à leur tour, découvertes par le regard qui contemplera ses œuvres.

Ces énigmes se présentaient sous différentes formes : anagrammes, phrases à visionner au reflet d'un miroir pour en comprendre le sens, symboliques, successions de codes énigmatiques, subterfuges faisant référence à sa subtilité et d'autres formes plus spirituelles, en ce qui concerne l'observation de ses sculptures et de ses peintures. Tout cela pour nous amener à réfléchir à des choses essentielles.

L'une d'entre elles concerne l'imaginaire, retranscrit sous la forme visuelle de ses sens artistiques, c'est-à-dire ses peintures, ses différents croquis, ses études, ses dessins, ses sculptures, toujours pour tenir notre esprit en alerte sur les innombrables possibilités que nous délivre la connexion avec un au-delà. Il jouait sur l'orientation et le positionnement stratégique de personnages ou d'objets soigneusement étudiés et présentés sous différents angles de vues, pour indiquer, une fois celui-ci découvert, la direction d'une succession de prochains indices qui aboutiront à une trouvaille et, nous l'espérons, débouchera sur une vérité, qui nous amènera à une autre vérité, laissant toujours notre cerveau en alerte, en mouvement constructif.

Une autre pour nous pousser à utiliser le raffinement de la pensée logique intellectuelle : le rationalisme cartésien transmis par son père. Usant de cette stratégie pour intégrer plusieurs logiques de pensées, inculquées dans nos mémoires collectives par la transmission de nos connaissances au fil du temps, afin d'inciter son observateur à puiser dans celles-ci en toute confiance, pour créer une conception logique du résultat de ces fondements assimilés. L'obligeant à amalgamer la combinaison combinatoire de glisser dans le miroir de sa propre âme pour la partie intuitive de sa personne, tout en associant, la partie intellectuelle pour conforter la matérialisation de son réalisme. Quel en est le but ? Selon moi, mener à son tour l'observateur, à équilibrer cette logique de pensée, sur le questionnement du fondement de sa propre existence. Répartir équitablement la partie vibratoire, en accomplissant sa propre quête, en écoutant ses propres ressentis, tout en gardant en tête la raison rationaliste d'un monde matériel qui vit tout autour de lui.

Une fois, chaque partie clarifiée, ce même observateur mettra bout à bout toutes ces trouvailles, qui l'orienteront encore sur de nouvelles finesses visuelles, qui accentueront davantage ses recherches. Cette remise en question constante sur lui même lui permettra ainsi d'élucider plus profondément d'autres vérités en permanentes évolutions, car une vérité peu l'être à un moment donné et en devenir son contraire l'instant d'après, ou bien en cache souvent une autre. Cette curiosité titillée stimulera l'enquêteur à pousser un peu plus loin la réflexion, afin d'être aiguillé sur sa propre quête spirituelle pour grandir toujours un peu plus.

Encore que, selon moi, si Dieu, avec les pouvoirs que nous lui connaissons, avait voulu que nous humains, nous acquérions la connaissance universelle dès notre arrivée sur terre, à l'image de ces chercheurs qui ont la projection, dans un futur relativement proche, d'envoyer à l'aide d'un simple branchement d'une fiche USB connectée à nos cerveaux, cette même connaissance, mais à l'échelle de sa propre connaissance humaine, sans passer par l'expérience de vivre et ressentir les choses pour en comprendre le sens fondamental, et afin de nous faciliter le carcan d'apprendre qui nous sommes réellement, je pense qu'IL nous aurait évité toute cette peine en nous lobotomisant lui-même, s'Il avait voulu qu'il en soit ainsi !

Je m'appelle Benito. Depuis ma plus tendre enfance, avec mes yeux, je découvre le monde de Léonardo Da Vinci, qui m'intrigue et me passionne. Pour vous dire, à l'époque, le premier livre que j'ai réussi à lire jusqu'à la fin sans m'ennuyer, après les *Aventures de Tom Sawyer* et celles relatées par Jules Vernes, fut l'une de ses biographies illustrées traitant des événements qui amenèrent l'idéologie de ses inventions, qui me fut offerte par mon parrain et ma marraine le jour de ma première communion. Puis me passionnant pour cet être mystérieux et énigmatique, j'étudiai ses œuvres plus profondément. Au fur et à mesure que je progressais dans mes lectures, par ces découvertes, je me sentais investi de ses références. Notamment par le symbole de « l'homme de Vitruve » revisité par sa pertinente vision à lui.

Au début, à mes yeux, cette représentation avait l'aspect d'une banale étude sur les proportions de l'être humain, selon les travaux mené par monsieur Vitruve. Il s'est avéré par la suite, que ce symbole connu par tous, réalisé par Léonardo a pris toute sa signification, lorsqu'il c'est retrouvé à de nombreuses occasions, sur mon chemin de vie. Intrigué par la présence spontanée de ce symbole à des moments phares de ma vie, sans réelle conviction, j'ai commencé par survoler mes recherches, sans approfondir le contenu, en m'appuyant sur les nombreuses et éminentes études qui avaient été réalisées à son sujet. Petit à petit, je me laissais transporter dans l'admiration par le travail d'investigation qui fut fait sur la reproduction des proportions portant sur l'équilibre parfaite de l'architecture du Corps physique par son centre de gravité. Jusque-là, je prenais conscience de la perfection physique de l'homme, couchée sur le papier, comme s'il était sur le point de nous révéler la découverte totale de son étude. Mais un détail surprenant m'interpella et me fit comprendre qu'il voulait nous dévoiler autre chose. L'architecte qui définissait son personnage transposait, comme au travers de cette symbolique, les plans d'une bâtisse, afin d'y loger l'âme de ses occupants. Ensuite, l'apparition de ce cercle, de cette sphère, puis ce carré qui s'imbrique dans son antre pour former tous deux une même personne sous deux angles différents. Toutes ces recherches ont fait finalement naître, à mon insu, une forme spirituelle qui correspond à l'harmonie de la matière et de l'esprit, que ce derrière révéla à mon cœur !

CHAPITRE 1

«ABBEL» UN RÊVE DEVENU RÉALITÉ

Lendemain du séminaire, Montréal, Québec. Avec Sally, mon épouse, nous nous trouvions place des Arts, l'une des places culturelles les plus fréquentées du centre-ville. Nous tenions en visio, nos réservations électroniques enregistrées dans notre « ABBEL perso », pour assister à une représentation d'opéra décalé.

Patiemment, nous attendions notre tour de passage dans la file, lorsque Sally se fit accoster par une jeune fille qui amorçait la campagne promotionnelle d'un ballet futuriste « d'un autre genre », s'amusait-elle à nous le définir, exécuté par une troupe de danseurs confirmés venue de France. Cette jeune fille, munie de son « ABBEL perso » demanda à Sally de bien vouloir se connecter au sien pour lui transmettre la bande-annonce de leur spectacle, par Wireless network, afin de profiter de l'entracte pour visionner ceci.

Par l'invention de ce concept « ABBEL », imaginé pour simplifier notre quotidien dans de nombreux domaines, et surtout dans la connaissance de soi, le concepteur a idéalisé un monde qui vie avec son époque futuriste et qui n'oublie pas que tout ce qui est crée est inventé pour nous épanouir et être en harmonie avec soi-même. Ce visionnaire, ardant défenseur de la planète, s'impliquait dans chaque projet qui tend à préserver celle-ci. Il mit au point un appareil qui centralise tout ce qui concerne individuellement chaque être dans son quotidien, en ne négligeant jamais l'aspect qui touche à leur équilibre environnemental. Par son intervention au quotidien, cet appareil est devenu incontournable pour tous. Au fil du temps, de multiples applications vinrent se grever pour améliorer le mode d'entreprendre notre existence, en responsabilisant tous nos actes, qui sont soutenus par des preuves identificatrices. Il a révolutionné la vie de toutes les espèces qui peuplent la terre. Il les a surtout connectés à elles-mêmes, par des recherches en soi, en développant les pouvoirs inusités de leur personnalité, ce qui leur démontra, que l'utilité de chacun sur terre, sans exception, est nécessaire au reste du monde. Ces utilités vont être énumérées tout au long de l'Histoire.

Entre autres choses, révolu était le temps où l'abattage anarchique des arbres par ces industries cellulose-(vore) en tous genres, notamment pour fabriquer de la pâte à papier afin de créer des supports d'écriture et les photos, ainsi que les prospectus et tous les autres supports publicitaires papier, qui servaient à promouvoir des événements et des promotions à venir, en grand ou en petit format, qui nous étaient distribués et encombraient nos boîtes aux lettres, nos mains, nos sacs, pour finir rapidement dans nos poubelles. Un contrôle drastique ciblait surtout toutes ces filiales industrielles qui provoquaient l'amenuisement des forêts à l'échelle mondiale, lequel était engendré par des papetiers peu scrupuleux des désastres qu'ils imposaient à la planète et dont le geste était soutenu par de grands distributeurs qui fermaient les yeux sur leurs pratiques, car ils en tiraient de gros profits.

Tout cela sans compter sur toute une manipulation dévastatrice et polluante que générait son réseau de distribution, son réseau de collectage et de recyclage. Toute cette mise en œuvre pour que cette quantité produite n'intéresse qu'un faible pourcentage d'individus, qu'un événement va se produire, alors qu'il existait des solutions alternatives. Coûteux pour tous était payé l'événement ! Les supports papier étaient trop onéreux pour notre existence environnementale et ne correspondaient plus au mouvement idéologique de la protection de la planète conscientisé communautairement.

Il est vrai qu'aujourd'hui, notre environnement naturel s'est multiplié, ainsi que son écosystème, même si parfois sa végétation semble sortie directement de chez son coiffeur, avec ses arbres tous ajustés sur un même alignement, à la mèche près, mais le fonctionnement respiratoire de la planète suivait son processus de décongestionnement, en transformant davantage d'oxygène dans notre atmosphère.

De nos jours, tout a changé. La priorité est de « cleaner la planète », quel que soit le domaine d'activité. Grâce à notre implant corporel identifiant, on sait qui émet et qui réceptionne. Alors toutes les annonces événementielles, dans tous les domaines que ce soit, s'acquièrent informatiquement et en toute sécurité. Une simple connexion en tout temps et en tous lieux suffit pour obtenir l'intégralité des propositions, ou encore lire les référents à nos sensibilités, car ils sont intégrés à notre « ABBEL perso » à notre demande, par rapport à notre profil du moment. Ce système permet de découvrir, qui on est réellement. Du côté des annonceurs, les événements étaient plus ciblés aux demandes, car ayant en mains plus de matière pour contenter leur cible, ils se perfectionnaient plus pour en contenter plus. Du côté prospects, la fiche de notre profil se modifiait constamment, pour élargir nos champs de connaissance. L'éclectisme des expériences proposées, nous amenait à mieux nous définir, à affiner notre personnalité. Le concept n'était plus de camper sur des idées reçues, mais de tester nos sensibilités ou pas dans un domaine, et par ces expériences, il s'est avéré que des domaines auxquels nous ne pensions pas adhérer, ou même que nous ne connaissions pas, se transformaient en amorce vers la découverte d'autres domaines qui nous correspondaient mieux encore, et qu'à ce moment-là, un panel de nouvelles portes s'ouvrait encore à nous. Le concept permettait d'ouvrir nos horizons sur notre culture et sur nous-même.

Après le téléchargement, cette jeune fille nous salua et continua son travail de promotion auprès d'autres personnes qui, comme nous, attendaient dans la file. Il est vrai que cette jeune fille pouvait envoyer sur les ondes son annonce, mais malgré les imposantes avancées technologiques qui submergent notre ère et qui sollicitent notre attention à leurs égards une grande partie du temps, le contact humain restait « la priorité ».

Suivant les conseils de cette jeune fille, à l'entracte, nous visionnâmes brièvement cette bande-annonce. La mise en scène bien élaborée et l'effet des danseurs maquillés, au point d'être complément intégrés aux décors cinématographiques, nous plurent aussitôt. Gourmands du mélange de technologie et d'art, les courts extraits que nous en vîmes motivèrent l'intention d'assister à une représentation. Pendant que nous réfléchissions à cela, la voix du présentateur annonçait la reprise du deuxième acte. Nous glissâmes la promotion dans sa rubrique « à découvrir » « rappel », puis reconnectâmes nos « ABBEL perso », en réinstallant nos casques sur nos oreilles pour reprendre la suite du spectacle.

Une fois terminé, en nous insérant dans la file d'attente sortante, le sourire encore tout chaud en raison de l'excellence de l'interprétation à laquelle nous venions d'assister, et tout en respectant l'ordre des numéros de réservations, nous accédâmes à l'issue de stationnement des bus et des taxis - l'usage des accès urbain n'était plus accessible aux véhicules personnels dans toutes les métropoles du monde. Une loi était passée, non plus sur la pollution causée par la circulation urbaine, car nos véhicules sont dorénavant électriques, mais pour plus d'espace dans les rues, en raison de l'encombrement causé par une surpopulation. Une partie de ces lieux était réservée seulement aux chalands, et une autre aux véhicules d'urgence, de police, des transports de personnes et de marchandises. Le système était huilé, afin de gérer au mieux cette concentration de population dans les centres-villes, qui étaient devenus, avec toutes ces améliorations urbaines, plus attractifs. Respect de la planète oblige !

Cette concentration était due à une population qui avait enfin réagie et pris conscience du bilan de ces cent trente dernières années de modernité, lorsque le choix fut pris d'utiliser les carburants fossiles au lieu de l'électricité pour alimenter en énergie notre mode de fonctionnement. Ces révolutions technologiques avaient fait payer un lourd tribut à notre environnement. En termes comptables, sur la balance budgétaire, d'un côté nous trouvions, grâce à un bond considérable d'une révolution technologique effrénée, l'amélioration d'un système de vie plus confortable. Entre autres, avec la concentration d'innovations portant sur les découvertes dans des domaines variés, sans exception, qui touche de près ou de loin à l'environnement de l'homme, telles que la santé avec de nouvelles thérapies de guérison et de surveillance de l'individu ; les différentes industries avec de nouveaux dispositifs basés sur l'automatisation, et l'exploitation des ressources naturelles fossiles, pour contribuer à alimenter en énergie ces innovations en énergie. Celles-là mêmes qui ont permis la démocratisation de toutes celles stipulées précédemment, faisant fleurir un bilan spéculatif monétaire sur le plan mondial. Le monde n'a jamais été aussi riche financièrement qu'aujourd'hui.

Mais de l'autre côté de la balance, cette avancée technologique nous a fait engager des frais considérables. Cela a eu pour effet une planète qui n'a jamais été aussi polluée en si peu de temps, l'émergence de maladies modernes qui n'existaient pas auparavant, des forêts dévastées, des êtres sur le bas-côté de la chaussée, et la liste est longue. Mais surtout, dans tout ce brouhaha, l'oubli de soi par le mécanisme d'une spéculation effrénée matérialiste mondiale, qui nous oblige à dénier l'accomplissement de sa contribution personnelle, pour l'évolution de notre moi. Nous nous sommes concentrés sur une économie financière en matérialisant nos sens émotionnels de convoitise, comme des enfants pourris gâtés, en les comblant de choses bien souvent inutiles, futiles, déviant et délaissant la quête principale pour laquelle nous sommes sur terre. Et cela ne va pas se rembourser avec les bénéfices engrangés par ceux-ci. Cette avancée devait contribuer à assister l'être pour plus de simplicité et d'efficacité dans son quotidien, pour avoir plus de temps à consacrer à lui-même. L'être humain ne devait pas tomber dans la dépendance de cette aisance comme but ultime, mais devait s'en servir pour alléger ces tâches subalternes et bénéficier de ce temps épargné pour s'élever personnellement, afin de découvrir les trésors vibratoires, que renferme cette formidable machine : le corps humain.

Le corps a pour fonction première de nous permettre de nous mouvoir dans notre espace, dans notre environnement. Mais quelles raisons le motiveraient à aller dans telle ou telle direction, et surtout celle du sens de son évolution, si l'ultime but n'est pas de l'explorer, le comprendre, pour qu'il révèle tout ce qu'il renferme ? Mais doit-il faire confiance à un système qui ne sait pas lui-même où il va, en l'utilisant comme une machine et non pas comme un art à part entière, au lieu de le vulgariser par ses attributs vus de l'extérieur ? Doit-il se fier à son propre intellect, formaté par une société réagissant sur un modèle de réussite d'une politique politicienne qui ne prend en compte que la crème de la crème, pour ses propres intérêts, laissant une partie de sa population de plus en plus nombreuse par leurs exigences sur le bas-côté de la route ? Doit-il s'orienter sur des messages subliminaux qui lui dictent la voie à prendre pour réaliser sa destinée ? Est-il guidé par ses émotions, délivrées par ses ressentis vibratoires qui émanent du plus profond de lui, tout au long de sa vie, même au risque d'être pris pour un marginal, espérant trouver dans leur intégralité les mystères dont il regorge ? Vers qui se tourner ? Est-il en droit d'exiger des réponses !

Pour obtenir toutes ces réponses, ne faut-il pas qu'il soit en harmonie avant tout avec lui-même, l'entretenir, l'écouter pour être digne de recevoir toutes ses révélations et nous permettre de passer à d'autres dimensions ?

Ayant pris en considération ces priorités, la population était plus à l'écoute de l'équilibre de son corps et de son esprit, tout en conservant une économie financière qui nous permet de garder la population en activité, qui est en quelque sorte la rétribution de ses actes, non pas que matérielle. Cela serait une désuétude de dire que le système monétaire ne sert à rien. Il est une valeur à prendre en considération, au même titre que toutes les valeurs qui nous permettent d'évoluer, cette fois-ci, sans qu'il prenne le pas sur les autres. En ces termes, la population s'était apaisée. Elle vieillissait davantage plus longtemps, dans une sérénité et une confiance en l'avenir, car enfin, elle pouvait ressentir comme un livre ouvert dans sa destinée, tout en tenant une bonne forme physique et spirituelle, grâce à une révolution qui débuta dix ans plus tôt.

Comme conséquence de cette révolution, il fallait réagir au fait que la population devenait aussi plus créative et redoublait de dynamique. Nous rentrions dans une nouvelle ère. Elle ne devait pas être asphyxiée de nouveau. Les mentalités avaient changé. Vivre, n'était plus ce lourd fardeau qui, pour une majorité de gens, correspondait au terme « métro, boulot, dodo » envenimant leur existence. Ils s'étaient détachés de ce vocabulaire, ayant compris le pourquoi de leur présence sur terre. Aller travailler n'était plus une obligation, mais le fruit d'une passion, de l'épanouissement à un but personnel. Cette mutation était bénéfique, et avait engendré une économie bien plus florissante et régulière, en abordant sa vie sous un autre angle, prenant en compte que plus de personnes adhéraient à cette attitude positive, et par là même s'épanouissaient et embellissaient cette harmonie. Les notions de temps n'étaient plus gérées par une horloge commune, mais correspondaient aux heures biologiques de chacun, au moment où il était le plus efficace. Le monde vivait vingt-quatre heures sur vingt-quatre. La population s'était décentralisée des horaires de pointe, rendant la circulation routière plus fluide.

Il n'était pas rare, non plus, de voir des personnes de soixante-dix ans et parfois plus, prodiguer et léguer leur savoir-faire dans des domaines inimaginables, à des apprentis de tous âges en quête de nouvelles attributions au mot « Avenir ». Des sites internet étaient conçus, afin de faire connaître des métiers que l'on ne soupçonnait même pas d'exister auparavant, et des voyages à travers le monde pour acquérir ces connaissances se faisaient régulièrement en toute sécurité. Les frontières n'avaient plus lieu d'exister et n'étaient plus que du ressort administratif.

L'être humain avait fait la paix avec lui-même, donc, consécutivement avec les autres. Certaines personnes qui avaient un peu de mal à cibler plus précisément la motivation de la symbolique de leur vie, n'hésitaient pas à s'inspirer des informations et des formations données par ces sites, cherchant à être stimulées par l'un d'entre eux.

Au début de cette épopée, l'homme étant ce qu'il était, il se formait certains groupes rétrogrades aux influences conservatrices, aux pensées néfastes à l'évolution de la société par d'autres voies jumelées à celles décrites par Darwin sur l'évolution des espèces, qui n'hésitèrent pas à nous mettre des bâtons dans les roues. Mais grâce au perfectionnement du système ABBEL, nous les suivions de près. Nous rendions caduques leurs propagandes diffamatoires à notre sujet, en diffusant des campagnes de sensibilisations régulièrement sur « TVABBEL » la chaîne du web. Il fallait être intransigeant envers ce genre d'individus. Nous dénoncions leurs méthodes de manipulations mentales, qu'ils firent subir à la population au fil des siècles, dans leurs campagnes de chasseurs de sorcières. Parallèlement nous diffusions ce que nous, dans une unité fraternelle, après cette conscientisation, nous avions réalisé pour en arriver là où nous en sommes actuellement avec notre ouverture d'esprit. Après la diffusion de ces messages, la dissuasion était radicale et renforçait d'autant plus notre mouvement.

Après la réussite de telles opérations, cela motivaient les personnes hésitantes à aller chercher au plus profond d'elles leurs aptitudes innées, des talents naturels, des dons d'énergies qui, jusque-là, avaient été ignorés par méconnaissance ou par peur de l'inconnu, du qu'en-dira-t-on aussi, et surtout par l'abnégation par chacun, de l'attribution de ces manifestations dans notre société. Nous pouvions suivre des cyber-consultations privées, car chaque cas est à aborder différemment, ou bien des séminaires sous la supervision d'êtres initiés confirmés et agréés, sélectionnés par la maîtrise de leur domaine respectif, car le ressentiment et les craintes de ces novices apprentis à exécuter de nouvelles expériences étaient présents. Il est vrai que nous allions à la découverte de terres inconnues, non sans risques, que de telles expériences comportent, car nous allons puiser dans le fond de notre personnalité, et parfois, il faut avoir le cœur bien accroché, tout n'y est pas forcément rose. Mais ce stade passe par l'acceptation, le jeu en valait la chandelle. Des paliers d'apprentissages étaient à franchir dans le temps, avant d'être des initiés, et ces personnes courageuses en ressentaient par la suite les bienfaits dans la compréhension de leur vie. Là, enfin, nous pouvions toucher! Non! Développer, toutes les hypothèses portant sur la puissance de notre force intérieure, si longtemps prônées, mais si longtemps gardées dans ce flou mystifiées aussi. La vie prenait son essor pour changer en mieux, car elle était enfin acceptée telle qu'on nous la délivrait originellement!

Nous empruntions donc le corridor, lorsque mon appareil de contrôle de santé, intégré à notre appareil ABBEL, me signala que Sally allait être prise d'un vertige, occasionné par une hypoglycémie. Dans l'espace où j'écoutai l'information, je la vis lâcher ma main, et par un réflexe, s'orienter vers le mur pour amortir sa chute, sous une des pancartes animées qui ornaient celui-ci. Au moment où se déroulait l'incident, j'étais tellement captivé par le message que je recevais par l'entremise de mon oreillette que je fus surpris, et malgré tout, en une fraction de seconde, je lui agrippai le bras pour la soutenir.

– Eh! Sally! Que t'arrive-t-il?

– Je ne sais pas, Benito! dit-elle d'un ton qui soulevait sa colère. Tout en marchant, il m'est revenu à l'esprit l'image de la jeune fille que nous avons croisée toute à l'heure, et ça m'a fait penser à Jamie. Jamie qui, soit dit en passant, ne nous à toujours pas donné de nouvelles depuis la dernière visio où elle nous disait qu'elle nous réservait une surprise! Puis c'est à ce moment-là que j'ai ressenti mon inlassable pointe au cœur et je ne sais pas pourquoi, je me suis senti venir un étourdissement.

Un couple de vieilles personnes qui marchait derrière nous, et qui avait assisté à la scène vint à notre rencontre pour nous proposer son aide.

– Vous allez bien, madame? Parce que nous, depuis que ma femme et moi nous sommes équipés, nous n'avons plus de problèmes de santé…

Partant sur un discours portant sur l'émérite confort que leur apporte leur système de prévention ABBEL, depuis qu'ils se l'étaient fait implanter.

– Ça va, merci, je connais les applications de cet appareil, c'est mon mari qui l'a…

En voyant là où la conversation allait aboutir si elle continuait sa phrase, elle en confondit les mots et reprit :

– Je reprends mes esprits, merci! leur répondit-elle pour couper court à la conversation.

L'homme me regarda surpris, et insista en me demandant si notre « ABBEL perso » fonctionnait normalement car lui…

Je lui répondis que oui, tout naturellement. Et je lui montrai, en tirant sur ma manche qui dévoilait mon écran de contrôle sur la page connectée à Sally, que mon système de parrainage préventif de santé me l'avait bien signalé, et juste à temps.

– Mais alors, répliqua-t-il, je vois sur votre moniteur de contrôle que tout va mieux, madame, mais que l'assistance médicale attend confirmation pour son intervention!

– C'est vrai! Désolé, j'étais préoccupé par l'état de santé de mon épouse! Oups! C'est fait! Non, merci pas de « cyber-consultation » avec le médecin. Envoyé.

Habituellement, je suivais le protocole de sécurité, mais cette manifestation était de plus en plus fréquente et inquiétante chez

Sally ces derniers temps. Je sentais que quelque chose se préparait, mais je ne savais pas encore quoi. Je tendis une substance sucrée à Sally, dosée selon la prescription qui apparaissait sur mon écran, puis je la lui administrai. Un temps s'écoula et je la vis reprendre ses couleurs.

C'est une aubaine d'être équipés de nos appareils de surveillance mutuelle, comme un parrainage à double sens, où nous veillons l'un sur l'autre, lorsqu'un problème médical survient dans le système corporel d'une personne ou d'un animal dont nous sommes responsables. Selon la gravité du problème, des assistances de secours, policières et médicales, sont automatiquement prévenues, et nous renvoient l'appel pour confirmer de quoi il retourne. Au même instant, ils nous localisent pour dépêcher une brigade d'intervention, le cas échéant. Nous sommes en permanence connectés par nos appareils via le « central de contrôle » qui intègre un laboratoire interne au concept ABBEL, géré par les informations de notre implant corporel, qui lui transmet, dans le cas où nous voulions échanger quelques informations sur notre état de santé avec des médecins, ou dans le pire des cas, s'il venait à nous arriver un souci de santé ou un incident de parcours. Comme nous venons de le vivre avec Sally.

Ce système a sauvé bien des personnes impliquées dans des catastrophes ou qui les ont causées, grâce à une détection imminente si on est victime d'un AVC, de problèmes cardiovasculaires, d'empoisonnement, dans leurs recherches après des séismes, des avalanches, des kidnappings d'êtres vivants ou des disparitions d'enfants, des catastrophes aéronautiques, des accidents au milieu de nulle part, de drogues prises à son insu, alcoolisme aggravé, de causes d'actes de démences. Cela a aussi servi dans la surveillance à distance, aussi bien dans le domaine médical que dans le domaine de la sécurité civile de personnes vivant seules, sédentaires ou nomades, ou sous surveillance judiciaire. Et initialement, dans le domaine qui porte sur la santé de chaque individu sur terre. Ce système de services préventifs a aussi contribué à faire diminuer considérablement le taux de mortalité lié à la santé, mais aussi à la criminalité, le vol, le viol, et les actes de délinquance répréhensibles par la loi. Après s'être illustré dans le domaine de la santé au sens générique du terme, suivi médical, sport…, ce concept révolutionnaire s'est étendu par la suite à différents autres domaines, comme la sécurité des êtres vivants dans le plus grand respect de sa personne, la gestion administrative et monétaire de son quotidien, la gestion routière et environnementale. Par ses effets bénéfiques sur l'ensemble de la population sur le plan matériel, dont nous avons besoin pour faciliter notre quotidien, ce concept, qui a été approuvé dès ses tout premiers débuts, a été récompensé par la suite des plus nombreuses et des plus prestigieuses distinctions qu'il ait jamais été donné d'honorer quelque chose, et cela plusieurs années d'affilées. Ce concept faisait la joie des boursicoteurs, car le concepteur rendait actionnaire de son entreprise, chaque être qui adoptait sa vision du monde en intégrant son concept à leur quotidien. Grâce à cette idée un peu folle, le concept ABBEL c'est démocratisé à la planète entière pour former une unité humaniste.

Nous attendîmes quelques instants, tout en contrôlant nos deux « perso » qui nous indiquèrent sur nos écrans que tout était revenu à la normale. L'état de santé de Sally indiquait bien « O.K. » concernant sa pression artérielle, ses taux de composition du sang un peu bas, son rythme cardiaque constant, maintenant. Et pas de fièvre non plus. Le dernier check-up indiquait « O.K. », le compte rendu concluait qu'un manque d'énergie dû à un manque d'apport calorique était aussi signalé. Des recommandations lui étaient prodiguées pour sa convalescence. Il en fallait plus que ça pour désarçonner ma Sally, c'est une battante.

— Je vous conseille de faire quand même une visite de contrôle plus poussée avec un cyber-médecin, ou d'aller à la clinique la plus proche, car il pourrait vous arriver quelque chose de plus dramatique la prochaine fois, madame! rajouta son épouse avec une voix stridente en prodiguant ces conseils soporifiques de vieux rabat-joie.

– On sait ce qu'on a à faire, tout est écrit sur notre moniteur. Marmonna Sally entre ses dents.

– Pardon? Qu'avez-vous dit?

– Merci de vos conseils et de votre gentillesse, messieurs, dames, je l'emmène sur-le-champ! Au revoir et bonne fin de soirée, leur dis-je pour abréger notre calvaire. Après leur départ, je regardai Sally et nous nous mîmes à rire de la situation.

Quelques minutes passèrent.

– O.K.! Ça va mieux, me dit Sally, je ne sais pas ce qu'il m'a pris, mais ne t'inquiète pas, c'est bon maintenant. Je ne veux pas de cyber-consultation et pas aller non plus à la clinique. C'est toujours les mêmes rengaines, ils me disent que c'est toujours à cause de ma malformation au cœur qui engendre une augmentation de ma pression sanguine quand quelque chose me contrarie. Et peut-être aussi que je n'ai rien mangé depuis ce matin, rajouta-t-elle rapidement dans sa phrase, éhontée!

Dépité devant cette aberration, je la regardai, lui faisant comprendre qu'il y a toujours une cause à effet. Je m'assurai ensuite que c'était bien ce qu'elle voulait, puis je l'agrippai par le bras, et en la hissant vers moi, je vis sur l'annonce électronique sous laquelle elle se remettait de ses émotions, un panorama que nous connaissions très bien tout les deux.

– Regarde Sally! Sur l'affiche, c'est le relief panoramique de Notre Dame de la Garde à Marseille. Similaire à la prise de vue que nous avions dans la chambre de l'hôpital où j'ai séjourné! C'est dingue, cette coïncidence!

– Où nous avons demeuré, veux-tu dire! Bien sûr que je m'en souviens! Je l'ai assez regardée en suppliant la vierge Marie de me sortir de ce calvaire que nous vivions à l'époque.

– Eh! Regarde encore! C'est l'affiche numérique qui servira de souvenir pour le passage en ces lieux du spectacle dont cette jeune fille nous faisait la promotion. Le titre est : « Méfiez-vous des préjugés », mis en scène et chorégraphie : Son Jamie. Les danseuses : Son Jamie, Nez Marie, Anaïs de Chine, Sandrap Alex, et les danseurs : Ouette Pierre, Brindefolie Justin, Émard Jean. Nichel Romain.

Sally, la tête encore dans les vapes, ne portait pas trop attention à ce que je lui racontais.

Soudain, le rapprochement de ces différents détails se fraya un chemin et finit par fusionner dans ma tête avec des jeux auxquels je jouais avec une petite fille espiègle :

– Eh ! Mais attends une minute ! Je l'ai trouvé, ta surprise ! C'est la petite Jamie qui a monté ce spectacle ! C'est ça ! La vue de Marseille sur Notre-Dame de la Garde sous cet angle que l'on connaît parfaitement tous les trois ! Ce nom : « Jamie. Son », en référence à la danseuse et chorégraphe américaine Judith Jamison qu'elle vénérait plus qu'une déesse lorsqu'elle était enfant ! Et apparemment, on dirait qu'elle prend la même carrière.

Et me voilà parti dans des schémas d'explications qui laissaient Sally dans la découverte des activités partagées avec Jamie.

– Eh bien ! Je ne savais pas que vous jouiez à ces jeux-là ! Mais son nom n'est pas « Son' » non plus ! m'affirmait Sally.

– Je sais bien ! Souviens-toi ! Lorsqu'elle était petite, on jouait au jeu de « Monsieur et madame… ont un fils ou une fille ». Ça faisait comme ça : Et je lui donnai le premier exemple qui me passait par la tête :

– Par exemple : « Monsieur et madame Bonneau ont un fils ! Quel est son prénom ? » Et il fallait répondre : « Jean ». Parce que « jambonneau ». Tu te rappelles, maintenant, de ce jeu d'association ? Ou alors : « Monsieur et madame Page ont un fils, comment s'appelle-t-il ? » « Marc ». Parce que : marque-page ! T'as saisi le concept ?

– Oui, ne m'insulte pas quand même ! Bon ! O.K. ! Vaguement !
reprend-elle. Mais, c'est plutôt toi qui aimais jouer avec elle à ces
jeux un peu (?!!!...!) Mais comment c'est venu, le nom de Jamison ?

– Je me souviens ! Rien de bien intéressant ne nous venait à
l'esprit avec son prénom « Jamie ». Alors, elle ouvrit le dictionnaire
à « j.a.m. » et là, elle découvrit « Jamison Judith danseuse et chorégraphe ». Tu connais sa passion pour la danse ? Donc, elle a été sur
internet, a tapé son nom, et en lisant sa biographie, quelque chose a
touché Jamie sur l'ambition et la détermination qu'avait Judith
Jamison pour la danse et cela a fait son effet sur elle. Il est vrai
qu'elle était douée et en imposait sur la scène, à voir les extraits de
films sur son site. Puis la voyant danser aussi sublimement, elle se
l'est approprié comme référence. Tu te souviens de ça ?

– Oui ! Tu as raison ! Ça me revient maintenant, me dit Sally. Puis
je continuai mon explication de détective :

– Et lorsqu'on jouait donc à ce fameux jeu, il suffisait de dire
« Monsieur et madame « Son » ont une fille. Comment s'appelle-t-
elle ? » pour que Jamie réponde : « Jamison Judith ». Et ensuite, je
prenais un accent allemand et je lui disais : « Ma où ja mis son
boubée à cette betite freuline ? » et elle pouffait de rire.

– Et regarde encore les noms de ces danseuses et danseurs : Nez
Marie, ça fait « marinez ».

– Eh bien quoi ?

– Lorsqu'en cuisine vous faites « marinez », une viande, un
poisson, des légumes. Elle aurait pu mieux faire ! Il y avait
Marineland. Son amie d'enfance, Anaïs qui faisait ses études à
Xiang en chine. Anaïs de chine. Te rappelles-tu ? Famille Sandrap
Alex, inverse et ça fait : Alexandra ; pareillement pour, mais lis-le
vite : Pierre Ouette, Jean Émard, Romain Nichel, Justin Brindefolie.
Ça c'est tout elle, ces fameuses énigmes. Sors du corps de Jamie,
Léonardo da Vinci, avec tes énigmes un peu limites, je dois l'avouer,
je ne te reconnais plus !

Parfois, la vie est marquée de petites niaiseries, pas forcément bien intellectualisées, mais qui marquent les esprits. On le sait bien, c'est pesant les intellectuels.

Sur cette explication, je souris à Sally, satisfait de ma découverte et heureux que Jamie ait eu une pensée pour mon sens de l'observation et de la logique. Elle me regarda, non étonnée de voir qu'un petit garçon sommeille toujours en moi, et qu'il ressurgit à la moindre occasion. Balançant sa tête de gauche à droite, un petit sourire retenu aux lèvres, navrée de m'entendre dire des imbécillités à mon âge. Je constatai que l'effet escompté d'obtenir un sourire spontané n'aboutissait pas, je repris mon sérieux en me raclant par deux fois la gorge, corrigeant ma posture et le col mon veston en tirant dessus pour lui donner meilleur allure, tout en affichant une mine froide et sans émotion. Je changeai de conversation en un ton monocorde, et en lui indiquant la date de la première du spectacle, qui aura lieu dans quinze jours à dix-huit heures, un jour après notre retour du voyage en Gaspésie, ce qui mettrait un terme à une tournée à travers cent trente-trois pays, de la promotion du troisième volet de mon roman : *Le cœur du monde* : « Le futur futuriste ». Ah non ça c'est le second. *Le cœur du monde* :

« Le Roi Soleil est mort, vive le Roi Soleil ».

– Allons ! Qu'attendons-nous pour réserver nos places ? lui demandais-je.

Sally me chargea d'un petit coup de coude pour m'indiquer qu'elle approuvait mon analyse de détective et me demanda de redevenir moi-même et de sourire, car l'air sérieux ne me convenait pas. Puis d'une voix enchantée, ordonna à son « ABBEL perso » d'ouvrir le « marque-page » des spectacles, et réserva deux places au balcon pour la première du spectacle *Méfiez-vous des préjugés*.

Après un court instant, nous réalisâmes que nous allions enfin revoir Jamie après tant d'années d'absence, occupés que nous étions tous trois par nos activités respectives qui enrichissaient nos êtres d'une satisfaction sans précédent. Nos regards se croisèrent et emplirent d'émotion tout notre cœur. Tremblants, du bout des doigts, au passage de l'affiche numérique sur l'écran, nous la caressions, car pour nous, elle représentait la consécration du rêve d'une petite fille qui n'avait pas, enfant, les atouts morphologiques qu'on imagine pour devenir une ballerine.

– Elle avait encore raison ! Elle avait encore raison, lorsqu'elle nous disait qu'elle monterait ses propres spectacles avec sa propre compagnie de danse ! se répétait Sally, en me punchant l'épaule d'un coup de poing ! Nous pardonnera-t-elle, si nous-mêmes, nous n'y avons pas cru à l'époque ?

Et je lui rétorquai :

– Nous étions autrefois, des êtres qui se laissaient détourner de leur chemin de vie, façonnés par un système qui nous aveuglait par des stéréotypes de réussites « bling bling » qui poussait notre égo à lui ressembler. Moutonniers, nous envisagions de nous calquer sur cette idéologie, par manque d'élévation spirituelle ou peut-être de courage, au point d'en oublier l'essentiel : la foi en nous-mêmes, en la réalisation de nos propres vies. Elle nous a démontré que par son inflexible conviction de réussite, qui régnait au plus profond de son être, l'écoute de ses sens était la seule voie pour cheminer sa destinée. Comme tout un chacun, sa démarche nous illustre bien que nous avons tous, en chacun de nous, notre destinée, et qu'il faut y croire pour qu'elle se réalise.

– C'est la petite Jamie ! Cette grande Jamie Son ! C'est la petite Jamie ! Elle est bien devenue ce qu'elle avait toujours voulu être, malgré les moqueries de certaines personnes : une danseuse confirmée.

Pendant que nous nous remémorions la petite Jamie, mon « perso » retentit, puis la voix dans mon oreillette suivit, pour m'indiquer que notre tour de passage dans le bus se faisait urgent. Ni une, ni deux, nous nous empressâmes de nous rendre sur le quai d'embarquement.

Une fois arrivés au parking à l'extérieur de la ville, nous connections nos « perso » à notre véhicule, pour nous soumettre à l'identification des passagers et vérifier l'état d'aptitude du conducteur à prendre les commandes. Si l'appareil de contrôle venait à détecter une substance comme de l'alcool, de la drogue, une surmédicamentation ou autre dans notre sang, qui pourrait nuire à la sécurité de soi ou d'autrui, il n'autoriserait pas le départ de celui-ci. Du moins avec ce comportement suicidaire. Nous en profitâmes aussi pour recharger par la même occasion leurs batteries, et juste à ce moment-là se fit entendre par la voix du « perso » de Sally, un message nous indiquant que nos places nous étaient gracieusement offertes, car nous étions les heureux gagnants d'un tirage au sort.

Sally surprise et non mécontente, m'offrit à son tour un de ces clins d'œil décalés, qu'elle ne m'avait plus faits depuis bien longtemps. Elle remercia la vie de ce présent, puis nous conduisit tranquillement à la maison.

Arrivés à proximité de chez nous, le système de sécurité détecta notre véhicule et compara nos implants corporels avec ceux du central agréé pour nous identifier. Puis Lylie, l'ordinateur qui gère tout le fonctionnement domotique de la propriété, nous autorisa à pénétrer dans notre demeure, en nous ouvrant automatiquement le somptueux portail en fer forgé et en nous souhaitant le bonsoir.

Aux abords du garage, Sally sortit du véhicule, en interrogeant Lylie sur l'état de santé de sa jument qui ne devait pas tarder à mettre bas. Lylie lui répondit que si elle le désirait, elle pouvait se rendre sur les lieux et que le soigneur ainsi que le vétérinaire étaient déjà sur place. Ce que nous fîmes sur-le-champ.

Quelques heures plus tard, et soulagée d'avoir assisté au bon déroulement de la venue de ce magnifique poulain, Sally me demanda si « ILS » étaient présents. Je lui répondis que oui. Qu'« ILS » sont toujours là pour assister à un heureux évènement. Elle suggéra que nous l'appelions : Justin Brindefolie. Je lui fis un signe affirmatif de la tête, en lui faisant comprendre qu' « ILS » étaient d'accord. Enchantée par cette belle réponse, elle me suggéra ensuite de retourner à la maison, afin de finaliser nos valises pour la tournée en Gaspésie. L'accumulation des épreuves qu'elle venait de traverser cette même soirée l'avait exténuée et lui avait déclenché de nouveau ses douleurs ciblées au cœur. Son envie, pour l'heure, était de s'allonger dans le système massant et de se détendre pour atténuer cette souffrance.

– Comme tu veux, chérie ! lui dis-je, toujours dans l'inquiétude, lorsqu'elle traverse cette épreuve-là.

Moi, pour me changer les idées, j'allai faire de l'exercice physique car j'avais besoin d'éliminer des toxines.

Je connectai mon « perso » sur l'appareil d'entraînement, pour que celui-ci fasse le topo santé des événements qui se produisirent depuis minuit une seconde de cette même journée. Ensuite, les données furent soigneusement recueillies, et envoyées au central agréé pour être analysées et un compte rendu en découla. Par la suite, ces données seraient compressées et stockées, selon les domaines auxquels elles appartiennent. Parallèlement, ces mêmes données seraient rendues anonymes pour servir aux statistiques nationales, puis mondiales, afin d'aider la recherche à avancer.

En ce qui concerne ma séance d'entraînement, les données sont basées sur les calories accumulées qui ont été collectées sur les codes barres que j'ai rentrés en scannant tous ce que j'ai ingéré, puis calculées en les comparant aux analyses de mon sang et bien sûr, d'autres facteurs qui m'ont permis d'en user, ainsi que celles dont j'aurais besoin pour le programme de ma pratique.

– Bonsoir Benito ! me redit ce doux hologramme qui prend le rôle de coach d'entraînement physique. (J'avais créé les moindres détails à ma convenance de celle qui devait me coacher, sur mon écran intégré à mon appareil d'exercices.)

– Salut belle Lylie !

– Arrêtez Benito, vous allez me faire rougir. Me dit-elle d'une voix suave. Puis elle reprit ses fonctions. O.K. ! Je vous fais part du compte-rendu physique.

Lylie m'énuméra les différentes phases, puis elle me prépara le programme que je devais aborder, dès lors qu'elle a reçu le résultat des données.

– Vous allez commencer par une heure et demie de vélo et je vous indiquerai la cadence à maintenir. Parallèlement, vous vous ajusterez à la vitesse demandée au plus proche des valeurs indiquées. Une quantité de calories est à éliminer, par rapport à l'excédent des calories que vous avez engrangées ces dernières vingt-quatre heures. Quelle musique désirez-vous écouter ? Préparez-vous à grimper, car le programme est intensif ce soir ! Les Alpes vous conviendraient ? Mais avant, faites votre méditation pour vous recentrer sur vous-même et allez chercher votre profonde énergie.

Cela n'était pas dit directement, mais elle voulait m'indiquer que je m'étais un peu trop sucré le bec aujourd'hui.

Pendant que je pédalais, visionnant ce joli parcours empli de beaux paysages, Lylie m'indiquait le kilométrage effectué dans la journée grâce au traçage GPS, et des informations sur l'état général de mon corps. Par rapport à l'estimation de ce que je vais dépenser en calories, Lylie me conseilla de choisir parmi plusieurs menus pour le souper de ce soir, dont elle organisa la préparation le temps de ma gym, dans l'espace de la cuisine automatisée.

– Votre cadence ralentit ! Allez ! Allez ! Plus vite ! m'encouragea-t-elle ! On tient jusqu'au bout, Benito.

– Tenez votre dos droit, rajouta-t-elle, à cette mauvaise posture que je prenais sous l'effort, qu'elle pouvait déceler grâce à ma combinaison équipée de capteur qui corrigeait mon attitude physique et qui permettait aussi une sudation accélérée. Hydratez-vous !

Après la mythique et difficile montée de l'Alpe-d'Huez, elle enchaîna sur les autres exercices du haut du corps à exécuter, puis finit avec des étirements pour éviter les contractures du lendemain. Elle m'avertit par la suite que mon repas sera prêt en sortant de ma douche. J'allai me restaurer, puis je m'installai ensuite devant l'écran de mon téléviseur, pour visionner ce film qui était programmé pour vingt et une heures. Mais avant, je m'assurai que la santé de Sally s'était améliorée, ce qui s'avéra être le cas à en juger par les niveaux réguliers indiqués sur le moniteur de contrôle. Je positionnai donc le « Visio émotions » sur mon nez, équipé d'écouteurs pour ne pas déranger Sally, et j'ordonnai à Lylie de mettre sur « Play ».

Dès les premières images, les frissons m'envahirent. Je rentrai émotionnellement dans le film. Il relatait les plus grands désastres écologiques, commis par l'être humain dans les forêts et les océans à l'échelle mondiale. Par chance, ces atrocités furent stoppées puis condamnées par une poignée de gens au courage exceptionnel.

Faire disparaître nos forêts et nos océans de la surface de la terre, quand on y pense ! C'est s'amputé de nos poumons, notre oxygène, nos pharmacies, nos granges, qui sont cruciaux pour la subsistance de notre vie à tous. Les laisser se faire piller et saccager de l'équilibre de leur flore et de leur faune, les dépouillant respectivement de leurs richesses et leurs beautés fonctionnelles et visuelles. Pour les premières en les démunissant de leurs bois précieux et le reste de l'abattage, transformé en pâte à papier. Profitant de cet élagage, à proximité des urbanisations, ô combien prémédité, pour la construction de lotissements à la conceptualisation anarchique, qui poussaient comme des champignons. Ou bien, pour les endroits plus reculés et montagneux, laissés nus, provoquant des glissements de terrain, les jours où la terre absorbait d'abondantes quantités d'eau de pluie, formant des poches entre celle-ci et la roche, jusqu'au moment fatidique où des villages entiers étaient ensevelis sous des mètres de boue, car aucune racine d'arbre n'était plus là pour stabiliser les terrains supérieurs. Ne lui accordant plus l'espoir d'une nouvelle repousse. Quelle honte ! Pillant et massacrant un peu plus chaque jour mère Nature, tout en laissant ces rescapés orphelins de sa faune réduire les limites de leurs lieux de garde-manger et d'habitation, pour en arriver à l'extermination de leur race. Ignorant, par le vrombissement de leurs machines assassines, les cris et les lamentations de leurs victimes, qui les imploraient d'arrêter ces gestes massacreurs. L'enrichissement financier, n'a aucun scrupule.

Et pour les seconds, tous les océans étaient devenus des dépotoirs. Les êtres qui y vivaient, mangeaient bien souvent à leur insu, des déchets déversés quotidiennement dans leur habitat. Puis ces mêmes êtres qui mangeaient nos surcroîts de produits de consommations, étaient victimes de la surpêche qui amenait certaines espèces dans le déclin de leurs existences. Par ce cycle, il ne faut pas s'étonner, d'attraper certaines maladies. Et encore là, nous ne parlons pas de ces pêches abusives, qui consistent à prélever des parties biens particulières sur des êtres encore vivants, puis rejetés par-dessus bord, agonisant dans leurs torpeurs, pour les simples croyances de peuples qui croient trouver, ce je-ne-sais-quoi, d'un regain de vitalité dans ces morceaux de choix.

Ces dégâts furent causés par des organismes puissants, aux attitudes très douteuses, qui graissaient la patte d'élus, soucieux d'une seule chose : le remplissage de leur portefeuille, sans prendre en compte les méfaits qu'ils induisent au déséquilibre de l'environnement et au trouble qu'ils imposent à l'avenir de leurs descendants. Ils ont fait rage durant des décennies. La justice avait les mains liées, même si les commanditaires de ces massacres étaient localisés et identifiés clairement, mais cette horde de requins faisait pression de chantage sur le licenciement d'un nombre considérable d'employés, si les autorités en places ne les laissaient pas agir de la sorte.

À la fin de ce film fort en émotions, je remerciai le ciel, qu'une conscience collective venant du peuple, s'éleva *in extremis* au moment des faits. La reconstruction et le réaménagement de ces lieux pour le salut de tous avaient été mené à bien par des compagnons : « les copains de la terre ». C'étaient un regroupement de citoyens, de tous bords sociaux, assistés de maîtres d'œuvre, d'architectes, d'urbanistes, d'amoureux de la nature, et de bonnes âmes de toutes origines confondues, qui avaient ingénieusement incorporé l'habitation de l'humain dans les milieux naturels, sans dénaturer le paysage, en se servant des atouts qu'offre la planète terre, tout en gardant le confort des habitations que l'on connaît. Le héros du film, en prononçant ces paroles, rappelait que « les erreurs du passé qui avaient été commises par peur du lendemain correspondaient à une crainte qui affecterait le poste de leurs dirigeants, et non pas pour celui de leur population ». Ces mêmes erreurs qui, par le passé ont causé l'anéantissement de plusieurs civilisations à cause des abus intempestifs de certaines puissances mafieuses au pouvoir politique, qui ont imposé pendant plusieurs siècles, par leur force dissuasive d'oppression économique et physique, leurs directives, tout en continuant d'asphyxier un peu plus la planète, par leurs abus de soumission.

J'étais heureux de voir que des mesures furent prises à temps et que le dénouement de cette partie de l'histoire fut enfin une victoire sur le côté médiocre de ce besoin de pouvoir à tout prix, naissant dans la tête d'une seule personne, avide de combler des frustrations d'égo, et qui, par sa force de conviction vengeresse, était arrivée à convaincre ses ouailles et à contaminer leurs pensées, en prônant sur le thème récurent des différences des peuples sur terre, rétorquant que ce sont eux les peuples élus pour gouverner en ce bas monde ! Déjouant par ce fait le vrai but de leur manœuvre, qu'une seule voie doit être prise, et bien sûr, c'est cette personne-là qui en connaissait le chemin pour y parvenir. De ce fait, qu'il fallait les suivre dans leurs idées extrémistes, quitte à éliminer tous ceux qui s'y opposaient.

À la fin de cette œuvre cinématographique, je rejoignis, un peu chamboulé, Sally au sous-sol aménagé, « sport et zen », où elle s'était endormie, conquise par sa séance de massage qui avait répondu aux effets escomptés. Je recherchai les mêmes effets sur la table qui se trouvait à côté, en enfilant ma combinaison, puis j'installai mon casque sur mes oreilles et demandai une musique de circonstance à Lylie. Je me détachai petit à petit de ce film qui m'avait fait bouillir de colère à certains moments, pour me laisser masser par les oscillations séquencées, effectuées par la combinaison à mouvements d'air. Une heure après, le massage a rempli sa mission relaxante. Toujours allongé, dans le reflet du miroir posé sur la porte de la salle de bain, j'observai Sally qui prenait sa douche et des idées venaient émoustiller mes sens. Je me glissai avec elle sous le jet où nous nous laissâmes envahir par des sensations des plus charnelles.

Au petit matin, j'insérai mes vêtements dans les compartiments prévus à cet effet du camping-car. Pendant ce temps, Sally connectait son « perso » au poste du conducteur. Son état de santé s'était amélioré. Après l'avoir identifié, « Truck » qui est l'ordinateur domotique de ces lieux, récupéra les nouvelles destinations d'étapes à atteindre que nous avait programmées mon éditeur. Il fit les recherches concernant les campings à proximité des villes demandées, avec les fiches descriptives les concernant. Sally précisa aussi l'impératif des trois jours à Percé à la date convenue, pour assister au colloque international sur l'environnement, sans oublier les sites à visiter sur le parcours. Pour le soir, elle insista sur le fait que les restaurants choisis soient certifiés qualité « ABBEL resto » non loin des points d'étapes. « Truck » compila toutes ces informations et pratiqua ces recherches en interrogeant tous les services requis, et nous restitua les résultats en nous faisant un programme par jour. Quelques changements y furent apportés. Nous indiquâmes notre départ à Lylie pour qu'elle prenne ses dispositions et gère la domotique de la propriété, puis nous prîmes l'autoroute « vingt EST » en direction de la Gaspésie.

Tout au long du trajet, des icônes nous apparaissaient sur l'écran de Truck, indiquant la présence, autres que ceux qui étaient imposés, de sites à visiter, de salles de démonstration, de manifestations, de lieux historiques, d'hôtels et de restaurants indiquant leurs disponibilités et les prix de leurs chambres ainsi que de leur menu. Certains même nous séduisaient avec des vidéos les mettant en évidence dans le cadre somptueux dans lequel ils se situaient. Comme ils n'étaient pas visibles du bord de la route, ce système-ci leur permet de signaler leur présence dans les parages. Des artisans de tous corps de métier, des commerçants, des artistes, des professionnels du milieu médical, des chercheurs d'emploi, grâce à un indicateur sur le moniteur, indiquaient en tout temps par rapport à nos besoins préprogrammés, leur présence dans un lieu et leurs compétences, ainsi que leur disponibilité. Ils pouvaient indiquer aussi leur disponibilité ou pas, dans le périmètre ou nous nous situions. Plus d'interactivité, plus de lien dans l'instant voulu, dans nos recherches ou pour leurs services ou pour leurs conseils ou même pour le plaisir.

Il était bien révolu, le temps où, dû au manque de facilités technologiques, des énervements et des prises de becs faisaient l'animation d'un voyage dans des contrées inconnues. Cela déclenchait même des discours animés où des noms d'oiseaux volaient dans l'habitacle du véhicule, lorsque, fatigués par des heures de route, nous ne trouvions pas du premier coup les lieux que nous recherchions pour nous y établir, et profiter d'un repos bien mérité.

Tout en roulant, avec Sally, nous relations les anecdotes de ces moments passés. Nous pouffions de rire, car la lecture d'une carte géographique, n'était pas son point fort à l'époque, et elle se laissait rapidement déborder par son caractère sanguin. Cela nous a valu quelquefois d'alimenter de bonnes disputes, car il ne fallait pas me chatouiller trop longtemps non plus !

Dans l'espace de cette bouffée de rire, Sally se plaignit encore de sa douleur chronique, comme si elle avait reçu un projectile dans le cœur, et cette douleur perdurait depuis sa plus jeune enfance. Mais il y avait fort longtemps que ces lancements tyranniques n'étaient pas survenus avec autant d'intensité. Elle avait pour habitude de prendre des décontractants musculaires, et c'était là le seul moyen pour l'apaiser. Tous les examens qu'elle avait suivis n'avaient rien révélé, hormis le signalement de cette déformation marquée de celui-ci. Je n'étais pas surpris que le « Abbel santé » se déclenchât à la moindre alerte, pour nous prévenir de l'incident.

Je fis prendre note à mon « perso » de rassurer les cyber-intervenants médicaux qu'il n'était pas nécessaire d'intervenir. Puis j'aidai Sally à s'asseoir sur le fauteuil passager pour être plus à l'aise et je repris le volant en branchant mon « perso » pour : autorisation de conduire.

La route défilait sous un soleil qui indiquait la fin de la belle saison et je demandai à « Truck » de bien vouloir augmenter la température à vingt-quatre degrés Celsius. Après quelques minutes, Sally se sentit mieux.

Nous poursuivîmes donc plus allégrement, les courbes sinueuses du bord de l'embouchure du Saint Laurent, pour faire succéder les unes après les autres, avec un très bon accueil, toutes les villes d'étapes avant Percé.

Nous passâmes donc une nuit à Gaspé. Ville de comptoir au passé marquant, dont les quatre cent vingt-sept années d'existence venaient d'être fêtées cet été. En cette période de l'année, les estivants sont plus communément appelés des locaux, des gens qui avaient le temps de profiter de la pêche.

Il était programmé une séance de lecture suivie de signatures électroniques, à partir de l'ancienne plus grande librairie du centre-ville qui, au fil des années, s'était convertie en centre d'écriture, faute de ventes en ligne d'œuvres littéraires, scientifiques et autre, comme le faisait la majorité des librairies dans le monde, au grand désespoir des adeptes du support papier qui aiment humer les pages de leur livre, empreint d'un vécu vieillissant, tout en se délectant du raffinement de leur lecture. Cette nouvelle conversion en espace d'écriture permettait aussi de compléter une thérapie qui rentrait dans le cadre du concept ABBEL. Au début l'idée était de réduire considérablement le nombre d'analphabètes. Puis par ce même exercice, l'idée s'était transformée en un brassage de sentiments, afin d'aller chercher au fond de soi les plus grandes de ses vérités, en apprenant à mieux se connaître. De nombreux ouvrages – ô combien surprenants, troublants et déchirants –, naquirent de ces élans de générosité de soi.

Puis un repas devait suivre avec la charmante équipe de ce lieu, associé à un comité d'accueil composé d'élus de la région et de journalistes. Sally ne se sentait pas très bien ce soir-là, elle eut même des pics de fièvre, et nous dûmes abréger cette rencontre pour nous faire raccompagner par un taxi à l'hôpital, car la cyber-consultation ne suffisait plus. Même sur place, les médecins ne diagnostiquèrent rien, même pas une piste matérielle des symptômes dont Sally énumérait les douleurs. Alors, désœuvrés, nous repartîmes au camping en gardant un lien de connexion direct, pour que Sally reste sous surveillance, dans le cas d'une intervention.

Au petit matin, je regardai le moniteur santé de son perso et il m'indiquait qu'elle allait mieux. Je la laissai récupérer de son épuisante nuit. Je profitai donc que la météo était clémente, pour nous octroyer le privilège de déjeuner devant un magique lever de soleil sur l'océan. Tout en écoutant un vieux et mémorable concert de chanteuses et chanteurs québécois qui avait été enregistré lors des quatre cents ans de Québec sur les pleines d'Abraham, je profitais que Sally était encore dans son sommeil, pour me mettre en quête d'un petit coin sympathique sur la route qui nous mènerait à Percé. J'alliai l'utile à l'agréable en rechargeant les batteries du véhicule, dans ces nouvelles stations qui poussent comme des champignons et qui fournissent de l'électricité, grâce au fonctionnement d'une éolienne et où, je le souligne, les carburants « faucilles » lapsus pour fossiles, ne dominent plus, pour se mouvoir sur les routes. À ce moment-là, Sally pointa le bout de son nez.

– Salut, ma chérie ! Tu as bien dormi ?

Dans sa robe de nuit d'un rose pâle, le visage encore marqué par l'oreiller, elle me confirma que oui. Du bas des escaliers, je lui offris ma main pour l'accompagner comme une princesse, à juste titre, et descendre les quelques marches qui l'amenaient à la table où j'avais préparé un somptueux petit déjeuner. La luminosité des premiers rayons de soleil, à peine chauds, la força à plisser un peu les yeux, le temps de s'habituer à leur générosité luminescente, puis un sourire s'afficha sur la pâleur de sa peau, lorsqu'elle prit conscience du céleste paysage qui s'offrait à nous. À ce moment-là, comme par enchantement, l'émouvante chanson « C'est beau » chantée par Ginette Renaud et Céline Dion vint compléter le tableau pour se faire savourer en musique d'émotion. La lueur du matin et les cris stridents des dernières sternes en partance migratoire vers des pays plus cléments pour passer la saison froide prévenaient de l'arriver de notre roi. Bonjour Sa Majesté ! D'un hochement de tête, nous le saluâmes et l'accompagnâmes une bonne heure, dans son ascension journalière au zénith, le temps qu'il sorte de son bain, marqué, lui aussi, par l'oreiller de nuages encore rougis du matin. Je fis part à Sally de mon observation, et les soupçonnai d'avoir passés la nuit ensemble. Et pour encourager ma pensée un tantinet jalouse, en sourcillant malignement, elle m'avoua suavement qu'il était bien plus chaud que moi. Je m'inclinai à cette scientifique vérité, dépourvu de réplique à cette répartie inspirée. Sur ce, je constatai qu'elle allait bien mieux. Puis nous reprîmes tranquillement la route, elle le sourire aux lèvres, moi un peu moins.

À peine le premier quart d'heure de route s'était-il écoulé depuis la dernière halte que Sally fut prise d'un tiraillement intense. Elle se plaignit de nouveau de sa douleur au cœur, qui s'amplifiait au fur et à mesure que nous progressions en direction de Percé. Devant nous, à la sortie d'un virage, se dessinait une de ces majestueuses criques surplombées du déclin d'une végétation luxuriante aux portes de la rudesse de l'hiver. Je m'arrêtai donc à l'aire de repos qui se présenta devant nous. Son « perso » indiquait une accélération anormale de son rythme cardiaque et une variation anormale de sa température.

Une icône témoin m'indiquait qu'il y avait urgence à prévenir une instance médicale.

– Veux-tu que je demande assistance à un médecin, Sally ? Il y en a un à proximité, et il est disponible dans dix minutes, si tu veux.

– Non, ça va passer. C'est toujours la même chose, les médecins ne trouvent toujours rien pour me soulager. Je suis agacée. Là, c'est tout de même plus fort que d'habitude. Donne-moi mes pilules.

Un petit moment passa. La prise d'une quantité supérieure à la normale de médicaments avait fait son effet. À ce moment-là, un message de « Truck » se fit entendre dans nos oreillettes, nous signalant que Sally ne pouvait pas conduire, et des termes médicaux prirent la succession de son discours, ainsi que les sanctions qui en découleraient, si elle décidait quand même de le faire. Ironiquement, nous le remerciâmes pour le tableau de la situation qu'il venait de nous dépeindre. Me voyant inquiet sur son état de santé, pour essayer de dédramatiser, elle eut la force de me taquiner :

– Te connaissant, je sais que tu penses encore à ce que je t'ai dit à propos de l'amant Soleil. Rassure-toi, c'est toi qui as toujours été le brasier, le volcan de ma vie. Moi sans toi, c'est un cœur stérile que je porterai. C'est toi qui as arrosé mon jardin secret de ton amour. Et elle continua à dire. Tu es « chou » quand tu t'inquiètes pour moi, on dirait que tu as mal pour moi !

La voix sanglotant, à fleur de peau, je lui répondis :

– Ne te moque pas de moi, méprisante sorcière ! Bien sûr que j'ai mal pour toi, tu es tout pour moi. Quand tu souffres, je ressens dans mon être toute ta souffrance. Tu sais comment je suis constitué. De toi, je ne me protège pas, car je veux ressentir toutes tes vibrations, toute l'émotion de ta belle personne. Je t'ai toujours ouvert mon cœur, et tu pourrais le briser en quelques secondes si tu le voulais. Mais j'ai une confiance aveugle en toi. Tu es tellement pleine d'Amour, que ça résonne en toi.

Elle me serra si fort dans ses bras que nous nous mîmes à pleurer. Elle sourit de nouveau avec compassion en ajoutant :

– Ne t'inquiète pas ! Tu ne te débarrasseras pas de moi !

Elle me prit le bras et m'encouragea à la suivre sur la plage.

– Viens ! On va s'asseoir dans le creux d'un rocher !

L'ambiance autour de nous prenait une autre tournure. Juste au-dessus de nos têtes, de gros nuages gris venaient de toutes les directions pour finir leur course, attirés par la polarité d'un champ magnétique dont je ressentais les picotements à travers tout mon corps. L'atmosphère était chargée d'électricité et déclencha cette douleur dans mon dos qui s'intensifiait, pour m'avertir qu'un événement allait se produire. On s'installa confortablement, s'abritant dans la cavité creusée dans le rocher, et on ressentit tous deux, qu'une méditation s'imposait d'elle-même, pour démystifier cette situation.

Le regard portant sur l'horizon, nous nous laissâmes maculer le visage des embruns soulevés par la brise. Soucieux du mal dont souffrait ma belle Sally, je la surveillais, en me positionnant face à elle. Le vent forcit un peu plus, mais nous restions là. J'admirais son doux visage qui se laissait caresser par sa longue chevelure blonde.

Soudain, elle fronça les yeux, acquiesçant au déclenchement d'une douleur malicieuse qui vint faire grimacer les traits de sa face. À son comportement, je vis que ses iris se dilataient et que des mémoires d'un lointain passé se ravivaient en elle pour être libérées d'une charge émotionnelle trop longtemps transportée. Je m'apprêtai à vivre une expérience phare d'une de ses vies passées. Je l'embrassai et je me laissais glisser, avec son approbation, qui me fut donné d'un simple signe de la tête, dans le miroir de ces yeux. À ce moment-là, une fenêtre spatio-temporelle émotionnelle s'ouvrit, à la période exacte où un événement devait être libéré d'un lourd fardeau.

Tout à coup, elle se leva, brandit son bras dans les airs, un pull-over à la main en guise d'étendard, et portant de sa voix, fit une déclaration d'investiture des lieux au nom du roi de France. Je souris à cette représentation privée qui m'était donnée, un peu perplexe, et je me sentis animé comme elle, dans l'accomplissement de cet acte.

– Maintenant va se jouer une page importante de ton existence, Sally !

Elle comprit pourquoi je lui disais cela, puis elle acquiesça à mes dires en hochant la tête de haut en bas, et nous nous laissâmes glisser dans une méditation qui nous emmena à la source du mal qui la rongeait maintenant, depuis trop longtemps.

Nous fermâmes nos yeux, main dans la main, et nous voilà ensemble, plongés dans une page de l'histoire. Dans une de nos vies antérieures où, apparemment, nous étions encore tous deux liés par le destin, dans la peau des premiers explorateurs des Amériques. Le bruit du trafic routier s'estompa, et le décor autour de nous, reprit sa forme originelle.

Nous nous tenions à la poupe d'une caravelle - vaisseau amiral de la marine marchande française -, vêtus d'un accoutrement d'époque, au firmament des premières découvertes de la Nouvelle-France, tous deux au masculin. Le ciel, à cette heure-ci de la journée, commençait à se parer de sa majestueuse rivière de diamants d'étoiles qui laissait délicatement deviner son horizon au travers d'une étole violâtre, s'harmonisant au coucher de soleil rougeoyant. Nos yeux rivés sur cette extraordinaire scène nous faisaient prendre un vif plaisir à la complaisance admirative. Les mots dans nos bouches prenaient une consonance artistique, enchaînant rimes et allégories, dans une dextérité et allégresse parfaites, le mot détaillé, pour justifier des beautés ancestrales que nous découvrions en ces lieux vierges, pour immortaliser l'instant. D'un côté, ces immenses paysages composés de forêts entrecoupées de cours d'eau limpides, aux palettes de couleurs si variées et si merveilleusement harmonisées, et de l'autre, sabrée par l'horizon, cette bascule ancestrale quotidienne, mais qui restait néanmoins unique par la clarté du jour qui se faisait conquérir, dans une bataille d'ogives étoilées, filant dans l'obscurité. Un mazagran à la main contenant une boisson chaude, nous admirions le travail effectué par l'artiste peintre qui, à la lueur de la bougie, était là pour rendre compte à la Cour, par ses peintures, des beautés des paysages que nous traversions. Par là même, nous relations quelques noms de grands maîtres croisés au cours de réceptions données au palais royal, qui avaient le talent de figer sur la toile, par la sensibilité affûtée de leur art, l'exactitude de ces endroits magiques existant de part et d'autre du Vieux Continent. Maintenant de nouvelles toiles allaient être peintes de ces lieux que l'on découvrait et que l'on s'appropriait impunément, pour l'œil curieux des investisseurs privilégiés de la Cour, qui viendraient se gargariser des exploits qu'ils auraient pu rendre possibles par leur mécénat.

À ces dires, le capitaine, orgueilleux et vaniteux, ordonna de jeter l'ancre pour déposer la dernière bannière avant de rentrer au bercail. Ceci afin de bien marquer son territoire, du moins celui de la France, il va de soi. Le chargé de mission pour effectuer cette opération était Sally. Elle choisit quelques matelots, puis me demanda de la suivre dans l'embarcation, pour les accompagner dans cette dernière excursion. Sur ce, nous rejoignîmes la côte, en brisant le reflet de cette mer à l'aspect d'un miroir. Le fond de l'air était très frais et rendait l'endroit encore plus lugubre. Nous demandâmes à Sally de bien vouloir accélérer le rituel pour remonter au plus vite à bord et nous mettre à l'abri. Mais bien trop fière de remplir cette dernière tâche, elle voulut que les premiers navires qui reviendraient au printemps prochain puissent voir de loin cette fameuse bannière. D'un hochement de tête, elle nous indiqua le haut de la falaise. Elle empoigna l'étendard surmonté des armoiries d'Aquitaine, puis pénétra dans la forêt qui la paraît pour rejoindre le point fixé. Pendant que nous attendions sur la plage qu'elle finisse son ascension, des craquements résonnèrent dans la forêt. Des animaux sauvages, sans doute !

Graduellement, provenant de la caravelle, des manifestations gestuelles, des sifflements, des cris finirent par l'éclosion d'applaudissements qui résonnèrent jusque dans la crique où nous nous trouvions. Un matelot nous fit signe de regarder au sommet. Sally brandissait la bannière dans les airs pour la planter dans le sol, avec toute la détermination du travail accompli. Elle réclama le silence total, puis proclama au nom du roi de France, l'investiture de ces lieux. À la fin de cette déclaration, nous la vîmes s'effondrer en bordure de falaise, comme une chiffe, pour finir par chuter sans bruit du haut de la falaise. Nous courûmes vers elle et constatâmes qu'elle venait d'être foudroyée par une flèche en plein cœur. Je ne savais pas, de quelle direction le projectile provenait. Je ne comprenais rien à la situation. Furieux, je me levai, tournai le regard en direction de la forêt, lorsqu'un matelot voulut me retenir par le bras, anticipant mon geste de représailles. La rougeur de mon regard, à elle seule, avait suffi pour qu'il ôte subitement sa main. J'accourus et pris d'assaut l'ascension de la falaise par le chemin qu'avait sûrement emprunté Sally. Une seule idée en tête : la détermination d'épingler le coupable et de venger notre disparue. Mais arrivé sur place, seule la froideur du vent m'attendait. Je m'apprêtais à rebrousser chemin, lorsque je vis sur le sol la dague de Sally, qui avait dû lui servir pour gratter plus profondément la terre mêlée de roche, afin d'assurer l'immobilisation parfaite de la bannière. Je me baissai pour la ramasser lorsque soudain, un bruit d'impact retint à mes oreilles, provenant du porte-bannière en bois fraîchement planté. J'étais à mon tour la cible d'un revendicateur. En un quart de seconde, j'analysai l'angle de tir d'où provenait ce projectile, puis mon regard se posa sur son tireur. Je me dirigeai expressément sur lui, et un combat des plus rudes débuta. Il ne refusa pas le combat, bien au contraire, la puissance de ses coups répercutée la violence de ses sentiments. Au bout d'un moment, nous nous trouvâmes à lutter au sol. J'étais toujours en possession de la dague, et je pus arrêter la bestialité de ses gestes en le menaçant de lui trancher la gorge. Au sol, j'étais positionné sur son torse, la dague au poing, prêt à lui couper la jugulaire, lorsqu'il commença à baragouiner des mots dans son jargon, dont je ne comprenais pas le moindre sens. Ces yeux rougirent, son iris se dilata, et je me sentis glisser dans le miroir de ses yeux rougis, remplis de fortes émotions. Et j'entendis :

– Pourquoi voulez-vous vous emparer des terres qui appartiennent à notre peuple depuis la nuit des temps ? Pourquoi vous sentez-vous supérieurs à nous, avec votre autosuffisance, en croyant que votre Dieu est meilleur que nos croyances ? N'est-il peut-être pas le même pour tous, ce Dieu qui vous sert de rempart, et dont vous vous servez de la puissance pour la faire vôtre ? N'a-t-il peut-être pas voulu nous faire évoluer dans des lieux différents, justement pour voir quels chemins nous allions prendre, afin d'aboutir à un but, que lui seul s'est fixé ? Qui êtes-vous, avec votre arrogance de conquérant, pour nous traiter de sauvages ? Votre civilisation, à l'apparence extérieures soignée et à la peau parfumée, qui ne reflètent pas votre intérieur est-elle meilleure que la nôtre, parce que nous vivons avec des valeurs qui ne sont pas les vôtres ? Vous vous cachez derrière votre Dieu en vous proclamant messagers de celui-ci. Dans quel but ? Celui de vos propres intérêts matérialistes, en dictant vos propres lois sous son joug ? Si je m'autoproclamais, comme vous le faites, en me donnant un rang hiérarchique de commandant suprême, et si je disais que tous vos biens m'appartiennent maintenant, car vous êtes sur mon territoire, comment réagiriez-vous ? Hein ?

Sa colère était au plus vif de ses pensées. Ses revendications étaient parfaitement louables, et je décidai de ressortir de ses émotions. Je me rappelai qu'il était un des fils du chef avec qui nous avions traité, qui était hostiles à notre présence. Une même force nous animait tous deux. Pas pour les mêmes raisons mais pour une cause similaire. Moi je me battais pour venger Sally, lui pour défendre son territoire et sa liberté. Ces conflits pour un même intérêt engendrent toujours des souffrances humaines. Ceux qui font appliquer les lois condamnent un mendiant ayant chapardé une pomme pour se nourrir, mais eux, en toute impunité, peuvent s'emparer de choses qui ne leurs appartiennent pas, au nom de l'égocentrisme d'un pouvoir éphémère.

J'éloignai doucement la dague de son cou, en lui faisant comprendre que je ne le tuerai pas. Il se leva, me lança un regard de feu, puis parti sans se retourner. Pourquoi je ne l'ai pas tué ! Je l'avais à ma merci. J'avais toutes les raisons du monde de le faire. Mon imprégnation dans cette histoire était si forte que mon instinct m'en a fait oublier le but ma mission. Je repensais à ces revendications qui m'avaient rendu la lucidité de mon rôle dans ce moment que Sally était en train de revivre. Je n'étais pas là pour juger d'un fait historique, car son existence avait déjà eu lieu, mais pour rétablir l'ordre dans le corps de Sally, en nettoyant ses cellules éponges et la libérer de ses tiraillements de ses souffrances du passé. Une fois ressaisi, j'allai rejoindre les autres sur la plage.

Pendant mon absence, les matelots avaient disposés la dépouille de Sally sur le sable. Je pleurais toutes les larmes de mon corps en la voyant gisant devant moi. Au vu de ce tragique événement, le capitaine s'était empressé de détacher une embarcation de quelques matelots vêtus de leur tenue d'apparat. Il fit un laïus sur sa bravoure et l'honneur d'être morte en servant son pays.

Est-ce là la récompense finale pour être jugé du degré de notre bravoure d'avoir accompli une tâche ? Si on prenait en considération, les souffrances, les séquelles et les conséquences que les guerres, les génocides, les meurtres, bref, tout ce que les manières ignobles d'ôter une vie à autrui engendre, je pense que, hormis une mort naturelle qui est la logique de notre existence, on y réfléchirait à deux fois avant de passer à l'acte assassin, me dis-je à moi-même, connaissant la charge de travail qu'il me restait à accomplir, devant ce constat d'âmes errantes qui cherchent la lumière.

Ils prirent Sally et l'enveloppèrent dans un linceul avec ses effets personnels. Le prêtre qui faisait le voyage avec nous tenait à faire une messe. Dans le froid glacial et l'émotion, il débuta les funérailles. D'un geste de la main, il me fit signe d'avancer et de saluer la dépouille, avant de la mettre en terre. Tout me paraissait surréaliste. Elle était allongée sur le sable, le linceul maculé d'un sang si rouge, la flèche logée dans sa poitrine, meurtrissant toujours son cœur. Le prêtre continuait sa messe, tandis qu'un matelot placé en face de moi, le cœur chagriné par cette mort, me suggéra par un geste de ses mains de briser la flèche sortante. Ce que je fis sans réfléchir. Je rompis la partie extérieure au corps.

Soudain, une voix soufflée de l'au-delà me remémora où était l'actuelle souffrance de Sally en employant ces mots du passé : « après ses cinquante ans, il faudra « entièrement » ôter du cœur de Sally, l'allégorie d'une réminiscence maligne du passé qui ne sera pas celle envoyée par Cupidon. Tout en la remerciant, je compris à ses mots, qu'il s'agissait de son arrière-grand-mère, son Ange gardien, qui me rappela la prédiction prodiguée, il y avait de cela trente ans. Je positionnai donc Sally sur le côté, sous le regard du cortège, afin de lui extraire la seconde partie qui occupait symboliquement depuis tout ce temps son corps, quand j'entendis dans mon dos deux hommes chuchoter. Puis ils ricanèrent, persuadés que si elle gardait cette autre partie de la flèche dans son corps, elle n'en mourrait pas une seconde fois. Mais eux ne comprenaient pas l'empreinte douloureuse que cet acte laisserait à ses vies futures. Les mains tremblantes, gelées par le froid, mais surtout par ce drame, je retirai tout de même ce projectile, puis j'embrassai Sally sur le front. Délicatement, ils descendirent le corps inerte dans la fosse et je contemplai la scène pieusement. Un matelot planta les planches de bois qui formaient une croix, où était inscrit le nom de « Benjamin Rouville, explorateur des Amériques ». Je restai surpris, car absorbé littéralement dans ce moment, j'en avais oublié que j'étais avec l'âme de Sally et non pas avec la personne qu'elle était à ce moment-là. Je sentais au fond de moi que quelque chose de bon venait de se produire. Je tenais toujours en main l'objet de l'homicide. Je m'approchai du feu de camp qui avait été allumé à cause du froid qui forcissait davantage avec la nuit qui tombait. Je jetai ce dernier dans son antre, et des farfadets, fardeaux d'un héritage passé s'en extirpèrent pour en devenir une fumée blanche en signe de pièce à conviction en retour à l'univers. Une fois retourné en ce lieu-ci, la justice céleste s'occuperait de juger le méfait commis par l'expéditeur de cette flèche, qui devrait répondre de ses actes et ne resterait pas impuni.

Quand aux stigmates physiques et psychologiques restés ouverts à vif comme une fuite d'énergie depuis le jour de son acte, ils venaient de se refermer. Ils allaient doucement coaguler en laissant derrière eux une cicatrice saine et Sally allait reprendre le cours de son évolution, le cœur plus léger.

Jusque-là, ces stigmates restés ouverts étaient restés ancrés, suppurant dans les mémoires génétiques de sa victime. Le préjudice subi par le poids de cette souffrance avait ralenti la course de chacune de ses réincarnations. Comme si ce préjudice était figé dans le temps et que Sally, voulant avancer malgré tout pour son évolution, était attachée à celui-ci par un élastique qui arrivait dans cette partie qui n'est plus extensible et où elle s'obstinait à dépenser une énergie considérable à essayer de se mouvoir et rien ne se passait, car pour avoir de nouveau cette aisance dans le mouvement, il fallait comprendre celle-ci pour lui redonner son élasticité. Et, à chaque moment de faiblesse, ayant moins de force pour résister à sa puissance, il la ramenait à lui par des manifestations douloureuses, lui indiquant de demander à l'Univers de trouver de bonnes solutions pour s'en séparer.

Ce qu'on qualifie de maladies ou de déformations congénitales et qui nous handicape dans une vie, c'est en grande majorité les souvenirs cellulaires des blessures restées ouvertes du passé. Elles sont cumulées tout au long de nos propres expériences vécues dans des vies antérieures et actuelles, mais aussi se rajoutent à celles-ci, l'héritage de la transmission génétique de nos aïeuls. Elles comportent, une partie de l'évolution de ces êtres, chargée de moments harmonieux, aimant, mais aussi de guerres sanglantes, de maltraitances

outrageuses, de famines, de maladies mortelles, d'empoisonne-
ments, de frustrations, d'injustices, de trahisons... et surtout du
manque d'Amour.

Selon la lourdeur de ces actes, elles ne cesseront pas de marty-
riser leurs victimes tant qu'elles ne seront pas toutes extraites de leur
occupant par leur compréhension. Ensuite, une fois traitées, elles
seront jugées par nos pères célestes, et la vie de chacun, soulagé,
reprendra son cours en de bien meilleures conditions.

Ces cellules comportent aussi tout ce que renferme l'Amour car
c'est notre base première : l'Amour de soi, des autres, de la création,
de la joie, de l'élévation spirituelle, des sentiments constructifs, de
l'échange, du partage, pour venir équilibrer la balance de notre moi
profond et l'administrer à notre environnement. Toutes ces belles
émotions et réalisations, sont nos leit-motive, dans l'espoir d'atteindre un jour un monde meilleur, bon et aimant, qui fera taire, le
moment venu, l'idée entretenue par des pessimistes qu'un chaos
total arrivera. Même après le passage d'un incendie, avec le temps,
la nature reprend ses droits. Mais le point de rupture a été atteint à
certaines occasions de l'évolution de l'être. Des civilisations ô
combien puissantes, dans leur apogée, ont programmé leur extermination par le simple fait d'évoluer dans leur propre vanité les rendant
aveugles et sourdes au monde qui les entoure.

Le monde, qui est animé par toutes ces cellules qu'englobe
l'Amour, par ce fait, est un formidable instrument basé sur l'équilibre émotionnel influençable, sur l'équilibre ou le déséquilibre de la
mécanique. Il est l'objet animé le plus complexe, le plus ingénieux,
le plus fonctionnel, l'instrument le plus High-tech qui nous ait été
donné d'observer. De notre humeur, de notre comportement, dépend
sa stabilité. Il a la faculté de s'autoréguler, de se soigner, de se
procréer, de capter, de percevoir, de donner, avec un tantinet d'assistance de notre part il pourrait être un Paradis.

De son ingéniosité sont inspirées différentes sciences physiques
et cérébrales pour le comprendre. De ses sentiments ont émergé les

plus beaux poèmes, les plus belles chansons, les plus belles histoires d'amour sur tous les continents, pour le remercier. Sur le modèle de son fonctionnement, de multiples créations portant sur son mécanisme, ont été inventées. De son potentiel inspirant, de nombreux objets de création ont été fabriqués pour l'orner, le flatter et l'entretenir. Autour de lui, des concepts ont été imaginés pour le valoriser, l'assister et intégrer sa population dans son environnement. Et cet être humain, doté d'intelligence, par ses guerres, ses conflits, le réduit en un misérable champ où grondent les canons, déstabilisant son équilibre fonctionnel et émotionnel car des âmes brisées pleurent encore dans ces endroits meurtris. De ces milliards de milliards de capteurs sensoriels, il communique sous diverses formes, et par rapport à l'intensité de la réception de ces informations, il interagit à ces manifestations.

Mais si l'Amour n'y est plus, le monde n'y survivra pas, car c'est le seul carburant qui lui permet d'avancer.

Qu'elle soit bonne ou mauvaise, cette intensité est stockée dans les mémoires cellulaires de ce magnifique monde aux capacités exponentielles inexplorées, qui ne demande qu'à émerger, si on veut l'écouter et se connecter à lui. Ces mémoires cellulaires emmagasinent l'intensité de chaque émotion perçue, la traduisent et l'interprètent. Puis, selon l'effet, se répercutent dans le monde, et celui-ci gère le maintient de l'équilibre de son environnement, et ce fonctionnement s'applique à tous les niveaux des règnes existants qui l'administrent et à toutes, les cellules vivantes qui le composent, sans exception. Prenons l'exemple humain : un homme qui est marié depuis des années à une même femme ne se doutait pas qu'elle le trompait avec son meilleur ami, et un jour, en plein travail, à cause d'une rage de dents qui lui prit subitement, il fut contraint de rentrer chez lui, après avoir vu son dentiste et surprit dans le lit conjugal, en pleine après-midi, les deux amants. Après ce choc émotionnel négatif, leur divorce imminent fut prononcé, et une bonne correction à son ancien meilleur ami fut administrée. Quelques années après, ruminant toujours cette tragédie en intensifiant son émotivité, il lui fut diagnostiqué une maladie appelée le cancer, et il mourut des suites de celle-ci. Son voisin, célibataire endurci, fut peiné par son décès, mais ça ne l'empêcha pas de son vivant, de visiter quelquefois la couche de sa femme. Que voulez-vous, la vie continue ! Ce voisin, donc, avait l'habitude de jouer au loto chaque semaine, et cette même semaine où il a appris ce décès, il toucha la grosse cagnotte de plusieurs dizaines de millions de dollars, et sous le choc émotionnel positif, mourut d'une crise cardiaque. Alors, quand je raconte cette anecdote à mon auditoire, je leur demande : « Que tirez-vous comme conclusion ? » Les réponses sont nombreuses et variées, dans le style : « Évitons d'être cocus ! » ; « Donnez-moi le nom de ce quartier que j'évite de m'y installer, il porte malheur ! » Ou alors, « À qui reviennent les millions gagnés ? S'il n'y a pas d'héritier, je suis preneur ». Alors, plus rationnellement, je leur réponds de se méfier car l'intensité des émotions est analysée, grâce au néocortex, sanctuaire de la personne, qui traite l'information transmise par les organes sensoriels. Celle-ci restera estampillée comme « reçu » et sera classée en évoluant selon l'intensité de la compréhension et développera les conséquences de celle-ci, assimilée sur les effets du corps touchant aux parties les plus faibles. Laissant l'empreinte qui marquera notre passage, ainsi que ses expériences sur terre où ailleurs. Néanmoins, si cette même intensité a été traitée, ce qui est automatique, mais n'a pas été acceptée, elle va tout de même être collectée, et classée dans une « mémoire éponge » avec l'accumulation d'autres intensités non acceptées. La capacité d'absorption de l'éponge étant limitée, une fois celle-ci saturée, des témoins indicateurs surgissent chez l'individu, signalant un débordement. Par son système d'autodéfense, le corps va actionner le mode entretien et nettoyage de ses mémoires qui comportent ces souffrances du passé, le fameux élastique. Proches ou lointaines, elles vont se manifester à plusieurs degrés, par leur saturation émotionnelle. Dans un premier temps, elles vont envoyer des signaux de détresse par l'apparition de maladies, de douleurs, de manifestations cutanées, de mal-être psychologique. Elles vont appuyer sur les meurtrissures qui font leur raison d'être présentes à ces endroits précis, ce qui crée des faiblesses physiques, des cicatrices du passé mal refermées... Si l'individu n'a toujours pas compris les différents messages d'alerte que son corps manifeste, il va le lui faire comprendre plus intensément. Dans la persistance de son entêtement à nier le problème, l'être subissant ces avertissements, au jour dernier, rien ni personne ne pourra le défendre pour avoir causé son autodestruction.

En revanche, c'est une fois qu'une prise de conscience est acceptée qu'un processus de guérison va s'enclencher.

Comment? L'intelligence de ce corps a réussi à lui faire comprendre le besoin de nettoyer ces mémoires saturées, dans son fonctionnement. Elle fait aussi en sorte d'émettre des signaux vibratoires émotionnels qui correspondront à son guérisseur. De par leur puissance, ceux-ci entameront un cheminement, pour nous faire rencontrer sur notre chemin de vie, les personnes spécialistes des maux dont nous souffrons. Ces personnes-là vont équilibrer nos énergies puis le cours de notre existence reprendra ses droits, avec plus de facilité et d'aisance à accomplir les vies qui leur ont été confiées dans la santé, la prospérité et l'abondance.

Tout ceci conduira au « Saint-Graal », la vie éternelle, par la prise de conscience d'effectuer par soi-même, un perfectionnement psychique, et un perfectionnement de son corps physique pour le garder en santé, afin de mener notre âme à la pureté, simplement par la compréhension et l'acceptation.

Tous les êtres sont foncièrement bons, c'est la dureté de leur vécu qui les a armés d'une chape de plomb. Système d'autopréservation. Et c'est cette partie-là de l'être vivant que nous allons chercher pour le valoriser, et ainsi faire un monde au reflet de cette bonté.

Car il y a, à travers le monde, des êtres dotés du pouvoir qui harmonise l'âme sur leurs bonnes vibrations. Ils ont une capacité extrasensorielle et eux *a contrario* d'un certain superhéros, ils peuvent voir aussi bien à travers les corps qu'à travers les âmes. Bien plus encore, ils peuvent voir l'avènement de chaque être jusqu'à aujourd'hui ainsi que les lignes directrices de son futur, mais rien n'est figé, tout reste à être réalisé. Ils ressentent aussi le mal qui empêche un être d'avancer, ainsi que les preuves d'Amour qu'il accomplit. Inconscients, nous êtres vivants, sommes des transporteurs de mémoires vivantes autonomes saturées de notre passé. Ces êtres-là sont les outils qui décryptent notre vraie personnalité, bonne et aimante, avec nos vraies souffrances, et ils nous en soulagent avec notre accord et par notre volonté à le réaliser. Ces êtres qui accomplissent de tels actes sont appelés « les guérisseurs de l'âme ».

– Eh, fainéant ! Reviens à nous, maintenant !

J'ouvris les yeux. Je me sentais heureux mais épuisé aussi.

– Je croyais que tu ne reviendrais pas de cette méditation et que tu ne retrouverais pas ta route.

– Ne t'inquiète pas, Sally, je sais m'orienter maintenant, dans les labyrinthes du passé. Je suis un vrai Minotaure. Mais toi, comment te sens-tu ? Veux-tu que je te raconte l'extraordinaire moment que nous avons vécu ?

Je voulus la mitrailler de questions lorsque.

– Eh bien ! Je crois que je te le raconterai plus tard, parce qu'il commence à pleuvoir !

Elle se mit à courir en direction du camping-car, en me demandant de presser le pas, car elle ne voulait pas être mouillée.

– Eh ! Ne va pas si vite ! Tu vas te déclencher des douleurs à ton cœur !

– Laisse mon cœur tranquille et accélère ! cria-t-elle, tout en sautant et en riant !

J'arrêtai ma course sous la pluie, le sourire en coin. Je me rendis compte que j'avais encore participé à un miracle de la vie. Je ne ressentais plus cette pression latente qui opprimait sa personne. Je compris aussi pourquoi les appareils « Abbel perso » ne se déclencheraient plus par la suite, à cause de son cœur. Le mal dont Sally souffrait n'était pas d'ordre purement médical, mais d'ordre « supra-normal ».

Ceci prenait la voie d'une bonne convalescence. Comme ces navigateurs qui sentaient, qu'à cette période de l'année où la nature s'effeuille de ses vieilles tenues aux couleurs décolorées pour laisser apparaître la silhouette de ses hôtes, nous convînmes, qu'il était temps de rentrer avant les grandes gelées, repus de ces festins qu'offre la vie, nos cales ainsi que nos têtes, emplies de multiples et mystérieux trésors des Amériques.

La nuit suivante, Sally eut un peu de fièvre, mais rien d'alarmant. C'était le contrecoup de l'émotion subie. Au petit matin, elle me fit la surprise de préparer à son tour le petit déjeuner. Couché dans notre lit, je l'entendais chanter une des fameuses chansons du répertoire de Jean-Pierre Ferland. Vous savez, ce genre de chanson qui reste intemporelle : « Une chance que j't'ai ! Je t'ai, tu m'as ! Une chance qu'on s'a ! Une chance qu'on s'aime… ». La vie est ponctuée de chansons qui nous correspondent et qui marquent à jamais un instant précis, important, de nos vies. Et rien ne pouvait me faire plus plaisir que d'entendre une chanson si pure en sentiments à ce moment précis. Ce qui est génial avec la mémoire, c'est que lorsque vous réentendez ces mêmes airs chargés de tendresse, par le fait du « hasard », ils vous replongent instantanément dans ces sentiments vécus. Et ça fait du bien !!!!

Sur le trajet qui nous menait à Percé, où nous devions assister au fameux colloque qui portait sur l'environnement, j'avais cette chanson qui trottait dans ma tête et cela me mettait du baume au cœur. Quant à Sally, la douleur n'étant plus qu'un souvenir passée, elle faisait des recherches auprès de « Truck » pour organiser les trois après-midi de libres qui nous attendaient.

Le soir venu, juste après la conférence, on nous présenta monsieur Paul Qian Zheng, qui la présidait. C'était un fort jeune professeur de l'université d'architecture chinoise de Beijing, rempli d'entrain, à l'avenir bien prometteur, qui se tenait devant nous.

Après un échange de poignées de main très protocolaire avec ses convives, sur le bout du chemin qu'il finissait de tracer impatiemment dans notre direction, il écarta les bras pour marquer enfin le privilège qu'il avait de nous saluer. Devant moi se dessinaient les traits d'un regard connu, sur un visage moins marqué par le soleil, et avec des cheveux aussi long, mais plus soignés : l'Indien que j'avais épargné géographiquement non loin d'ici, mais dans un temps plus éloigné. Il me tendit la main, mais j'étais tellement subjugué par cette frappante ressemblance que j'en oubliai la poignée de main qu'il m'offrait.

– Quelque chose ne va pas, Benito ? me demanda Sally. Il te tend la main ! reprit-elle !

– Non ! Tout va bien, excusez-moi, j'avais la tête ailleurs. Paul, comment allez-vous ? Alors, super le sujet de votre conférence ! Je vois que vous êtes dans notre lignée et que vous traitez des sujets qui étaient nos sacerdoces de l'époque et qui se sont amoindris, mais restent encore d'actualité. Je m'aperçois aussi que votre colère ne démord pas, lorsqu'il s'agit de défendre l'injustice.

Sally fronça les sourcils, ne comprenant pas mon attitude, car nous venions de faire la connaissance de ce jeune homme, et par conséquent, aucun lien ne nous unissait.

– Si je m'emporte parfois, nous dit Paul, c'est que le sang bout en moi, lorsque je vois qu'encore à notre époque, il y a des pays où les droits de chacun sont bafoués au détriment de clans mafieux, qui se déclarent encore la guerre, et que les civils et leur environnement pâtissent de leur égocentrisme. Ce qui me désole le plus, c'est que malgré les technologies qui portent sur la sécurité de chacun dans la majorité des pays de la coalition dont, si je ne m'abuse, vous êtes à l'origine, il règne encore le chaos total. Ne veulent-ils pas avancer, ces gens-là !

– Ce n'est pas dans leur intérêt immédiat, ils risqueraient de tout perdre financièrement, comprends-tu ? Laisse faire, rappelle-toi, à chaque époque, c'est le peuple, saturé par cette oppression, qui s'est soulevé pour dénoncer et condamner ces actes assassins. Il faut que ça viennent d'eux, cette révolution pour la liberté. La Révolution française en 1789, le quatre juillet 1776 aux États Unis, la Déclaration d'Indépendance, le printemps arabe en 2010, et bien d'autres encore, dans de nombreux pays. Un jour, un leader, excédé par cette débauche, va faire le premier geste dans l'unité de tous, et tous vont le suivre pour retourner la situation et demanderont l'aide de la puissante coalition, pour annoncer la fin d'une dynastie d'oppresseurs. C'est par la détermination de tout un peuple que l'issue de ces affrontements, portera le nom de « Liberté ».

– Benito ! m'interpella-t-il. J'aime beaucoup la vision avec laquelle vous abordez la vie. Je voulais vous faire part que j'en suis adepte, et que c'est par rapport à votre premier livre, qui a été pour moi comme beaucoup d'entre nous, le détonateur de mes ambitions. Particulièrement par rapport à la fibre de l'Indien, qui faisait exploser sa révolte sur les méthodes employées par les colons pour conquérir la terre de leurs ancêtres en toute impunité. Aujourd'hui on l'a bien compris !

– Tu m'étonnes ! me dis-je en mon for intérieur.

Je le remerciai, et rajoutai :

– Comment trouves-tu le Canada, Paul ?

– Je sais que vous avez immigré ici depuis un bon nombre d'années et que vous y êtes bien. Je dis cela par rapport à votre livre, souligna-t-il. Eh bien pour ma part, j'ai ressenti au cours de mon apprentissage guidé par un initié, cette impression d'avoir toujours vécu ici, et c'est pour cela que j'ai organisé ce colloque ici, au Canada !

– C'est bizarre, cette impression n'est-ce pas ? Qu'en pensez-vous, Benito ?

Je ne voulais pas m'éterniser sur ce sujet au milieu de cette foule, et j'écourtai la conversation sur une pirouette :

– Qui sait, tu as peut-être des traces de vies antérieures en ces terres et tu faisais tomber la pluie en dansant !

Et nous nous mîmes à rire, lorsque Paul prit la direction du bar, pour imiter un Indien qui voulait étancher sa soif, en effectuant la danse qui lui attirerait les faveurs d'une pluie de champagne.

Paul, en bon communiquant, et en bon V.R.P qu'il était aussi, avait besoin de récolter des fonds pour le développement de ses idées novatrices pour des maisons rapidement construites et surtout très rentables. D'autres idées sur l'aménagement d'infrastructures urbaines, prenant en compte les réglementations d'environnements durables, faisaient parties de ses programmes de réhabilitation du territoire. On comprenait mieux son impatience à ce que ces pays émergents retrouvent rapidement une stabilité politique en respect aux droits de l'homme. C'était pour lui des Eldorados, aux coûts d'investissements minimes. J'avais en face de moi, une âme qui avait évolué par rapport à ses préoccupations originelles. Donc, pour attirer la sympathie et s'introduire au sein de la communauté, il nous réunit et nous expliqua la raison pour laquelle il avait hérité de son prénom, à la consonance plutôt occidental. Il nous révéla que c'était en mémoire à Paul Anka et sa chanson « Diana ». Paul nous expliqua que son grand-père adorait cette chanson et que, pour courtiser sa grand-mère qui s'appelle « Maya », il lui avait chanté la chanson de Paul Anka, en remplaçant le refrain « Diana » par celui de « Maya ». Une attention à laquelle sa grand-mère n'avait pas résisté. Et son père adorait tellement cette histoire romantique que pour honorer la mémoire de son propre père, il l'avait appelé ainsi. Donc, dit-il, il était voué, d'une manière ou d'une autre, qu'il soit une fille ou un garçon, à porter un prénom occidental : Diana ou Paul. Et avec l'explication de son récit exprimé dans sa langue natale et traduit grâce au « ABBEL traducteur instantané vocal », il fit rire l'assemblé internationale qui suivait avec attention son discours en direct.

Nombre d'entre nous lui avaient accordé leur sympathie, mais il lui restait à prouver l'authenticité et le dévouement de ses recherches pour les populations les plus fragiles.

Après ce petit intermède, je profitai de cette occasion pour revoir nos confrères venus de tous les coins du monde, pour nous entretenir des derniers résultats obtenus de certaines actions mises en place dans nos régions respectives. Et nous constatâmes que les mesures prisent, grâce à un acharnement de notre groupe auprès des autorités, avaient porté leurs fruits pour certains et étaient en voie de les porter pour d'autres. Que le travail à venir serait entre de bonnes mains, en voyant la prestation de Paul, qui en profita pour décrocher des fonds d'investissement pour l'aider à réaliser ses projets par la même occasion, mais sous des conditions auxquelles il ne s'attendait pas. Sa fougue galvanisée par l'appât du gain aveuglait les valeurs d'entraides que nous prônions. Certes on ne travaille pas pour rien, mais on n'est pas là non plus pour engranger de gros bénéfices dans des pays qui doivent se relever d'un lourd passé de dictature et prendre la poudre d'escampette au moment opportun, sans les aider à se relever. Donc, le deal était très simple : s'il s'engage par nos contributions dans la reconstruction d'un pays émergent, il devra en assumer le suivi continu et investir dans les infrastructures communautaires sans en toucher de bénéfice, sous peine de sanctions que nous pourrons faire facilement appliquer. Le sourire était moins lustré, mais l'intérêt restait pour lui encore bien lucrativement profitable.

Les quelques jours qui suivirent, où le soleil d'une fin d'automne était bien présent, nous les utilisâmes pour faire le matin la promotion de mon livre et l'après midi pour pratiquer des activités physiques comme le kayak de mer, bateau à voiles, trekking en montagne, ballades à cheval, méditation et bien sûr « Abbel Gym » pour les muscles moins sollicités dans les activités citées. Toute cette activité nous maintenait en forme, et revigorait tous nos sens, pour nous accompagner dans un sommeil réparateur.

Sally, me surprenait tous les jours, par l'énergie qu'elle déployait et par l'entrain qu'elle avait à organiser les animations. Auparavant, elle se battait comme une lionne jusqu'à épuisement pour atteindre ses objectifs. Maintenant, ses pensées devenaient réalité, comme des cadeaux offerts par la vie.

CHAPITRE 2

LES RETROUVAILLES

Il était quatorze heures trente, et c'était le jour de la première représentation du spectacle « Méfier-vous des préjugés ». Sally, tout excitée, me précisa qu'il débutera dans trois heures et qu'il ne fallait pas être en retard. L'instant qui allait nous être offert allait être privilégié, car nous n'avions pas serré Jamie dans nos bras, depuis fort longtemps.

– Sally!!!!!!! Sally!!!!!! Du calme.

– Oui? Que veux-tu? Mais tu n'es pas encore prêt? me rétorqua-t-elle.

– Eh! Sally! C'est Jamie qui est censée nous faire une surprise, et pas l'inverse, ne crois-tu pas? lui dis-je, tout en finissant d'enfiler mes chaussures.

– Tel est prise qui croyait prendre! Tu vas voir, cette chipie! Ça fait quelques jours, voire quelques semaines qu'elle est là, sur Montréal, et même pas un signe de vie! Hormis quelques visions sur internet. Je comprends pourquoi elle était si vague lorsqu'on lui demandait quand est-ce qu'elle viendrait nous voir! Mais ça ne te fais rien, à toi? reprit-elle, d'un regard qui en disait long si je venais à me tromper de réponse.

Elle ne me laissa pas le temps de répondre et enchaîna :

– Allez! On y va! Tout de suite!

Je la regardai, nageant dans sa petite colère possessive, et je me dirigeai dans la cour, où la voiture était déjà prête à partir. Sally s'était occupée de préparer le départ. Les coordonnées de l'itinéraire étaient communiquées, il n'y avait plus qu'à s'installer à l'intérieur et nous voilà partis. Nous enchaînâmes le transfert du véhicule pour le bus, et nous voilà place des Arts.

Le pied à peine posé sur la plate-forme d'arrivée des bus, voilà que Sally disparut de mon champ de vision, s'étant empressée d'aller à la rencontre de Jamie. Elle m'avait précédé, et lorsque je la rejoignis au niveau de l'entrée des coulisses grâce à la localisation d'un émetteur dans son « Abbel perso », je la vis, excédée, les bras croisés, taper du pied, en train de faire la moue. Pour accéder à ces lieux, il nous fallait une accréditation, et bien sûr, seules les personnes habilitées pouvaient y pénétrer. Je retins mon sourire moqueur un instant, mais c'était plus fort que moi et elle fit semblant de bouder un moment, se rendant compte de son excessivité, puis elle rit.

Sally était fortement déçue, mais il fallait s'y attendre. Tout en la serrant dans mes bras, je lui promis que nous essaierions, après le spectacle de joindre Jamie, mais pour l'heure, je lui proposai d'aller nous asseoir et nous divertir. Connaissant Jamie, elle avait, étant enfant, toujours une blague à nous faire partager.

Nous prîmes nos places au balcon. Nous contemplâmes cette salle refaite à neuf. Nous étions fiers d'avoir équipé tout le système de sonorisation et le système de traducteur instantané dans toute cette enceinte. En démocratisant ce concept, nous voulions permettre à toutes les nations du monde qui seraient de passage à Montréal de ce sentir comme chez elles, dans leur pays, en leur donnant la facilité de s'intégrer rapidement par le langage et de participer activement à des conversations, d'écouter des spectacles, de suivre des films au cinéma, comprendre les messages diffusés dans les places de transit comme les aéroports, les gares, de suivre des cours, des formations, des séminaires, et tout cela dans leur langage natal mais dans le pays de leur choix. La fréquentation de ces endroits, grâce à une peur de l'incompréhension supprimée, avait connu une augmentation exponentielle de visiteurs. Ce système fut ensuite, installé à travers le monde et dans diverses activités commerciales, professionnelles, touristiques et scolaires aussi.

Comme à notre habitude, Sally et moi étions main dans la main. Nous avions tous deux, laissé ouvert nos « perso », dans l'espoir que le ciel viendrait encore faire des miracles.

De son côte, grâce à son « perso », Jamie vérifiait le nombre de spectateurs qu'il y aurait exactement à cette représentation, ainsi que les réservations à venir, et bien d'autres résultats que seuls les chiffres peuvent faire constater. Elle pouvait aussi, si elle le désirait obtenir la liste des noms des spectateurs qui viendraient assister au show, mais aussi avec la possibilité de voir le nom des deux faussement tirés au sort, en priorité d'importance pour elle.

– En espérant que le nombre d'indices laissés ici et là ont éveillé leur esprit, se disait Jamie.

Avec son assistante, Emy, elle commença à lire le début de la liste et s'arrêta sur Sally et Benito. Emy, folle de joie, s'écria :

– Eh ! les amis, regardez voir ! Il y a Sally et Benito qui sont là pour nous voir, ce soir !

Et des cris de « Wow ! », « Super ! » retentirent dans la pièce où ils se trouvaient en direction de Jamie.

– Ils sont placés… euh…

Emy cliqua sur leur nom et s'exclama :

– Regardez la visio, au troisième balcon sur la droite ! Tu vois, ça a marché, tes petits indices ! Tu veux les voir Jamie ?

Le cœur de Jamie tambourinait de plus en plus fort. L'idée même de les revoir remplissait son corps de vibrations euphorisantes. Emy l'aidait à calmer son hyperventilation. Seul le fait de les voir l'aiderait à apaiser ses sentiments. Elle se mit à fondre en larmes, faisant remonter en elle les souvenirs des encouragements que nous lui avons toujours prodigués, à devoir accomplir tous ses rêves.

– Eh ! Qu'est-ce qui se passe, ma belle ! C'est leur présence qui te met dans cet état-là ? Hein ? lui demanda Emy.

Elle regarda l'écran de son moniteur et vit, outre le niveau de stress qui clignotait sur le haut de l'écran, le nom de celui qui lui avait donné les moyens d'être là où elle est actuellement, grâce notamment à une invention qu'il avait créée pour elle.

Jamie cliqua sur leur nom qui était en accès libre et envoya un message : « Ose ouvrir la porte de ta vie. » Et elle reçut en retour « Et le paradis y est ici, à celui qui l'a compris. » Ça y est, le lien était fait.

Elle nous communiqua ensuite un code d'accréditation pour accéder aux coulisses. Sally soupira, les yeux embrumés et remercia le ciel d'exaucer ses prières. Nous empruntâmes le corridor d'un pas pressé. Tout au long de ce chemin qui nous menait à Jamie, nous pouvions admirer les nombreuses affiches électroniques promotion-nelles qui défilaient sur les écrans, mettant en avant toutes ces stars qui avaient fait vibrer d'émotion les salles de cette enceinte. Arrivés devant cette porte massive qui faisait office de vigile, un voyant vert s'éclaira, nous indiquant qu'il avait détecté nos accréditations.

À l'ouverture de la porte, nous eûmes sûrement le même senti-ment qu'Ali Baba lorsqu'il découvrit derrière celle-ci les trésors de la caverne. La petite colère de Sally s'estompa lorsque, en face de nous se dessina un vrai diamant taillé de facettes galbées, serti dans un chaton de volonté avide de réussite, défait de ses handicaps d'an-cienne obèse qui a enduré des moqueries lorsqu'elle disait, enfant, qu'elle serait une ballerine. Aujourd'hui un de ses souhaits se maté-rialisait dans la majestueuse projection de sa rêverie, et pour nous, c'était l'une des seules vraie richesse de la vie. Qu'importe le rêve, mais aller au bout de celui-ci pour le réaliser, quels que soient les obstacles à surmonter, est le plus enrichissant.

Un moment suspendit son vol, puis le geste hésitant la crainte de froisser son beau costume rempli de paillettes s'effacèrent pour être remplacés par un effluve d'étreinte qui nous fit épouser la couleur du rubis. Des larmes de joie retenues, des cris étouffés, venaient remplir les coulisses d'émotion. La troupe autour de nous, partageait le sentiment de Jamie en assistant à nos émouvantes retrouvailles. Le soutien de l'autre par un geste rassurant, le sourire gêné, faisait grimacer les faces qui retenaient leurs larmes de joie. Je percevais qu'une belle et harmonieuse solidarité, régnait au sein du groupe. Tous se sentaient impliqués par les sentiments que percevaient les uns et les autres. C'est cette partie hyper ouverte de l'instinct de l'être qui fait qu'instantanément, il ressent ces moments imperceptibles, puis les intellectualise par le mécanisme du cerveau, qui lui attribue le rang « d'artiste ».

– Je savais qu'à partir du moment où je connecterais mes idées à mon cœur, la vie ferait que tu déchiffrerais les énigmes pour être là pour la première, me dit Jamie.

– Encore des tests ! Tu n'es pas sûre de ce que tu ressens. Nous sommes bien connectés n'est-ce pas ? lui répondis-je.

Elle n'eut pas le temps de me répondre, car le démarrage du spectacle approchait, et dans un moment de lucidité, Sam, le régisseur, reprit toute cette émotion en main, car à trente minutes du spectacle, ce n'était tout simplement pas raisonnable, et il y avait assez de pression pour la première. Et il s'écria :

– Reprenons nos esprits, il y a un autre spectacle à assurer. Allez, allez, mesdemoiselles et messieurs, en piste !

Mais il est vrai que l'instant était magique. J'étais persuadé que Michael devait être tout près de nous pour savourer ce moment, et sûrement qu'il en était la cause. « Ça fait du bien ! » me disais-je au fond de moi. Nous connaissons si mal les réactions de notre corps face aux différentes émotions perçues. En expérimentant dans des recherches sur la grandeur de nos sentiments, j'ai découvert que nous n'aurions pas besoin d'inventer des machines qui sont à nos images, des plus simples aux plus perfectionnées, ou prendre de l'alcool ou les drogues en excès pour essayer d'avoir une montée d'adrénaline puissante et nous décoller le cerveau de la tête en croyant que nous avons atteint le nirvana, en détruisant notre santé. Il m'a suffi, pour obtenir ce même phénomène, de consolider mon être et d'écouter l'intensité vibratoire qu'émet mon corps. Tout simplement par le fait de partager de la joie, de l'émotion et de l'amour, sans refouler mes sentiments avec les gens que j'aime, le plus souvent possible et sans artifice.

En ayant vécu ce moment-là, paradoxalement, la pression et l'angoisse de la première, s'étaient un peu apaisées. Le maquillage de Jamie était tout à refaire. Emy la fit s'asseoir et s'occupa calmement de sa présentation. Nous décidâmes donc de la laisser se (re)préparer pour son show et allâmes reprendre nos places pour découvrir l'art de la petite Jamie.

Avant que le rideau se lève pour débuter le show, nous pûmes tous entendre dans nos oreillettes : « Ose ouvrir la porte de ta vie et le paradis y est ici, à celui qui l'a compris. » À toi Michael.

Après ces fortes sensations, tout en regardant le spectacle, des moments de ma vie qui étaient conservés dans mes cellules revenaient à ma mémoire et je pensais bien qu'il en était de même pour Sally.

CHAPITRE 3

TU NE L'AS PAS ENCORE ACHETÉ ?

Après l'apparition d'un grand flash, alors que certains illuminés avaient prévu la fin du monde et causé le suicide collectif de leurs adeptes à travers la planète, et que d'autres avaient prédit une défaillance technique de la station spatiale ayant pour conséquence de trouver Paris comme point de chute – catastrophe, par ailleurs, que la deuxième ville de France, Marseille, avait pris comme un souhait, succédant au trône en devenant la capitale administrative à son tour. Ne dit-on pas « Le malheur des uns fait toujours le bonheur des autres » ? – nous devions, logiquement, entrer dans une ère de changement, d'évolution spirituelle. En gardant de telles mentalités, ce n'était pas gagné.

Nous nous préparions, comme certains films de fiction futuristes ancrés dans nos mémoires nous le laissaient présager, à occuper des véhicules volants entièrement automatisés pour un confort de manipulation, fonctionnant avec une énergie renouvelable, pour contribuer à la diminution, voire à l'atténuation des émissions à effet de serre, manifestant d'un pied de nez aux anciens combustibles polluants. Nous nous attendions aussi, comme des enfants au matin de Noël, à ce qu'une grande porte massive ornée de feuilles d'or s'ouvre devant nos frêles personnes, pour nous laisser entrevoir une parade magique, et à ce qu'une voix féminine sensuellement synthétisée nous annonce :

– Bienvenue dans le futur futuriste !

71

À ce moment, une batterie d'inventions par domaines d'activités professionnelles, toutes plus invraisemblables les unes que les autres apparaîtraient à nos yeux. En toile de fond, un ciel bleu, mais vraiment tout bleu, sans couche de gris rougeâtre, stigmate d'une pollution accrue, où l'air serait pur et où notre jogging du matin gonflerait nos poumons d'un oxygène vivifiant. Nous profiterions de cette escapade pour méditer et observer le long de notre parcours la fierté d'appartenir à une espèce constructive. Mère Nature parerait de ses majestueuses forêts l'ensemble des territoires qui couvrent cette planète en profitant du renouvellement de l'air émis par le mécanisme naturel du fonctionnement de son monde végétal et marin. Dans leur cohabitation, les espèces qui la peuplent seraient respectueuses les unes envers les autres des différences de chacun, qu'elles prendraient comme une richesse et non pas comme une raillerie. Des mers turquoises, viviers exponentiels où d'innombrables espèces de mammifères et de poissons s'ébattraient ou fraieraient pour témoigner de l'existence de leur création. Les maladies, la misère, la famine, l'injustice, l'incompréhension, les guerres, et leurs responsables ne seraient que des souvenirs d'un lointain passé qui nous auraient servi de leçon à ne pas réitérer. La compétition n'aurait pour but, que la recherche d'améliorer les choses autour de soi, les Jeux Olympiques du meilleur épanouissement de chaque individu qui occupe une place dans ce système. « Le cœur », qui est l'élément vital du fonctionnement de tout être organique, trouverait la même symbolique tout autour de la planète, mais serait situé à l'extérieur, pour nous investir de toute sa magie émotionnelle, fertile et généreuse.

Nous trouverions nos infrastructures en adéquation avec leur environnement. Nos logements s'intégreraient parfaitement avec la nature, et leur fonctionnement énergétique serait alimenté par des ressources écologiques. La technologie serait l'assistante de l'homme pour lui faciliter son quotidien. Le meilleur de chacun serait valorisé par sa créativité et son épanouissement à l'accomplir.

Bref! L'harmonie entre tous donnerait le signe distinctif de cette planète, et bien sûr, monsieur et madame tout le monde connaîtraient l'importance magistrale de leur existence. Ils voleraient dans des véhicules entièrement automatisés, et orneraient notre paysage, en laissant derrière eux, un pied de nez aux anciens carburants polluants.

Mais apparemment, cette porte ne s'est pas ouverte, car cela ne correspondait pas à la politique des lobbies pétroliers et aux profits qu'engrangent les caisses de l'État, tout en étant conscient depuis bien des années, que le tarissement de cette ressource d'hydrocarbures « faucilles »! (fossile, excusez le lapsus) arrivait à échéance tôt ou tard en nous laissant l'héritage de ces méfaits. Après tout, mieux vaut des comptes bien remplis que des poumons bien sains. Et puis, n'oublions pas que ce système-là rend les gens malades, et ça compensera le manque à gagner de ce tarissement. Ça fait donc, aussi marcher les industries pharmaceutiques et développe de nouveaux marchés, ça crée du travail et génère un plus de profit dans les caisses, et donnant pour effet de serrer un peu plus la corde à nos cous pour mieux nous asphyxier. Mais ça, ce n'est pas grave, comme pour tout, on s'en remet à demain.

Cette année-là, déçus de voir que les portes du « futur futuriste » ne se s'étaient pas ouvertes, nous continuions à assister au désastre, à l'image de cette description. Mais heureusement pour nous, la vie fait encore de beaux miracles, Sally venait d'accomplir l'une des plus belles choses au monde : mettre notre enfant au monde. C'était le premier janvier de l'an deux mille.

C'est Sally qui a été inspirée pour son prénom : Michael. En s'adressant à lui, elle dit :

– Prends en cadeau ce prénom d'origine hébraïque, qui veut dire : « qui est à la droite de Dieu et honore-le ».

On ne nous attribut pas notre nom et notre prénom au hasard. Dans la vie, tout à une signification.

Après l'accouchement, une infirmière ramena Sally dans sa chambre, pendant que dans la salle de soins, une autre infirmière faisait la consultation postnatale de Michael, quand il se mit à suffoquer. À cet instant, un arsenal de pédiatres et d'infirmières, s'agita dans le couloir. Sally, allongée sur son lit, munie de son instinctive alarme de mère, me dit :

– Benito ! J'ai un mauvais pressentiment, regarde ce qu'il se passe !

Machinalement, pour la réconforter, je lui répondis :

– Ce n'est rien ma chérie ! N'oublie pas, nous sommes dans une maternité, des cas de mouvements impromptus, ça arrive toute la sainte journée dans ces lieux.

Agacée et certaine de son ressenti, elle me dit, faisant ressortir son caractère bien trempé :

– J'y vais moi, si tu n'y vas pas !!

– C'est bon ! C'est bon ! J'y vais ! lui répondis-je, persuadé qu'elle s'alarmait pour pas grand-chose, avec mon légendaire comportement à prendre la vie à la légère.

En sortant de la chambre, j'entendis dans le corridor :

– Emmenez vite l'enfant dans la chambre stérile !

Suivi de toute une description thérapeutique à lui administrer rapidement. Je ne sais pas pourquoi, cette phrase résonne toujours en moi. J'interpellai une infirmière et lui demandai ce qu'il se passait.

– Vous êtes M. Archangelo ?

– Oui, Benito. Pourquoi ? Il y a un souci avec Michael ? Il a déjà fait sa première bêtise ?

– Ne rigolez pas monsieur, c'est plus grave que ça.

C'était l'un des plus beaux jours de ma vie et je ne devais pas rire ! Bon ! Soit ! C'est peut-être le bon jour pour commencer à être adulte.

Le pédiatre, après quelque temps d'attente, nous posa une série de questions sur les antécédents de nos familles respectives. Comme si nous avions les fiches médicales de tous nos ascendants dans la poche ! Suivirent ensuite des examens et des analyses, puis une fois les résultats en main, il nous demanda de nous asseoir, et cela ne présageait rien de bon. Il nous annonça que le corps de Michael ne fabriquait pas de défenses immunitaires, d'anticorps, précisa-t-il. Tant qu'il était dans le ventre de sa mère, c'était-elle qui les lui transmettait. Dès lors que le cordon ombilical avait été coupé et que Michael avait dû prendre la relève, son système d'autodéfense ne s'était pas mis en fonction. Et il devrait vivre dans une chambre de verre stérile tant que son système biologique ne se serait pas déclenché, grâce à un traitement de stimulation qui obligerait son système immunitaire à développer ses propres anticorps. Tout corps étranger, microbe, en contact avec sa personne pourrait lui être fatal. Et maintenant, il fallait s'en remettre à Dieu. À ce dernier explicatif moins scientifique que les précédents, qui résonne encore dans nos têtes, nous étions effondrés. Le regard brouillé, nous comprîmes que sa santé était compromise, et que toutes les rêveries que nous projetions à propos de la vie de famille étaient en suspens, le temps de sa convalescence indéterminée. Compromis étaient les matchs de football dans le jardin, puis en club qui l'amèneraient à se faire repérer par un de ces détecteurs de talents, jusqu'à le conduire à une planification de sa carrière professionnelle dans de grands clubs européens. Problématique, dans une bulle de verre, deviendraient les promenades à vélo, les pique-niques, les virées à bord d'un voilier voguant sur les mers, les anniversaires chez les copains, les bagarres que je provoquerais pour faire enrager sa mère avant de se coucher. Toutes ces planifications dans l'avenir étaient conditionnées à une hypothétique rémission relevant de fantasques miracles, que nous espérions tout de même en secret, au fond de nous.

Le jour de sa naissance, fut le seul moment où nous pûmes toucher à mains nues sa frêle peau de bébé. Cette fois-ci était si minime, car nous n'étions pas enclins à prévoir une telle atrocité, que nous en fîmes à peine cas. Quelle erreur de croire que tout nous est acquis !

Quelques mois passèrent, et un transfert fut effectué dans un centre hospitalier spécialisé, plus adéquat pour traiter les cas délicats similaires à celui de Michael.

Les premiers temps, il était gardé dans une couveuse. Les années passèrent, et c'était dans un cube de verre à l'intérieur d'une chambre qu'ils l'avaient logé. Nous avions organisé notre vie en fonction de Michael. Avec Sally, nous avions ouvert une boutique de senteurs et cosmétiques quelques années avant sa naissance. Nous l'avions appelé : « Un petit coin de Provence ». Nous avions une jeune employée, Lucie, qui travaillait avec nous. Elle avait commencé par faire un stage, puis par rapport à son cursus scolaire et à sa motivation, nous l'avions embauché dans le cadre d'un contrat de qualification. Nous avions un bon feeling avec Lucie. À l'obtention de son examen final, nous lui avions offert un poste d'assistante, qu'elle avait accepté tout de suite. La responsabiliser dans son travail lui avait donné confiance en elle. Voyant la situation dans laquelle nous nous trouvions par les chassés-croisés que nous faisions entre le magasin et l'hôpital, elle nous démontra qu'elle assurerait son poste, dans le cas où des difficultés viendraient à surgir. Profitant de cette confiance mutuelle, à tour de rôle, un jour sur deux, nous nous relayions avec Sally pour passer le plus de temps possible aux côtés de Michael.

Le repas du soir, nous le passions tous les trois ensemble. Michael, Sally ou moi préparions la table, en accolant les deux parties de part et d'autre de la vitre qui nous séparée, pour donner l'impression d'en faire qu'une seule. Puis celui qui revenait du travail, le soir, était chargé d'amener le repas, aux alentours de dix-neuf heures trente, car c'était à ce moment-là que l'infirmière de faction, avec sa tenue stérilisée apportait le plateau-repas et profitait de l'occasion pour aider Michael à faire sa toilette. Nous nous racontions nos journées, comme le ferait une famille, entre guillemets, « normale ».

Chaque anniversaire, chaque Noël, chaque occasion marquante du calendrier, Michael recevait des cadeaux de toute la famille, des amis, de l'hôpital, et il y en avait tellement que nous en avions décoré tout un pan de mur, en attendant sa guérison. Les après-midi, lorsque Michael faisait la sieste, je contemplais ce mur multicolore, qui donnait un peu de gaieté, les journées où il faisait gris dans nos cœurs. En son milieu, nous avions laissé l'encadrement de la fenêtre libre, d'où apparaissait une vue sur Nôtre Dame de la Garde qui surplombait la ville de Marseille.

Un soir où nous étions réunis pour fêter le quatrième anniversaire de Michael, une petite fille blonde, bien en chair, qui avait à peu près son âge, entra dans la chambre, me regarda, et me dit :

– C'est ton fils ? Il te ressemble ! Mais tu ne l'as pas encore acheté ?

Intrigué par sa question, je lui répondis :

– Oui, c'est mon fils Michael. Pourquoi me dis-tu : « Tu ne l'as pas encore acheté ? » demandai-je à cette petite frimousse.

– Parce qu'il est encore dans sa boîte. Et maman me dit toujours, quand elle m'achète une nouvelle poupée au magasin, de ne pas la sortir de la boîte tant qu'elle ne l'a pas payée à la caisse.

Nous nous mîmes à rire, surpris par cette repartie. Et voici Jamie, l'esprit vif et spontané comme nous la connaissons tous.

CHAPITRE 4

QUELQUE CHOSE D'INATTENDU

Les matinées où je devais me rendre à l'hôpital pour passer du temps avec Michael, j'avais pris l'habitude de m'y rendre à pied en empruntant un raccourci qui me permettait de traverser le mythique vieux port de Marseille, en pénétrant les traces vibratoires existant dans ces lieux, qui venaient réveiller mes mémoires d'amateur de lecture, où l'on parlait de « fendre le cœur » à une légendaire partie de cartes ; de pastis abusé, aux effets de « délieur » de langues ; d'histoire d'amour déchiré entre Fannie et Marius.

Les premiers rayons de soleil venaient caresser de leur douceur matinale le visage des badauds qui se laissaient charmer par l'ambiance, le temps de déambuler entre les allées du marché. Ces journées de milieu de semaine, attisaient l'activité des avertisseurs sonores, secondés par l'argumentation de gestes et de propos pris dans le contexte de l'énervement et du stress des potentiels retardataires aux horaires conventionnels. Les klaxons des deux roues s'intensifiaient, demandant que l'on soit plus courtois à leur égard, mais rien à faire, l'intensité de la circulation congestionnée accélérait l'intensité de l'incivilité.

Mêlés à l'air marin, les effluves des terrasses des cafés embaumaient davantage l'air ambiant. Je m'asseyais judicieusement à l'une d'entre elles, pour être aux premières loges et apprécier un instant de vie qui se transformait en privilège lorsqu'il était marqué par des moments de plaisir, transitoires au quotidien. J'observais par-dessus mon journal, l'environnement éclectique que je m'étais approprié le temps de savourer un bon café. Les bateaux à quai, acquiesçaient aux fortes ondes provoquées par l'empressement des pêcheurs à rentrer au port, obligés de chercher toujours plus loin en mer, leur salaire. Ces retardataires étaient encouragés dans leur course par un orchestre symphonique d'instruments inusités, comme des anneaux d'amarrage au cliquetis métallique, les bouées de protection prises en étau entre les coques des bateaux et le quai, les grincements stridents et le quai acquiesçant au clapotis des vagues, qui ensemble composaient malgré eux dans leur passage, une mélodie portuaire, en canon. Les façades multicolores aux persiennes contrastées, animaient l'horizon de leurs différentes hauteurs et de leurs différentes couleurs, offrant un découpage en dentelle à ce formidable panorama. À proximité de moi, l'exaltation du marché hétérogène qui, par ses étals aux couleurs chatoyantes et son remue-ménage distrayant, m'incitait malgré moi à regarder et à écouter, en jonglant avec les gros titres de mon journal. Une multitude « d'accroche-clients », suivis de ricanements, interpellaient ma curiosité. Ils étaient répandus par des marchands ambulants très loquaces, dont la stratégie commerciale était de soulever rapidement l'intérêt dans l'auditoire passant, afin qu'il choisisse leur étal au lieu de celui de leur voisin. La concurrence étant de plus en plus féroce, les stratégies de marketing devaient être les plus incisives possibles. S'appuyant sur les messages de gros annonceurs nationaux et internationaux qui influencent les populations sur leur choix, par des messages à répétitions clairs et ciblés. Les arguments employés, devaient aussi comporter des aspects bénéfiques pour la santé et correspondre à la mode diététique du moment. L'urgence de liquider dans la matinée, des produits alimentaires à la fraîcheur limitée, était impérative.

En découlait des provocations qui s'entamaient par le maraîcher qui, de sa voix grave et rocailleuse, répétait en chantonnant : « Cinq fruits et légumes par journée et vous resterez en santé. » Suivi de : « Manger salades, jamais malade. »

Des rimes assez faciles, on se l'accorde, mais apparemment assez marquantes et convaincantes, à en juger de la foule qui s'amassait autour de son stand.

Son voisin, le pêcheur retardataire, y allait aussi de la sienne, le souffle court : « Mon poisson, ce n'est pas du cochon, il ne laisse pas de gras au fond du poêlon. »

Un slogan certes diététique, mais un peu visqueux pour son autre voisin le boucher, minoritaire en ce lieu de pêcheurs, qui ne tardait pas à lui exprimer ses sentiments. Ici, la repartie était de mise : « Oui Monsieur ! Mais dans le cochon, tout est bon, et pas d'arêtes dans le jambon, Monsieur ! » « Juste un os qui va me servir de bâton de correction. » Insista-t-il !

Cette mise en scène, qui s'improvisait d'elle-même tous les matins de marché, était un moment de poésie, quel qu'en soit le degré, et où chacun y allait de sa prose. Il s'installait une ambiance des plus joviales, pittoresque pourrait-on dire, et sans aucun doute, gardant volontairement l'image des héros volubiles que nous dépeignait Marcel Pagnol dans ses légendaires romans. J'étais installé aux premières loges, pour assister à ces ritournelles et à ces galéjades. Le sourire communicatif stimulait tout mon corps et me donnait de l'entrain pour réaliser ma journée dans la bonne humeur.

En écoutant défilées toutes ces stratégies commerciales, des souvenirs d'enfance remontaient à la surface, montrant combien les méthodes de marketing avaient évoluées. Je me souviens, ma mère me demandait de manger tous les légumes qu'il y avait dans mon assiette, car c'était bon pour mon organisme. Moi, qui préférais manger un bon plat de pâtes à la sauce tomate à la place de ces machins visqueux, je lui demandais ce que cela avait de bénéfique pour ma santé, que de manger des cucurbitacées qui baignaient dans l'huile de friture ? Là, elle me répondit dans un mélange franco-italien : Il l'on dit à la radio qu'il faut manger des légumes, mais ils n'ont pas dit comment !

Chacune de ces scènes comiques était ensuite rapportée aux oreilles de Michael, avec une multitude de détails croustillant. Je prenais un malin plaisir à renchérir ces histoires de grimaces faciales ou de gestuelles exagérées, pour le voir s'animer plus fort encore, avec son rire coquin. J'avais lu des articles dans des revues scientifiques, qui traitaient d'une thérapie basée essentiellement sur le rire et les bienfaits que les sujets en ressentaient. En agissant de la sorte, j'avais espoir de créer une stimulation, un engouement pour la découverte de toutes ces mésaventures. Qu'il puisse éprouver ce que moi je ressentais à ces moments-là, en souhaitant que cela déclenche dans son corps tout le processus électrique qui permettrait d'actionner ces foutues cellules immunitaires, pour qu'elles rentrent dans leur mécanisme actif, et de vivre. Vivre enfin sa vie en dehors de ces quelques mètres carrés qui réduisent la vision importante du rapport humain et du monde, et par conséquent la sienne. Lorsque je pensais à ça, la rage et la haine montaient en moi, et les regards familiers que je croisais m'échangeaient leur compassion.

Après cet intermède, je me réappropriai ces belles pensées qui remplissaient tout de même mon esprit d'images agréables, et je me dirigeai vers l'hôpital en faisant descendre mon taux émotionnel, pas assez discret, apparemment. Sur le chemin, je croisai un groupe de jeunes gens, âgés de quinze à vingt ans, qui étaient assis sur un banc et qui me laissaient paraître, ce je-ne-sais-quoi de dérangeant. Ils m'observaient. Je ressentais, dans leurs regards hagards, qu'il y avait de la haine qui émanait de ces êtres. « Pourquoi ? » me demandais-je. Je pouvais comprendre que certaines conditions de vie poussent à des revendications, car tout le monde a droit au respect, mais entretenir cette haine au lieu de la combattre, je ne comprenais pas ce comportement. Au fond de moi, je me disais :

– Mais qu'est-ce qu'ils les poussent à être comme ça ?

La réponse ne se fit pas attendre.

Je les regardais fixement. La persistance incontrôlée de ce questionnement dilata l'iris de ces êtres, pour atteindre la profondeur de leur âme, en glissant dans le miroir de leurs yeux.

Devant moi, chacun d'entre eux se décomposait individuellement pièce par pièce. Identiquement à un démembrement matériel de leur personne, recomposée en une œuvre idéologique sortie du géni émotionnel du peintre Picasso, pareille à la reconstitution d'un puzzle mal apiécé, et à résoudre sans modèle, car dépourvu de tout schéma émotionnel dans un alignement qui ne faciliterait pas, théoriquement, la fluidité discontinue de l'énergie qui circule dans leur être. Ils étaient affectés d'un déséquilibre généré par l'accumulation d'épreuves auxquelles ils avaient dû faire face, sans moyen de manœuvres, par manque de repères, ou utilisant des repères erronés, se laissant emporter par le courant d'un jugement qui pensaient le plus adéquat pour eux, soutenus et encouragés par l'influence soumise, par l'exemple de leurs « aînés », sous peine de ne pas faire partie d'une confrérie, et donc d'errer seuls dans la jungle de leur environnement. Le tableau était des plus clairs : « Marche avec nous ou on te crève. » Une grande zone de couleurs très sombres flottait autour du halo qui les encerclait. Les zones qui étaient les plus intensément affectées, étaient dissimulées sous de faux sourires, représentées par ces soucieuses abstractions encore présentes, encore non résolues, qui forme ce mal être qui les hante et dont je m'efforçais de trouver les pièces manquantes pour rentrer dans le cheminement de la reconstitution de leurs vibrations pour les connecter aux valeurs de l'enthousiasme ardent de leur vraie vie. Là, me sentant agir dans cette direction, la partie volontaire, la flamme qui les anime, la cellule souche aimante de leur personnalité, qu'il appartient à chacun d'entretenir, me parsemait des bribes d'informations par l'effet d'images, qui me parvenaient au début timidement, puis envahissaient en un flot chaque pièce frustrée à replacer. Je glissai plus facilement et profondément dans leurs antres. D'autres zones se brouillaient, éhontées par un manque de repères affectifs, dont-ils se rendaient responsables par des culpabilités, à induire à des actes qui peuvent être rétrocédés aux derniers chapitres les plus marquants de leur jeune vie, pour des actes qui réclamaient toute l'attention de leurs géniteurs, bien souvent eux-mêmes désemparés, qui se dérobaient, se désengageaient, en s'amputant du rôle de parents qui leur était attribué. Le manque important de regards parentaux qui glissent sur leurs différents appels de détresse, faisant perdre l'intensité d'une prime jeunesse d'estime de soi, jusqu'à les dévaloriser entièrement par manque de certitude dans l'approche de leurs actes à venir. Puis un jour, émanant d'un visible désordre affectif, des mains faussement amies, au processus de détection et de manipulation bien affûtée, profitent de cette situation ô combien commune, pour prendre la place de ces géniteurs, avec des arguments de facilité d'existence, pour les recueillir en leur sein, et les valoriser pour mieux les manipuler et mieux les exploiter. Ils estiment qu'ils les intègrent à une famille qui s'intéresse enfin à eux, mais qu'en retour, il y a certaines obligations à respecter. Ne se souciant pas, des causes directes qu'ils provoquent, en anéantissant par des voies d'actes répréhensibles, dangereux, d'appropriation d'argent facilement et rapidement gagné, qu'ils créaient à leur tour un désengagement de l'avenir de ces personnes malléables, qui contiennent en elles, après cela, de fausses valeurs d'une vision du monde réel.

Ne réalisant pas, ce qui était en train de se produire, la zone sombre s'éclaircit, étant conscient, tout de même, que quelque chose venait de se passer amorçant une probable rémission. Pris de panique, ils fermèrent la communication. Sûrement par peur d'être démasqués d'actes dont ils étaient peu fiers. À cela, leur regard se fronçait, me donnant l'intensité de leur mise en garde, si je les approchais de trop près. Mais cela ne me facilitait qu'un peu plus la tâche pour comprendre qui ils étaient réellement. Avec cette provocation, ils me montraient davantage leurs faiblesses. Je voyais qu'ils étaient capables autant que quiconque de réaliser de bonnes et grand-chose, mais des blocages dus à leurs carences affectives apparaissaient et les empêchaient de se réaliser. Je gardais espoir, car un processus de guérison, était mis en marche, leur choix de s'en sortir leur appartenait.

Doucement, je revins à moi, et je ne comprenais pas moi-même ce qu'il venait de se passer. Je ne pris conscience de cette expérience qu'après avoir réalisé que je venais de pénétrer, dans l'intimité de ces individus, sans qu'ils ne m'aient donné accès pour le faire. Avec appréhension, je ressortis immédiatement leurs émotions. Des frissons parcouraient tout mon être. Semblables à un courant électrique qui me reliait à eux, puis des nausées survinrent et je vomis l'intensité de cette expérience. Une logique évidente en découlait : s'ils ne sont pas construits de l'intérieur, comment peuvent-ils construire à l'extérieur ?

Je continuai ma route, mais je dois avouer, que ce précédent passage me dérangeait. Dans la matinée, j'avais encore assisté à des oppositions de situations qui m'incommodaient. D'un côté des gens actifs, qui s'efforcent d'animer leur vie en l'accomplissant sciemment, si possible en riant malgré la dureté de leur travail, et d'un autre côté des gens aussi actifs, qui font régner un climat de terreur et de pression psychologique par des peurs dont ils déjouent la cause. De part et d'autre de cette comparaison, j'avais tout de même une sensation bizarre. La valeur de leurs actes reflétait la valeur de l'intensité qu'ils y accordaient, et ces effets émanaient brillamment dans leurs vibrations, d'un côté comme de l'autre, par leur réussite. Se dessinait en moi un dilemme. Ça peut sembler puéril comme réflexion, mais le monde a toujours fonctionné avec ces oppositions. L'évolution des êtres est due à cause ou grâce à des conflits permanents. Interprétons-nous bien la notion de « conflit » qui serait malgré tout notre rédemption, notre salut, le tremplin à notre évolution et non à notre déclin ? Comprenant ceci au stade d'évolution, en l'an deux mille six après J.-C., où nous sommes arrivés, ne devons-nous pas déjouer la cause de ce principe d'évolution pour simuler de fausses guerres, donc éviter la mort de civils, pour nous forcer à mettre au point des stratégies d'anticipation dans tous les domaines, au lieu de nous entre-tuer, sachant qu'à chaque époque, une domination ethnique prenait le pas sur d'autres, faisant des millions de victimes, et qu'un déclin de cette civilisation finira par arriver, par sa vanité, et qu'une autre prendra la place, comme le cheminement scientifique pour l'éradication d'une maladie, à une autre échelle? Je repoussai la réflexion qui animait mon esprit à plus tard, car j'arrivais au pied de l'hôpital. Les portes d'entrée de ce lieu s'écartèrent, pour me laisser rentrer dans ce sanctuaire de remise en question. On ne voit pas les mêmes choses qu'à l'extérieur, on voit ici un concentré de la profonde détresse émotionnelle des gens.

Comme tous les matins à l'accueil, je disais bonjour à toutes les infirmières de garde. Ça faisait maintenant six ans que je franchissais les portes de ce lieu et ça crée des liens. On a fini par s'appeler par nos prénoms avec les membres des différentes équipes. On partage même des activités sportives avec quelques-uns, comme le golf ou le tennis et la voile.

— Cette nuit s'est bien passée, avec Michael? demandai-je à Françoise, l'infirmière en chef.

— Oui! À ce propos, me dit-elle, le nez dans ses formulaires, Noëlle était de garde cette nuit, et elle m'a demandé que dès ton arrivée, tu ailles la voir, car Michael a eu un comportement bizarre cette nuit. Il a fait des suées nocturnes accompagnées de fièvre, à en juger par ses prises de température. Elle se trouve dans la salle de repos, si tu veux aller la voir avant de monter dans la chambre.

Je me dirigeai immédiatement vers la salle de repos et frappai à la porte qui était grande ouverte.

— Oui, entrez! Ah, c'est toi Benito! Entre! Bonjour.

Je ressentais que Noëlle était un peu déconcertée, le nez elle aussi dans des dossiers.

— Bonjour Noëlle. Françoise m'a dit que tu voulais me voir?

— Oui, oui. Assis-toi!

– Qu'est-ce qu'il se passe ? Michael a trouvé une bêtise à faire ? dis-je en me mettant à sourire.

– Non ! Ne ris pas, c'est plus grave que ça !

Je n'osai plus tourner ça à la plaisanterie, car à chaque fois, les infirmières me répondaient : « C'est plus grave que ça. » Mon inquiétude reprit le pas.

– Ah ! fis-je, imaginant le pire sur son état de santé.

– Je n'ai pas voulu en parler avec Françoise, mais crois-tu en l'au-delà Benito ?

– Pourquoi me demandes-tu ça ? Qu'est-ce que cela a à voir avec Michael ? Tu veux me préparer au pire ?

– Non ! Non ! Excuse-moi de la confusion, je t'ai fait peur sûrement ! Toutes mes excuses. Non, mais… Eh bien… Comment dire ça ? La nuit dernière, je faisais ma ronde, et en passant devant la chambre de ton fils, j'ai entendu Michael parler à quelqu'un. Dans un premier temps, je pensai que Jamie avait dû le rejoindre, comme ils sont toujours ensemble, ces deux-là. Puis j'entrouvris la porte tout doucement pour les surprendre. Michael était tout seul. Il avait l'air d'avoir un entretien très sérieux avec quelqu'un dans son sommeil. Je m'approchai de lui, et je vis qu'il faisait un peu de fièvre, mais rien d'alarmant, tu sais ! continua-t-elle. La fièvre fait parfois délirer et se parler à soi-même, tout le monde fait ça.

J'acquiesçai d'un hochement de tête, et elle rajouta :

– Et bien, là, Michael avait le dos tourné, et comme s'il avait ressenti ma présence, il me demanda de m'asseoir et me dit : « Noëlle, connais-tu Jean-Louis ? Il a six ans comme moi, il est rentré hier à l'hôpital, et il m'a dit que nous avions la même maladie, c'est pour cela qu'ils nous ont mis ensemble. Comme ça, on sera moins seuls tous les deux. Tu es fâchée contre lui ? Parce qu'il te fait coucou et il te dit merci d'avoir soigné son Action Man avec des pansements ! » J'étais bien évidemment surprise, car je ne voyais pas ce fameux Jean-Louis dans la pièce. Et tu sais, c'est une technique de montrer aux enfants sur leur peluche ou leur poupée ce que nous allons pratiquer comme soin, pour les rassurer, dit-elle, les lèvres crispées. Je feignis de lui rendre son signe et de le rassurer, en lui disant que je n'étais pas fâchée du tout, tout en me disant que Michael était seul, et qu'il s'était inventé un ami imaginaire pour s'occuper l'esprit. Sur ce, je restai inquiète par son comportement, et je lui dis que j'avais d'autres patients à visiter, mais que je repasserais plus tard dans la soirée pour m'assurer qu'ils étaient bien au lit. Je leur demandai ensuite d'éteindre la lumière et de dormir. Je sortis de la chambre, et je continuais ma ronde, intriguée. Puis, lorsque j'en eus terminé, j'allai m'asseoir au bureau pour remplir mes rapports, tout en repensant à Michael, car cela me travaillait un peu l'esprit. Je me disais en moi-même : « Je connais les admissions qui ont été faites dans la journée d'hier, et je ne me souviens pas d'un Jean-Louis âgé de six ans admis dans l'hôpital. D'autant plus qu'il aurait la particularité, de se rendre invisible à mes yeux. » Par acquit de conscience, j'interrogeai l'ordinateur, et en effet, pas de Jean-Louis admis hier. Je retapai sur le clavier le prénom Jean-Louis qui avait été admis sur une période de dix ans, et une quinzaine d'enfants apparurent sur l'écran. Certains étaient encore dans l'hôpital, d'autres avaient été relogés dans d'autres hôpitaux pour être plus près de leurs proches, mais dans tout cela, pas de Jean-Louis âgé de six ans. En revanche, il y en avait un âgé de neuf ans, mais qui était dans le coma depuis trois ans, et il était entré dans cet état de coma le lendemain de son admission, après un accident de vélo. Il était en chambre quatre cent huit. Je me suis rendue à son chevet, et en effet, il y avait bien un Jean-Louis, dans la chambre, avec un personnage au pansement vieillissant à côté de lui, comme Michael me l'avait décrit, mais toujours dans le coma.

– Wow ! fis-je, ne sachant que dire. J'ai toujours su qu'il n'était pas comme les autres, mais là, je reste pantois !

Je remerciai Noëlle, d'être restée discrète à ce sujet et de continuer à ne rien dire à personne, puis je m'empressai de retrouver Michael pour y voir plus clair. Façon de parler.

CHAPITRE 5

CE N'EST PAS PARCE QU'ON NE LE VOIT PAS, QUE ÇA N'EXISTE PAS...

En montant les escaliers qui menaient à la chambre de Michael, je me souvins que ma grand-mère, qui était une grande croyante et pratiquante, avait transmis à tous les membres de sa famille et amis, son intelligence du cœur. Elle nous disait :

« Ouvrez toujours vos horizons ! Ce n'est pas parce qu'on ne voit pas certaines choses qui nous entourent que ça n'existe pas. »

– Que voulais-tu dire, en disant ces mots, mamie ? Certes, tu nous as appris l'histoire du Seigneur. Tu nous as transmis ton savoir sur tes croyances à toi, envers un Dieu universel. Mais ne sont-elles pas subjectives ces croyances ? Est-ce vraiment ce que tu ressentais toi, au plus profond de ton être, au point de t'en être forgé tes propres convictions qui fondaient les piliers maîtres de ta vie ? Ces croyances façonnées par l'esprit de l'homme que l'on t'a inculquées, comme toi tu nous les as inculquées, n'existent-elles pas pour nous galvaniser, nous endoctriner, nous modéliser à l'image que l'homme se fait de lui-même, dans ses limites et peut être pas pour ce à quoi elles étaient conçues initialement et dont on ignore les capacités ?

Et si nous avions une destination initiale, quelle est la direction à prendre pour en atteindre le but ? À qui cela va-t-il profiter ?

Je ne savais pas pourquoi toutes ses questions ressurgissaient du fond de mes innombrables moments de solitude où, comme tout un chacun, je me demandais à qui allait bénéficier mon existence sur la terre. Est-ce à moi ou à quelqu'un d'autre ? Les connaissances acquises cumulées, serviront-elles de carburant à un autre que moi, pour qu'il puisse s'élever à son tour ?

Les questions que l'on se pose trouvent-elles leurs réponses seulement aux personnes qui ouvrent leur horizon ? Ou ont-elles déjà les réponses en elles ! Au milieu de toutes ces questions, je croisai Jamie dans la chambre de Michael.

– Salut Jamie ! Pas de bêtises, aujourd'hui !

– Promis Benito ! me répondit-elle, préparant sûrement la prochaine, à lire dans son regard malicieux. Tu peux nous laisser un petit moment ? Je dois parler à ton petit chéri un instant

– Woofer ! Ça va chauffer ! expira-elle en se dirigeant vers la porte, se doutant du sujet que j'allais aborder avec Michael.

– Elle peut rester, elle est au courant ! releva Michael.

– Salut Cello ! Oh ! non ! C'est trop compliqué pour moi ! Je vous laisse !

– C'est quoi encore, ce « Cello », Michael ?

– C'est encore une des trouvailles de Jamie ! Cello pour cellophane, matière plastique qui sert à emballer et protéger des microbes, les aliments et qui laisse transparaître son contenu ! C'est en parti écrit dans le dictionnaire. Le reste, ça appartient à Jamie !

– Ah ! Celle-là, elle ne contient pas qu'une moitié de cerveau !

– Salut, Pa !

J'enfilai mes bras dans les gants de protection pour lui faire le câlin du matin, et au moment de lui faire notre clin d'œil décalé, il me surprit en me disant :

– Je sais ce que tu penses à l'instant, hier et peut être demain !

– Ah bon ? Tu es télépathe, maintenant ? lui répondis-je en souriant ! Depuis quand ?

– Ne me regarde pas comme ça ! Je l'ai toujours été ! Et je sais que tu crois en ça !

Je fus surpris qu'il prenne tout de suite cela au sérieux.

– Tu veux m'en parler ?

– Je m'en suis vraiment rendu compte à mes six ans. Quand une de ces lueurs qui n'avait pas la même couleur que les autres me parla. Il n'était pas gris, lui, il était blanc ! Il s'était avancé vers moi, descendant de son piédestal, et toutes les paroles qu'il prononçait, me réconfortaient. On pouvait, ensemble, discuter de ce qu'il se passait en moi et autour de moi. Il était vraiment beau, tu sais, papa. Les autres qui avaient le même aspect que lui, avaient en charge d'autres personnes. Ils sont, en quelque sorte nos anges gardiens. D'autres, en revanche, étaient de couleur grise. Eux, par contre tournaient en rond en se posant des milliers de questions et paressaient tourmentés par des choses qu'ils auraient dû faire, ou pas, des regrets, des pardons résonnent dans leur tête. Certains avaient même l'air de personnes qui venaient d'avoir un accident, et malgré leurs blessures, ils continuaient à déambuler en ressassant continuellement les images et les causes de leur accident. Tu sais, ils n'étaient pas vraiment beaux à voir. Ils me faisaient peur. Je pouvais ressentir leur douleur à travers mon corps lorsqu'ils me traversaient, mais j'essayais de les repousser, parce qu'après, j'avais mal de partout dans mon corps. Si parfois je faisais de longues siestes, c'est parce qu'ils puisaient tellement mon énergie que ça me fatiguait. Et dans l'hôpital, il y en a beaucoup qui traînent dans les couloirs. Je pensais que tout le monde était comme moi !

Michael n'arrêtait pas de parler. En lui prêtant attention, j'avais l'impression de lui permettre d'ouvrir une porte longtemps gardée fermée, de peur qu'on le prenne pour un fou, et par ce geste, de lui permettre une délivrance de sa partie sensorielle. C'est pour cela, m'a-t-il confié aussi, qu'il parlait beaucoup. Pour ne pas les entendre lui parler et l'accabler de leurs problèmes ! Le regard brouillé, frustré de ne pas pouvoir protéger mon enfant de tous ces phéno-mènes impalpables, je me fis consoler par des paroles un peu surpre-nantes :

– Ne t'inquiète pas, papa, j'ai d'autres papas de vies passées qui sont là pour me protéger et veiller sur moi. Ta mamie Vincente et tous tes aïeuls sont là aussi pour me donner des conseils, du moins ceux qui n'ont pas refait un passage où la vie est possible. Au fil du temps, on prend tous soins des uns et des autres. C'est d'une famille universelle dont tu fais partie, pas de clans isolés.

De plus belle, il réussit à me faire pleurer, en me parlant de mes aïeuls. Dans la pièce, l'atmosphère devenait plus intime, et des frissons bienveillants me parcouraient tout le corps.

— Sont-ils là, Michael ?

Par un hochement de tête et un sourire enchanteur, il me répondit que oui. Et continua :

— Le jour où tu t'en sentiras prêt, où tu t'accepteras tel que tu es, tu pourras aussi les voir.

Un laps de temps intrigant passa, et je me remis à lui poser des questions, sans savourer le moment unique que j'étais en train de vivre. Par ignorance ou peut-être plus par peur.

— Attend un peu, quelque chose me turlupine l'esprit. Comment ça, tu les voyais traîner dans les couloirs les âmes grises ? lui demandais-je. Tu ne peux pas sortir de ta chambre stérile, enfin ! Alors, comment fais-tu pour les voir ?

Un sourire en coin, il allait de révélations en surprises et me dit :

— Tu sais papa, je peux sortir de mon corps, quand je veux. J'ai déjà fait le tour du monde avec de lointains cousins, frères et sœurs, qui m'ont aussi fait découvrir des endroits loin de la terre, et la vie ne s'arrête pas là, tu sais ! Un jour, on découvrira un système qui permettra aux êtres de se mouvoir dans des couloirs spatio-temporels par le passage des trous noirs, pour arriver dans d'autres galaxies, et nous permettre aussi d'acquérir une autre dimension de « l'homme. » Mais avant, nous devons atteindre un autre niveau de conscience. On y arrive, patience !

Perplexe par tout ce flot d'informations surnaturelles qu'il m'étalait, je lui dis :

— Tu me fais marcher ! Tu as mis au point un canular, et je suis tombé dedans, comme un imbécile. Ton imagination et ta très bonne mémoire, tous les livres que nous t'avons lus, ta mère et moi, t'ont développé une facilité à imaginer les lieux dont nous te contions les récits. Allez, avoue !

À cela il me rétorqua sèchement :

– Où crois-tu que ces écrivains extraordinaires, dans la veine d'Homère, de Jules Vernes et tant d'autres encore, même toi, peut-être un jour, qui décrivent dans leurs livres des endroits féeriques, avec des personnages tout aussi magiques, puisent leur créativité ? C'est par leur faculté innée à rentrer en méditation qu'ils voyagent selon les fibres émotionnelles qui appartiennent à chacun. Dans ces endroits lointains qui sont source d'inspiration pour eux. Et pourquoi crois-tu qu'ils aient eu autant de succès ? Parce qu'ils ravivent inconsciemment l'esprit de leurs lecteurs, qui ont vécu dans ces sphères lointaines.

Réflexion faite, je me suis senti un peu mesquin, lorsqu'après une telle explication sur ses facultés, je voulus le coincer avec une question malicieuse.

– Alors, puisque tu sors de ton corps et que tu voyages partout, comment est ta chambre, à la maison ? Ah ! Ah ! m'exclamai-je, convaincu de l'avoir piégé.

Sereinement il me regarda, toujours avec son sourire en coin et dit :

– Si vous voulez que je vienne à la maison, il va falloir changer la peinture et mettre un lit à ma taille, car je ne rentrerai plus dans le berceau ! Et ouvrez les volets et la fenêtre de cette chambre, elle sent le renfermé ! me dit-il en rigolant.

En effet, Sally n'avait jamais voulu ouvrir cette chambre tant que Michael ne serait pas revenu, et pour cela, elle était restée dans cet état-là. Mon fils, qui avait six ans me stupéfiait, par cette facilité à me décrire tout ce monde abstrait que seule une poignée d'humains, à ses dires grandissante avec le temps, sont capables de discerner.

– Noëlle m'a dit que tu t'adressais à un certain Jean-Louis. Est-ce vrai ?

– Oui papa ! dit-il, un peu agacé que je mette sa parole en doute. Il me dit sur un ton blasé :

– Arrête, papa, avec tes questions agaçantes. Chambre 408. Et il commença à me raconter comment son ami était entré dans le coma.

Le père de son ami buvait, et cela toute la journée, au nez et à la barbe de tous ses collègues de bureau, et personne ne se doutait de sa maladie chronique. Il avait toujours l'air de bonne humeur, ils le surnommaient même Joyeux, comme dans Blanche-Neige et les sept nains. Il cachait bien son jeu.

Un soir après l'école, alors que la mère de Jean-Louis lui avait indiqué un périmètre de sécurité à ne pas franchir, il prit son vélo et le parcouru plusieurs fois. Lassé de faire perpétuellement le même circuit qui, à force de le répéter devenait monotone, il décida d'en agrandir les limites fixées, jusqu'à aller en lisière de colline. En sortant du travail, son père, saoul comme à son habitude, empruntait toujours la route qui longe la colline pour éviter le regard du voisinage à son arrivée dans le quartier, avec ce perpétuel jugement porté à son égard. Ce soir-là, la tête embrouillée par ses rations d'alcool, il sentit qu'il avait heurté quelque chose avec l'arrière de sa voiture, mais ne s'y attarda pas plus. Machinalement, il regarda dans son rétroviseur, dont le reflet était déformé, et dans un faible moment de concentration, il discerna malgré tout un vélo rouge renversé et un gamin allongé par terre. Sa lâcheté, dissimulée dans l'alcool, n'ayant d'égale que la peur de se l'avouer, le fit fuir encore une fois devant les épreuves qu'il devrait assumer. Il connaissait la gravité de son geste, et par conséquent, il connaissait aussi les peines qu'il allait encourir. Sans se soucier de la victime demandant assistance, il décida donc de laisser derrière lui la catastrophe qu'il avait commise et accéléra pour rentrer le plus rapidement possible chez lui. Il gara son véhicule le long de sa maison. Sa femme, au loin, lui fit de grands signes de la main pour attirer son attention. Il s'approcha et lui demanda ce qu'il se passait. À son regard, elle vit bien qu'il était encore ivre. Elle fit abstraction de son état pour l'instant, et lui demanda s'il n'avait pas vu son fils Jean-Louis au passage de la colline. À ce moment-là, il réalisa qu'il venait de renverser son fils. Il n'essaya même pas d'aller à sa rencontre. Il indiqua à sa femme la direction qu'elle devait prendre et rentra chez lui pour s'armer de son fusil de chasse. Il monta en titubant, le flanc nord de la colline, et à mi-chemin, exténué par l'effort et toutes les images d'horreur qui traversaient sa tête, il se mit à genoux et demanda, un peu tardivement, de l'aide à Dieu, puis implora son pardon pour son geste et sa lâcheté et fit exploser sa tête.

– Je le vois souvent tourner autour du lit de Jean-Louis, rongé par le tourment de ses fautes, le visage à moitié explosé.

Je restai ébahi.

– Wow! Mais tu n'as pas peur, lorsque tu vois ça? Je sais très bien qu'un enfant de six ans ne s'exprime pas comme tu le fais, avec autant de détails. Tu me sidères, mais…

Des questions venaient s'amasser dans mon esprit. Il ressentait que je voulais en savoir plus à ce sujet, et il se prenait à la discussion. Jusqu'à présent, c'est lui qui posait les questions touchant à divers domaines, afin de combler ses interrogations d'enfant, et moi, par mes connaissances générales, j'essayais d'être au plus juste dans l'exactitude de mes réponses. Même si, parfois, je devais broder, improviser, et peut-être même inventer, pour garder à ses yeux ébahis le rang méritant du père modèle, par la maîtrise des sujets au sujet desquels mon fils était curieux. À cet instant, c'était lui qui répondait spontanément, comme si, d'instinct, les réponses émanaient de sources naturelles, claires et limpides. Le plus surprenant, dans tout ça, je me répète de nouveau, c'était qu'il n'avait que six ans. Les rôles étaient inversés, mon bébé nourrissait son père de sa science, à la petite cuillère. Dur, mais réel paradoxe, n'est-ce pas!

– Mais attends une minute, je ne comprends pas tout. Si son père est mort. Que tu le vois tourner autour du lit de son fils et que Jean-Louis est dans le coma et que toi, tu le vois également, pourquoi ne rentrent-ils pas en contact ? Pourquoi ne peuvent-ils pas se voir pour rentrer en communication, tous les deux ensembles ?

– Non papa ! Ça ne marche pas comme ça ! Comment t'expliquer ça ?

Il tourna sa tête en direction de la table où se trouvait la radio-CD et me dit :

– Papa ! Prends la radio-CD, et mets le sous-tension.

Ce que je fis.

– Tu vois, chaque chiffre sur l'écran représente une fréquence radio, et si tu changes de chiffre, tu seras sur une autre fréquence. Eh bien, c'est pareil, ils ne sont pas sur la même fréquence tous les deux.

– Mais toi, tu es la radio, alors, puisque tu peux les voir tous les deux sur des fréquences différentes !

– Oui, en quelque sorte. Je perçois différentes fréquences, je peux émettre aussi.

Le regard ailleurs, il continua en me disant :

– Je peux te dire aussi qu'un jour, ils seront à nouveau sur la même fréquence tous les deux. Et que son père, dans sa prochaine réincarnation, souffrira de gros maux de tête dus à son acte. Mais sache encore une chose. Ce n'est pas moi le directeur d'antenne ! dit-il en se mettant à rire.

– C'est qui ? lui rétorquai-je.

Toujours ce sourire en coin ! Il balançait sa tête de gauche à droite, voulant me faire comprendre de ressentir par moi-même, pour découvrir qui est-ce Qui ! Voyant qu'il voulait mettre un terme à ce sujet, je changeai difficilement de sujet pour revenir à un sujet plus terre à terre, et je lui racontai ma matinée. Je commençai par lui mimer la scène, puis je la parodiai, tout en exagérant sur la gestuelle et la prononciation, en employant quelques jurons qui faisaient partie intégrante du patrimoine provençal, provoqués par notre instinct à la moindre adversité. Il n'en fallait pas plus pour le voir partir en rafales de rire, si chaudes à mon cœur. Puis, entre deux bouffées de rire, je partis crescendo, pour aborder la deuxième partie, la plus déjantée, voire mystérieuse, de cette matinée.

– Tu sais Michael, il m'est arrivé quelque chose de très bizarre ce matin. J'avais la sensation de rentrer dans les émotions des gens, et je ressentais les bonnes comme les mauvaises choses qui les animaient, et ça me vient instinctivement, comme ce que tu m'as expliqué auparavant !

Il sourit et dit ironiquement :

– C'est curieux, ça, nous faisons des découvertes supranormales le même jour. Quelle coïncidence, tu ne trouves pas ? Nous sommes liés tous les deux. Ton apprentissage vient de commencer. Comment as-tu ressenti la chose ?

Alors que je m'apprêtais à entamer une discussion sur la situation qui s'était déroulée ce matin même, on entendit frapper à la porte. Cette conversation serait à en débattre plus tard. Et Françoise entra :

– Excusez-moi, les garçons ! Mais avez-vous vu Jamie, par hasard ?

– Non, pourquoi ? lui demandais-je, m'attendant à entendre quelque chose de non surprenant.

– Elle a encore fait des siennes.

La mine consternée, elle continua en nous disant :

– Elle a soulevé par le système de poulies, et a plâtré ensemble les jambes de la mémé de 98 ans du cinquième étage, pendant que cette pauvre dame faisait la sieste !

– Elle avait le sommeil lourd ! rétorqua Michael.

Ça, c'est tout Jamie.

CHAPITRE 6

RÉVEILLE-TOI

Le soir de cette ô combien édifiante journée, Sally arriva avec le souper dans son cabas écossais, acheté chez son traiteur italien préféré. Elle était aussi accompagnée de sa latente angine chronique qui la maintenait dans une fatigue constante et qui l'affadissait dans ses périodes plus fortes, la contraignant à amplifier son maquillage pour camoufler cette mine au teint pâle.

Empreints encore de cette étonnante découverte, Michael et moi avions omis de mettre le couvert sur la table. Omission qui nous fut amèrement rappelée par l'irritabilité à fleur de peau de Sally. Nous nous empressâmes donc de remplir la tâche qui nous incombait. À ce moment-là, Céline, l'infirmière de garde, qui était toujours fidèle au poste, arriva avec son plateau-repas et profita de la pénétration dans le sas pour faire une vérification des lieux et aider Michael à faire sa toilette. Mais avant les usages de propreté, Michael tenait absolument à faire un « câlin d'amour » à sa maman. Tout en la serrant contre la vitre, il lui chuchota à l'oreille :

– Maman, j'ai quelque chose à te dire d'important !

– Moi aussi, j'ai quelque chose d'important à vous dire à tout les deux ! nous dit-elle, laissant présageant de sa voix haute l'annonce d'une extraordinaire nouvelle.

– Mais d'abord, va faire ta toilette, s'il te plaît, Michael, j'ai faim !

– O.K. Mam ! dit-il avec désinvolture.

Pendant que nous installions la table, Sally nous dit :

98

– J'ai vu Françoise dans le couloir, et elle était en train de passer un savon à Jamie. Et Jamie ne la ramenait pas vraiment. Vous savez ce qu'elle a encore fait, cette chipie ?

Et d'une seule voix nous lui dîmes :

– Elle a plâtré les jambes de la mémé de 98 ans qui se trouve au cinquième étage, dans son sommeil !

Et nous rîmes comme des moqueurs, tout en singeant à tour de rôle, dans des scénarios exagérés, cette pauvre femme, en imaginant la tête qu'elle avait dû faire, au moment où elle avait découvert ce que Jamie venait de lui faire subir pendant son sommeil. Et un clin d'œil décalé ! Et nous prîmes place pour souper le repas froid, réchauffé par des rires encore tout chauds.

– J'avais quelque chose à vous dire à tous les deux ! nous rappela Sally.

– Non ! d'abord moi, maman ! insista Michael.

– O.K. ! O.K. ! Vas-y, nous t'écoutons !

– Eh bien ! Papa est déjà au courant et…

Un temps d'hésitation se fit attendre.

– Vas-y ! Lance-toi, Michael, ta mère ne te jugera pas !

– Bon, O.K. Maman, je vois des gens non matérialisés autour de nous.

– Comment ça ? Tu veux dire Casper le fantôme ? dit-elle, avec un sourire ironique.

– Oui maman ! Des gens qui sont passés de l'autre côté de la vie matérielle et la continuent ailleurs. Des gens qui continuent leurs existences, mais sur d'autres fréquences, d'autres vibrations, si tu préfères et…

Et il lui rapporta, ce qu'il m'avait dit précédemment. Au fur et à mesure du récit, Sally perdit son sourire ironique pour laisser apparaître un visage des plus sérieux. Elle lui posa des questions pièges, comme je le fis auparavant. Mais Michael ne se laissait pas impressionner. Il répondait du tac au tac. Mêmes questions sur sa chambre ! Mêmes réponses en retour.

– C'est ton père qui te l'a dit? lui rétorquait-elle en souriant, comme si elle s'attendait à une mise en scène de notre part, comme si nous lui jouions une farce.

– Non, je te dis. Dit-il sèchement. Et de nouveau le masque souriant de Sally retombait.

Et il commença à lui décrire où elle avait grandi étant plus jeune. Il lui rappela comment était sa poupée en porcelaine favorite, celle avec qui elle partageait un secret traumatisant, dont elle reproduisait les scènes ressurgissant dans son esprit, cloîtrée dans sa chambre, de gestes sexuels suggestifs, accompagnés de grandes gifles, lorsque son père la réprimandait sévèrement. Michael lui expliqua, pourquoi sa sœur la lui avait cassée lorsqu'elles étaient enfants, ignorant les liens qui unissaient Sally à sa poupée. Christelle, sa sœur, l'avait brisée par jalousie, car Sally passait le plus clair de son temps à parler et à jouer avec sa poupée, tout en la coiffant, au lieu de s'amuser avec elle. Christelle ne comprenait pas aussi pourquoi, Sally préférait rester dans l'illusion d'un imaginaire, au lieu de partager son temps avec elle qui était réelle, ne refusant pas non plus de se faire coiffer sa longue chevelure par sa grande sœur. Mais Sally s'était obstinée à écouter et à comprendre les raisons de son geste, et a toujours gardé cette rancune au fond d'elle. Pour punir l'acte criminel qu'avait commis sa sœur, les mots qui étaient échangés entre elles ne relevaient que du strict nécessaire, pour que règne à la maison une cohabitation respectueuse vis-à-vis de leurs parents. Et cela a duré pendant des années. Soudain, à la fin de son explication, Michael haussa le ton et dit:

– Elles viennent de là, tes angines chroniques maman! Tu aurais dû lui dire sur le moment ce que tu pensais de son geste, et toute cette rancune serait sortie de toi et ne se serait pas transformée dans ton corps en maux, des mots exprimant tes sentiments refoulés. Au lieu de ça, tout s'est envenimé dans ton être pour se localiser dans ta gorge. De là où tes émotions devaient sortir, mais au lieu de ça, ça a causé ces fameuses angines chroniques qui perdureront aussi longtemps que tu n'auras pas exprimé tes rancœurs, pour trouver la paix avec ta sœur et aussi avec toi-même.

Là, devant l'exposé de cette saillante vérité, un trop-plein d'émotion déborda des yeux rougis de Sally. Un sillon de mascara noir en déferla et finit par maculer sa détresse sur son visage confus. À ce moment, on vit un changement d'attitude et nous comprîmes qu'elle renonçait à garder plus longtemps cela pour elle, en acceptant la légitimité des faits. Un poids considérable venait délester ses épaules d'une lourde charge émotionnelle. Sally ne s'était pas aperçue de la détresse affective émanant de chacune, dans leurs émotions respectives. L'aveuglement de cette détresse dévoilée par cet acte les avait séparées dans leur relation de sœurs. Ce qui avait actionné individuellement le stimulus de leur mécanisme d'auto-insatisfaction, provoquant « un suicide fratricide » se consumant à petit feu, jusqu'à l'aggravation irréversible, occasionnée par des positions inconfortables, si Michael n'était pas intervenu. L'une pour avoir été délogée de son imaginaire, qui lui servait de refuge pour oublier, et placée ici par un événement violent empreint d'ivresse, auquel elle a assisté avec sa confidente, par la porte restée grande ouverte de la chambre parentale, donnant naissance neuf mois plus tard à une petite sœur. Un acte non exemplaire, gravé dans des mémoires traumatisées, à ressasser dans l'esprit d'une jeune fille, rendant par sa volonté inconsciente sa vue défectueuse, pour ne plus être témoin de pareils actes violant, et développant une angine chronique pour la non-expression de la séparation avec sa poupée. Et pour l'autre, toujours par une volonté inconsciente du fait que ses actes soient inscrits dans ses vibrations, d'avoir été procréée sous la contrainte d'ébats irrespectueux, et dans la forme consciente en grandissant, d'être victime par ces faits, de l'importance de ne pas être ignorée et de l'importance d'être reconnue par les siens. Développant par ces faits, une forme de psoriasis facial chronique, qui apparaissait pour marquer une attention à cette frustration qui survenait lorsqu'elle se sentait délaissée, afin qu'on s'intéresse à elle.

Je lui serrais la main, tout en lui expliquant qu'elle ne devait pas s'en vouloir. Lorsqu'on est affecté par une querelle, notre instinct primaire nous dicte des voies radicales, dont on ne connaît pas les méfaits qu'engendrent certaines, soi-disant vengeances irréfléchies, qui nous retournent dans la face comme la mauvaise maîtrise de l'envoi d'un boomerang. Même si, bien souvent après coup, on regrette d'avoir été aussi despotique.

Je voyais que Michael était affecté par l'obligation d'employer des velléités hégémoniques pour faire admettre à sa mère le déni de ses émotions. Mais je voyais aussi qu'il était fier de l'avoir aidée à percer cet abcès qui l'amenuisait physiquement, pour la libérer quasi instantanément, d'une rancœur qui gardait cette situation de crise latente, depuis trop longtemps enfouie dans son cœur.

Pour détendre l'atmosphère, je changeai de sujet, car l'intensité émotionnelle dans la pièce était trop forte.

– Tu avais une bonne nouvelle à nous annoncer, n'est-ce pas, Sally ? lui dis-je, tout en lui tendant la boîte à mouchoirs.

Elle en prit un et me demanda d'attendre un instant, le temps de se ressaisir, car elle ressentait qu'un phénomène se manifestait dans son corps. Elle essuya ses larmes et se décongestionna les voies nasales, tout en décantant sa gorge, pour finalement évacuer des rejets aux substances glaireuses de plus en plus épaisses, dont elle se débarrassa dans les toilettes. Progressivement, ce phénomène s'atténua, en emportant avec lui une bonne partie de la boîte qui déclinait rapidement. Cela ne dura pas moins d'une bonne dizaine de minutes. On avait l'impression que le pus renfermé dans cet abcès, s'évacuait, libérant la rancune, balayant l'amertume du passé de Sally.

Elle reprit son souffle, clarifia sa voix, tout en prenant conscience qu'après ce qu'elle venait de vivre, la nouvelle qui, pour elle, devait être majeure - et qui l'était, d'ailleurs -, faisait office d'une goutte d'eau dans l'océan. Mais l'océan n'a-t-il pas eu besoin d'être composé de ces milliards de milliards de petites gouttelettes d'eau, pour être ce qu'il représente actuellement, une symbolique force nourricière, crainte et respectée par les êtres à son image ?

– Oui, oui ! se répétait-elle, confuse, encore la tête dans ses précédentes pensées. Martineck, le propriétaire des murs du magasin, est enfin d'accord pour nous les vendre. Et si nous le désirons, il nous les vend avec le local d'à côté aussi, car la vieille qui vendait ses macramés est décédée. Avec cette perspective, nous pourrions agrandir le magasin en faisant une porte dans le mur qui nous sépare, pour donner l'accès à un institut de beauté, comme je l'avais toujours imaginé, et ça générera plus de clientèle. Qu'est-ce que vous en pensez ?

– Bonne idée, maman ! s'exclama Michael. Mais arrête de l'appeler « la vieille », elle t'appréciait bien, elle. Madeleine, c'est comme ça qu'elle s'appelle, me dit-elle de te préciser ! Elle est juste à côté de toi, et elle t'adresse beaucoup de pensées d'amour !

– Comment ça, elle m'appréciait bien ? Lorsque je passais devant sa boutique, elle me dévisageait de la tête aux pieds et me disait à peine bonjour.

– Tu lui imposais le respect, car tu es belle naturellement, et tu savais te mettre en valeur avec tes toilettes harmonisées, mais surtout ce qu'elle appréciait le plus chez toi, c'est que tu es une battante. Elle t'enviait, c'est tout !

Bon an, mal an, après cette explication sur les causes de ses retenues vis-à-vis des autres êtres, Sally s'excusait sincèrement de s'être montrée si froide à son égard, expliquant que c'était son mode de fonctionnement auto-défense, et qu'elle allait corriger cette lacune, maintenant qu'elle en connaissait la cause, dit-elle, pensant ces paroles ricochées dans le vide, tout en essayant de localiser dans l'espace où se trouvait l'entité de Madeleine.

– Elle a entendu tes réels sentiments, maman, ça lui fait plaisir, dit Michael qui enchaîna sur sa volonté de réaliser les choses auxquelles elle ressent, en embarquant sous son joug protecteur les personnes qu'elle aime.

– Maman, tu as trouvé ta voie toi ! Hein, maman, c'est ça que tu aimes, toi : entreprendre et développer ! enchaîna Michael en insistant sur le « TOI. »

Pour se justifier Sally lui répondit :

– Avec ton père, on a toujours tout fait ensemble, et on a décidé de travailler comme ça, pour être le plus souvent possible avec toi, dit-elle en m'incluant dans son projet de vie et son projet entrepreneurial.

Soudain Michael s'emporta.

– Ne vous servez pas de ma vie pour parer à la vôtre, et ne pas suivre le chemin de vie de chacun à cause de moi. Je ne suis pas votre prétexte à la non-réalisation complète de votre existence. Personne ne vous a dit de culpabiliser au fait que je sois dans cet état, nous dit-il, excédé ! Nous sommes tous un, une seule vibration, un sentiment personnel qui résonne à notre propre fréquence. Ne vous dissimulez pas l'un dans l'autre. Malgré tout l'amour que vous vous portez, vous n'avez pas à partager absolument tous les moments de vos vies respectives, car certains vous appartiennent pour votre propre avancement personnel. Nous pouvons partager les mêmes envies, les mêmes passions, les mêmes goûts, mais certains sont vos sacer-doces pour votre évolution personnelle, et vous devez les respecter en les réalisant ! Arrêtez de vous cacher derrière des excuses pour de ne pas les pratiquer, prétextant que l'autre ne les partage pas avec vous ses passions. C'est frustrer votre personnalité que de réagir ainsi, et engendrer de futures complications émotionnelles. Mais ce qui est sûr, c'est que nous avons tous quelque chose d'important à réaliser et il faut le faire.

– Vous dites que vous aimez, mais je sais que depuis que je suis né, votre vie amoureuse n'est plus la même. Moi, avant de venir sur terre, il m'a été ordonné de remplir une mission que je fais, même si vous ne le voyez pas.

Mais pour cela, je devais trouver des parents qui ne vivent que pour l'Amour, pour m'en nourrir, car je peux vous dire qu'ils sont rares, les gens qui vivent d'un Amour comme le vôtre. Vous savez que vous êtes faits l'un pour l'autre, en respectant ce que je vous ai dit précédemment. Je sais aussi que vous ne faites plus trop l'amour, alors que vous êtes tous les deux faits pour ça ! Vous vous dites « je t'aime », mais aimer, c'est quoi ? C'est simplement respecter l'autre, sa façon de penser, d'être, même si on ne la comprend pas toujours. Mais vous, vous m'avez pris pour excuse. Aimer, c'est accepter les choix de l'autre, sans essayer de l'influencer vers les vôtres. C'est ne pas le juger dans des situations pour lesquelles vous auriez agi autrement ! Pour le protéger, pensant bien faire, sûrement. Mais si vous agissez à sa place, vous faussez le cours de sa vie, et les erreurs comme les bons actes qu'il devrait réaliser vont être faussés, et fausseront par là même son l'évolution, car les obstacles à franchir qui se trouveront sur son chemin de vie, lorsqu'ils seront assimilés, seront ses réussites et l'aideront à comprendre pourquoi il vit. Il sait ce qu'il a à faire au plus profond de son être pour son bien être. Si tu veux vraiment l'aider, écoute-le ! Aide-le à trouver au plus profond de lui-même ses vérités, car il n'existe pas qu'une seule vérité. Si tu le sens perdu dans ses choix et que toi, tu estimes que tu as trouvé le tien, alors à ce moment-là, aide-le à s'orienter vers ses propres choix, en l'interrogeant sur ce qu'il ressent au plus profond de lui. Et à ce moment-là, quand il se sera entièrement réalisé, tu lui auras prouvé par tes gestes et ton écoute, que tu l'aimes vraiment, sans la juger.

– Papa, es-tu vraiment heureux de ta vie ? Réponds-moi ! me demanda-t-il fermement. Fais-tu vraiment ce à quoi tu aspires ? Réalises-tu tes rêves, que je lis en toi quand tu crois que je fais la sieste, d'être romancier, de piloter un avion de tourisme ? Et la créativité qui submerge ton esprit à propos de ta contribution à aider le monde avec tes inventions que tu estimes bonnes pour le futur, que vas-tu en faire ? La gardes-tu pour ta prochaine vie sur terre ? Mais en attendant ce moment, ta contribution actuelle, comme celle de ceux qui sont comme toi, retarde l'évolution de ton espèce ! Et arrivé dans ta prochaine vie, tu auras encore des barrières devant toi et tu les repousseras encore et encore, et tu vivras toujours dans la tourmente de ne t'être pas affirmé. Tu feras comme toutes ces âmes grises qui tourne autour de nous avec en tête une œuvre à réaliser qui leur a été confiée et qui reste inachevée. Tu t'es laissé embarquer dans le chemin de l'existence de maman par facilité, car tu ne voulais pas affronter ta propre vie, et maman, te voyant perdu, a trouvé le prétexte, par amour c'est certain, que je me trouvais dans cette situation pour organiser cette vie comme nous la vivons ! Je me trompe ? Devant ta vie, tu te comportes comme un amateur au lieu d'en être le professionnel pour la vivre pleinement en la construisant ! Et tu as cette impression d'être à côté de tes baskets parce que tu la refoules ! N'est-ce pas ?

Pendant quelques minutes, nous avions l'impression que ce n'était pas Michael qui étayait mon procès, mais ma propre conscience débordante de colère. Celle-ci même qui nous met en alerte sur les actes à négocier dans une vie, mais que l'on n'écoute pas vraiment par manque de confiance en soi, par paresse ou souvent par remise à plus tard. Et à force, on finit par s'oublier soi-même, à cause de cette accumulation qui devient schématique et à laquelle on finit par ne plus porter d'importance. D'un certain côté, j'acceptais ces reproches, car j'avais conscience des œillères que j'avais posées sciemment, par facilité, pour cacher les actes que j'avais à accomplir pour réaliser ma vie. Mais d'un autre côté j'étais honteux, de n'être pas vraiment à la hauteur de m'affirmer dans celle-ci. Un brassage du plus profond de mon être me remit en branle.

À qui devais-je lancer la pierre ? À moi qui ne prenais pas les visions, les ressentis que j'éprouvais, la vie qui submergeait mon esprit, au sérieux ? À mon entourage, qui me considérait comme un doux rêveur, un utopique, lorsque je voulais en partager l'idée. Je me laissais souvent convaincre par des esprits aveuglés par leurs propres échecs personnels, et je finissais par me nier et nier mon existence d'accomplir une quelconque magie. Comme ces idées étaient certainement utopiques, je me persuadais que je ne servais à personne, alors qu'elles étaient sûrement dans mon être pour réaliser ma mission de vie, mais je ne sais pas pourquoi, j'avais peur de leur échec, ou pire encore, de leur réussite.

Mais si nous connaissions toute l'ampleur de la confiance qui nous est accordée, ainsi que l'importance de s'acquitter de chaque mission de vie sur terre ou ailleurs pour l'évolution de chacun, afin de contribuer à l'élévation de tous, engendrée par la réussite de nos propres réalisations personnelles, il est sûr qu'une confiance infinie s'installerait entre tous les êtres pour harmoniser la viabilité de nos lieux de vie en facilitant l'exécution de leur développement.

Je réveillai Sally, qui accusait le contrecoup de toute cette émotion qui avait absorbé intensément l'énergie de son corps, pour mieux la faire circuler.

Les accus rechargés dans le sommeil, nous rentrâmes à la maison. Sur le chemin du retour, tout en conduisant, Sally prit son cellulaire et appela sa sœur Christine. Elle lui proposa de la rencontrer au « Café de Flore », en prétextant qu'elles avaient beaucoup de choses à se raconter toutes les deux. Elle rajouta qu'elle voudrait bien refaire du sport, en insistant sur « ensemble ». Ce qu'elles n'avaient plus fait depuis des lustres. J'imaginais l'air étonné que Christelle devait avoir à l'autre bout du téléphone, bien surprise d'un tel appel. Telle était l'idée prétextée pour renouer avec le passé. Elle me lança son cellulaire qui atterrit entre mes jambes, se regarda dans le rétroviseur, un sourire rempli de satisfaction, puis pas un mot. Elle se disait sûrement, à en contempler son visage qui avait repris un teint coloré, qu'elle allait vivre tout ce qu'elle doit vivre comme elle le ressentait. Arrivés à la maison, nous avons fait l'amour comme ça ne nous était plus arrivé depuis très longtemps, à en remettre le couvert plusieurs fois.

CHAPITRE 7

C'EST MON ŒUVRE

Pendant les six mois qui suivirent, notre vie avait pris un autre tournant. Après la discussion qu'eut Sally avec sa sœur Christelle, les angines à répétitions s'amenuisèrent. Elle avait pris un teint éclatant et était en meilleure forme physique, mais elle devait toujours surveillait son cœur qui la faisait souffrir, à cause d'une déformation congénitale. Les deux sœurs se sont expliquées et se sont pardonné le mal qu'elles s'étaient fait l'une à l'autre. Elles se sont même inscrites au club de gym ensemble. Christelle bénéficia aussi des bienfaits de ces pardons mutuels, et son psoriasis chronique, s'estompa peu à peu naturellement, aidé aussi par les connaissances avisées de Sally, sur les vertus des plantes constituant les crèmes et les savons cosmétiques, qu'elle avait soigneusement étudier pour ses soins.

Nous avions contracté un prêt hypothécaire, pour l'achat des murs du magasin et des travaux supplémentaires que cela engendraient. C'était Sally qui avait trouvé le style du lieu où elle irait passer le plus clair de son temps. Il fallait qu'elle soit dans son élément à elle. Moi, je n'étais là que pour assouvir ses besoins pour la réalisation des travaux, et surtout assouvir ses besoins personnels. Tâche qui m'était plus agréable à exécuter.

Le soleil était enfin entré dans la chambre de Michael. Nous l'avions entièrement aménagée en chambre de bon adolescent qui se respecte. Pour témoigner des améliorations que nous avions apportées à sa nouvelle chambre, nous lui avions fait une vidéo. Même si nous savions qu'il n'avait pas besoin de film pour nous rendre visite, mais dans l'espoir qu'il la voit refaite plus conventionnellement, et qu'il rentre plus rapidement à la maison. Il nous l'avait bien dit : « Je rentrerai quand vous changerez le landau pour un lit, la peinture et aérerez cette chambre. »

Nous avions décidé de ne plus lui rendre visite le matin, mais de partager quand même l'après-midi avec lui.

Le matin était réservé, pour chacun de nous, à nos activités alternées : culturelles ou sportives. Sally allait à la gym avec sa sœur, ou à l'équitation toute seule, selon les jours, puis s'en allait rejoindre son équipe à la boutique. Moi, depuis quelque temps, j'étais remis à courir et à refaire du vélo. Je m'étais arrêté de fumer et aussi arrêté de fuir mes peurs en me décollant la tête avec de l'alcool et des herbes euphorisantes de temps en temps. Ma remise en question m'avait permis de retrouver ma raison de vivre. Alors, à quoi bon la sacrifier avec des artifices qui ne la comblaient même pas, bien au contraire. Je m'étais acheté un ordinateur portatif, et j'avais commencé à exprimer mes idées en les dictant à Jamie. Il fallait faire participer tout le monde, ou sinon, c'était la crise dans la chambre.

Ces idées m'étaient venues en observant, en écoutant, en ressentant le besoin de certaines choses qu'exprimaient les gens autour de moi sur des améliorations à apporter dans le milieu hospitalier, les inconforts au niveau de la sécurité en général : des personnes, de leurs biens, financiers, et tout un tas d'autres conforts du quotidien dans l'administration qui leur faciliteraient la vie. Et d'autre ordre aussi, notamment comme mes parents immigrants de leur Sicile natale pour la France, dans les années soixante, où ils étaient motivés par l'idéal d'une vie meilleure mais aussi par le rapprochement de leur famille qui s'était installée quelques années avant eux dans ce pays la France. Le parachutage dans un pays où tout vous est étranger n'est pas chose facile à maîtriser. Particulièrement la forme communicative orale avec l'autochtone. Le dépassement des barrières du langage était le plus frustrante à surmonter. Cela avait freiné considérablement les motivations pour lesquelles ils s'étaient installés dans ce pays. Ils n'avaient pas les commodités que l'on peut avoir aujourd'hui à prendre des cours de langues, ou même de se procurer un traducteur. Ils s'étaient résignés, à prendre des emplois qui ne leur correspondaient pas, en se créant par là même des rancœurs, que le corps encaisse comme une éponge au fil des années. Mais arrive le moment où le corps n'absorbe plus. Provoquant ainsi, selon l'ampleur de l'émotivité de la cause, une maladie correspondante à celle-ci, à l'image de Sally avec ses maux de gorge et l'affaiblissement de sa vue. En observant, on apprend beaucoup. Alors, voyant cela, je réalisai qu'a tout effet était lié une cause et que c'était celle-ci qu'il fallait traiter, pas l'inverse. Partant de ce principe : tout problème a sa solution, certaines choses pourraient être inventées matériellement ou technologiquement pour y remédier. Ce que je fis. Certes, certaines choses existaient déjà, mais je voulais les rendre plus accessibles en les améliorant et les intégrer à notre quotidien.

Les après-midi, avec l'aide de Michael, et la participation de Jamie au clavier de l'ordinateur, j'écrivais enfin un roman fantastique qui me trottait depuis des années dans la tête. C'est bizarre, alors que vous n'avez jamais écrit quoi que ce soit de bien littéraire, hormis de belles-lettres à votre percepteur pour repousser l'échéance des paiements réclamés, dus à des fins de mois limite en trésorerie, mais malgré tout, conscient qu'une majoration vous sera octroyée par là même, et vous voilà en train d'écrire un livre avec une déconcertante facilité et un enchaînement d'idées successives, qui vous laissent pantois de cette aisance. Je crois que nous ne prenons pas le temps de découvrir les trésors surprenants que l'on recèle au plus profond de notre être.

Peut-être aussi que certaine choses de notre vie, auxquelles nous songions sur l'instant et qui ne se sont pas réalisées, ne devaient pas être créées au moment pensé, car elles n'étaient pas prévues sur notre plan de vie immédiat, mais devaient être mis en phase de maturation, avant leur exploitation ! Comment faire la distinction ? La réponse ne se fit pas attendre bien longtemps.

J'avais repris aussi goût à la cuisine. J'avais concocté un petit plat italien, dont la recette provenait d'une tradition religieuse en hommage à sainte Lucie. Ce plat, pour perpétuer la tradition, ma mère l'avait enseigné aussi à Sally. Mais la cuisine, ce n'était pas sa vibration première. J'avais trouvé ma réponse. Les choses que l'on acquiert par la transmission de filiation. Suite à ce repas, un baiser donné et rendu avec une intensité digne des plus grands films d'amour. Je m'empressai ensuite de rejoindre Michael.

Je me présentai, heureux, devant les portes de l'hôpital qui s'ouvrirent comme si elles recevaient un prince. Je saluai les infirmières comme à mon habitude.

– Salut Françoise ! Salut les filles !

– Salut Benito ! Eh, tu es en pleine forme !

– Oh oui ! Je suis amoureux de ma femme !!

– Benito, je peux te voir dans un petit moment pour te parler de certaines choses avec Michael ? me demanda Noëlle.

– Pourquoi, Michael, sa… première… bêtise… ? lui demandai-je à demi-mot !

– Non ! Arrête de rire, c'est plus grave que ça, mais je t'en parlerai tout à l'heure, on me bipe pour une urgence.

Bon, eh bien ce n'était pas encore pour cette fois, mais je ne désespérais pas. En montant les escaliers, je croisai Jamie.

– Salut Jamie ! Toi, au moins, je suis sûr que tu n'en es pas à ta première bêtise.

– Qu'est-ce que tu dis, Benito ?

– Rien ! Rien ! Alors, qu'est-ce que tu vas nous préparer aujourd'hui comme bêtise !

– Salut ! me renvoya-t-elle, d'un ton accablé, prenant la direction opposée à la mienne.

– Hé ! Ça ne va pas, ma belle ! Dis-moi ce qu'il t'arrive !

— Non, ça ne va pas ! Ils ne veulent plus de moi à l'hôpital, parce que je fais trop de sottises, et mon père est trop fatigué, il ne fait que dormir tout le temps. Il travaille trop, maman m'a dit. Moi j'aimerais qu'il joue avec moi !

— C'est parce qu'il te manque que tu fais toutes ces sottises. Pour qu'il s'intéresse plus à toi ! Hein, c'est ça ?

D'un signe de tête, elle me fit comprendre que oui, tout en retenant ses larmes. Mais c'était trop fort pour elle, ce manque d'affection paternelle la fit éclater en sanglots. Elle me dit :

— Toi et sa mère, vous venez tous les jours pour voir Michael, et on voit que vous l'aimez, tous les deux ! Tandis que moi, je passe mon temps qu'avec maman lorsqu'elle a fini de travailler, et parfois c'est ma tante qui me garde aussi. Je le déteste ! se mit-elle à crier.

Je la serrai dans mes bras pour la consoler, la gorge nouée de ressentir en moi, bizarrement, ses propres émotions, comme si nous étions affiliés, d'une image qui me faisait observer mon père sur un lit hospitalier. Elle ressentit, elle aussi, quelque chose et se retira rapidement de mes bras, dans un sentiment de culpabilité. Je fis abstraction de l'image et lui dis :

— Ce n'est pas grave. Pleure ma belle ! Pleure ! Ça va s'arranger, ne garde pas ta colère en toi, pleure, évacue-la…

Après un moment, sa colère perdit de son intensité. Je lui proposai de venir avec moi voir Michael, mais elle me répondit qu'il était en train de donner une consultation.

— Donner une consultation ? l'interrogeai-je surpris. Je pense que tu as mal compris et que c'est un médecin qui lui donne une consultation. Non ?

— Tu es sûre, il donne une consultation ?

— Oui, je te dis ! Il fait ça tous les matins. Hé ! Je ne t'ai pas dit, Jean-Louis est sorti du coma, et depuis qu'il en est sorti, il dit à tout le monde que c'est Michael qui l'a sauvé. Déjà que je ne pouvais pas trop le voir parce qu'on me disait que je le fatiguais, maintenant, avec ses consultations, je peux encore moins le voir ! Tout le monde me laisse tomber !

– Mais non, mais non, viens avec moi, lui dis-je !

J'entrai dans la chambre et je priai la personne qui se trouvait là de bien vouloir sortir. Et au même moment, Noëlle se présentait devant la porte.

– Je peux entrer ? nous demanda-t-elle.

– Oui bien sûr ! Entre.

Noëlle, en voyant la situation, me dit que c'était pour cela qu'elle voulait me voir et que depuis que Jean-Louis était sorti du coma et qu'il clamait haut et fort que Michael l'avait sauvé, certains patients étaient venus le voir, et avaient, eux aussi, dit que Michael les avait soignés. D'autres, plus réfractaires, disaient que ce n'était qu'élucubrations mais venaient quand même, plus discrètement le soir.

– Les médecins, quant à eux, n'y comprennent plus rien, mais constatent que ces guérisons spontanées arrivent bien assez régulièrement ces derniers temps et qu'ils n'en comprennent pas la cause ou la grâce, alors ils laissent faire. Je sais aussi que Michael dit aux gens avec qui il communique de ne pas répandre n'importe quoi à ce sujet, car il ne pourrait pas gérer l'affluence. Ce qu'ils font, d'ailleurs, mais c'est leur entourage, qui heureux pour eux qu'ils soient gratifiés de la grâce, attribue ces guérisons à la rencontre de Michael. Ça commence à se propager comme une traînée de poudre. Le problème, c'est que les journalistes commencent à s'en mêler, et des ricanements se font entendre sur les techniques mystiques des médecins.

– Michael, veux-tu bien m'expliquer ce qu'il se passe ?

– Tu te rappelles papa, je t'ai dit qu'on avait tous une mission sur terre ? Eh bien, la mienne, comme la tienne, si tu décides de t'accepter comme tu es, est de soigner les gens qui te le demandent, en leur parlant. Pas de magie, pas de vaudou ou d'artifices, que la recherche de l'origine du problème ou des problèmes successifs, en accepter les faits, et éventuellement, quelques plantes aux vertus médicinales pour enclencher et accélérer le processus de guérison. Et c'est tout! Juste en méditant et recherchant l'origine qui a déclenché la déviation émotionnelle qui déstabilise leur équilibre et les empêche d'avancer dans leur vie!

À ces paroles, les larmes me montèrent aux yeux.

— Mais alors, dis-je, reprenant mon souffle qui se coupait après chaque syllabe, pourquoi ne te guéris-tu pas toi-même? lui criais-je.

— C'est mon œuvre, papa, rien que mon œuvre, et toi, tu vas m'aider avec tes livres. Reviens demain, quand tu seras plus calme, car je vois ton aura qui est d'un rouge colérique. S'il te plaît, papa, reviens demain! On en parlera demain! insista-t-il.

Je me faisais poliment congédier par mon fils. Mais il y avait tellement de force dans ce qu'il venait de dire que je partis sans rechigner. Noëlle sortit aussi, le laissant en tête à tête avec Jamie.

Michael demanda à Jamie de s'approcher. Il mit ses mains dans les gants en caoutchouc et l'encercla de ses bras. Il lui susurra à l'oreille qu'elle ne sera jamais seule, qu'il veillerait toujours sur elle, et qu'avec le tempérament qu'elle avait, elle réaliserait tous ses rêves, même celui de ballerine. De ne pas s'inquiéter non plus pour ses petites rondeurs, elles disparaîtraient en grandissant.

— Rappelle-toi toujours de ça, lui dit-il : ose ouvrir la porte de ta vie, et le paradis y est ici à celui qui l'a compris.

Jamie fut la première à entendre cette phrase pleine de vérité. Il apposa ses lèvres sur la vitre, et Jamie fit de même. Elle m'avoua plus tard, qu'elle avait ressenti les lèvres de Michael comme s'il n'y avait pas de vitre entre eux qui les séparait et rajouta que son premier baiser fut si… magique. À voir ses yeux qui pétillaient lorsqu'elle me le racontait, ça ne pouvait qu'être vrai. Puis, après ce baiser, Michael lui dit :

— Au troisième baiser, tu nous libéreras tous.

CHAPITRE 8

OUVRE TES YEUX

Nous arrivions à l'entracte de cette joyeuse orchestration. Jamie nous envoya un message et voulut absolument que nous la rejoignîmes dans sa loge, à l'aide d'un nouveau code passe. À peine Sally eut-elle reçu le message, qu'elle me prit par la main et m'entraîna dans son sillage, débaroulant au milieu de la foule dense.

– Alors, comment avez-vous trouvé la première partie du ballet ? nous demanda Jamie ? Car c'est très important pour moi que vous me donniez votre avis tous les deux !

– Écoute, moi je n'ai jamais autant ri en voyant un ballet. Tu sais que tu es douée, même très douée ? lui dit Sally.

Et je me sentis obliger de rajouter :

– Est-ce que ça t'a été soufflé par les anges ?

Je sentais qu'elle attendait qu'on aborde cette question, car entre nous, pas de tabou sur cette croyance, et un sourire l'illumina davantage sa belle frimousse. Le souffle un petit peu coupé par sa prestation, malgré le temps qui lui était compté par cet entracte, elle tenait absolument à nous raconter comment son spectacle était venu à elle.

– C'était un après midi du mois de juin, commença-t-elle à nous expliquer. Dans les calanques de Cassis, un coin de Provence où on aime bien se promener. Je m'étais assise entre deux rochers, à l'abri du léger mistral qui commençait à se lever, pour admirer le paysage et me recentrer sur moi-même comme me l'avait appris Michael, lorsque je me suis sentie prise d'une angoisse qui s'empara de moi et gênait ma respiration. Une petite voix bien malicieuse m'engour-

115

dissait la tête. Elle me rabâchait sans cesse que je n'avais toujours pas de proposition originale de mise en scène à soumettre au jury pour décrocher le financement d'une bourse pour organiser le spectacle, dans la perspective d'un projet d'une grande tournée. À cette pensée de doute, je me mis à crier : « Stop ! On arrête le découragement, esprit torturé, frustré par tes échecs, qui t'es infiltré dans ma tête ! Sors ! Et va trouver dans la lumière la raison de tes propres échecs ! Tu ne réussiras pas à me décourager ». Je pris plusieurs inspirations pour oxygéner mes sens, dans l'énergie qui flottait autour de ce lieu pour me calmer. À cela, la petite voix se tut net et disparut, repartant la queue entre les jambes devant ma détermination. C'est qui, qui commande en moi ? C'est Moi, Hein ?

Nous rîmes, fiers de la voir avec autant de volonté imposée à s'épanouir, et elle continua :

– Je me vidai la tête de tout encombrement nuisible, et j'écoutai les pulsations de mon cœur pour me mettre en communion avec mon corps et l'harmoniser avec mon environnement, pour me laisser envahir par la beauté magistrale, qui régnait tout autour de moi.

Le chant crissant des cigales commençait timidement à se faire entendre, accompagnant musicalement le sifflement aigu du vent qui glissait sur les aiguilles des pins parasols. Les sons se mélangeaient, pour démarrer un début de musique naturellement zen. Ce jour-là, au loin, s'aidant de la brise marine, les voiles des bateaux se gonflaient à pleins poumons. En contrebas, des parents surveillaient leur enfant, qui tenait une belle peluche d'une main, et me faisait des signes de l'autre en me souriant. Elle me semblait heureuse et unie cette petite famille, et je leur rendis respectueusement leurs signes. Je revins sur moi, et je fis comme ces majestueux voiliers en prenant une respiration à pleins poumons, et soudain, je ne sais pas pourquoi, une force orienta mon regard dans le ciel azur. Une arabesque de ligne, représentée par une troupe d'oiseaux aux battements d'ailes décalés se mélangeant aux nuages, se dessinait sous mes yeux, comme si elle demandait l'aide d'un chorégraphe pour diriger ses mouvements en une poésie, dans la mise en scène de ce ballet. Inspirée, je me sentis aspirée vers eux en devenant immensément grande, nue, puis revêtue par la suite, d'un cirrus opaque bouclé, en accord avec mes cheveux, qui laissait transparaître mes parties charnelles, entrecoupé d'une mosaïque d'oiseaux aux battements d'ailes synchronisées qui remplissait toute la superficie restante de mon corps. Chaque bond, chaque entrechat, chaque pirouette, enfin chaque figure artistique que je composais, était magistralement composé, accompagnant le moindre de mes mouvements par le prolongement de sa nébulosité et ainsi finissant harmonieusement ma gestuelle, dans la puissance du vent. Je me confondais aux nuages, puis je disparaissais et je réapparaissais comme dans un jeu de cache-cache avec le soleil. Les effets d'ombre étaient exceptionnels. La famille, qui avait l'air de voir la même chose que moi, en appréciait le spectacle et m'applaudit. D'après cette ovation, je pensais tenir quelque chose de bien. Je descendis ensuite pour les rejoindre, afin de recueillir les premières critiques, mais ils n'étaient plus là. Du moins, de leur passage il ne restait plus que la peluche oubliée de l'enfant, qui portait, brodé sur son tee-shirt, le prénom de Laurent et un petit mot de remerciement sur un papier aux bords brûlés. Depuis, je ne l'ai jamais quittée, et elle va partout où je me déplace. Vous savez très bien que les artistes sont superstitieux, non ?

Pendant que Jamie continuait à nous raconter son histoire, je souriais avec une dégoulinade de larmes à ce récit, et Sally, me connaissant par cœur, me regarda, et comprit la double cause de cette émotion.

– Avec toutes ces idées en tête et grâce à la technologie numérique, j'ai pu matérialiser cette beauté de la nature en ce que vous venez de voir sur scène, nous dit-elle fièrement. Et ce n'est pas fini, attendez de voir la deuxième partie !

Elle avait des raisons d'être fière, car elle avait pu mettre en exergue sa débordante passion qui l'animait et qui, par la même occasion, nous animait aussi de fierté.

– Allez, les filles, en scène ! Ça recommence dans trois minutes ! annonça son assistante.

– À tout à l'heure, je vous laisse, je vais me faire réprimander si je n'y vais pas tout de suite ! nous dit-elle, d'un pas pressé, illuminant son visage d'un large et beau sourire. Vous m'avez énormément manqué ! Ça fait du bien de vous revoir !

À nous aussi, ça nous remplissait le cœur de la voir en si bonne santé et si épanouie. Sur ce, nous allâmes reprendre nos places pour voir la suite de cet étonnant spectacle. Un petit bisou à ma petite femme et un gros « Je t'aime mon amour », parce que je veux qu'elle sache que je l'aime à tout instant. N'en déplaise aux baveux. Je lui tenais la main, et elle me la serra davantage plus fort pour me montrer qu'elle était heureuse d'être là ce soir.

Et me revoilà replongé dans une obscure journée que j'aurais aimé éviter d'expérimenter.

Après le déjeuner, et un moment complémentaire que l'on adore passer avec Sally, je la raccompagnai à la boutique, un baiser et je me mis à marcher pour rejoindre Michael à l'hôpital. Sur la route, je me fis accoster par un homme barbu, âgé de plus d'une quarantaine d'années, vêtu salement et sentant affreusement mauvais.

– Hé mec ! T'as pas une pièce ou deux qui encombreraient tes poches et dont je pourrais te débarrasser ? dit-il cela avec une ironie sous-jacente, en hachant ses phrases, tout en titubant.

– Hé ! Mais je te reconnais, toi ! Tu es Benito, tu étais toujours dans la lune au catéchisme. Rappelle-toi, on allait à l'école ensemble et on faisait aussi du judo, et j'aimais bien te faire des planchettes japonaises aussiiii ! Tu t'en rappelles hein ? insista-t-il lourdement.

Et il omit de dire qu'il m'avait fait aussi quelques belles crasses marquantes !

– Christophe c'est toi ! lui dis-je, désappointé.

À dire vrai, sur le moment, je ne l'avais pas reconnu. C'était plutôt son histoire de planchette japonaise qui me l'avait remémoré.

Nous avions tous les deux le même âge, et il en paraissait quinze de plus. Apparemment, il était tombé sur plus fort que lui, à en voir son nez désaxé. Quelle erreur j'avais faite de me rappeler de lui !

Il ne me lâchait plus. Allant jusqu'à faire semblant de s'intéresser à ma vie pour mieux se rapprocher de moi.

– Ouais, c'est moi !

Et il se rapprocha davantage de moi, déplaçant par la même occasion son odeur nauséabonde. Je pressentais l'aboutissement de cette conversation, mais peut-être pas comme il me l'avait exposé.

– Écoute, Benito ! C'est marrant, comme prénom, ça BE-NI-TO !

Et il en vint directement au fait, avec une voix à demi compréhensible.

– On se connaît bien tous les deux, hein ? On a grandi ensemble dans le même quartier, tous les deux. Je suis un peu comme un frère pour toi ! Bon, c'est vrai, je n'ai pas toujours été très cool avec toi, mais je t'aime bien, tu sais ! J'enviais même ton génie, que je te piquais de temps à autre. Alors oublions ça. Je te propose pour me racheter, et comme ça on sera quittes : si tu veux, on va derrière le bâtiment tous les deux, hein ? Tu me fais ce que tu veux et tu pourras même m'enc… contre quelques petits billets, hein ?

Wow ! Se situe-t-elle à ce niveau, sa conception du rachat d'amitié ? Encore de l'argent souillé ; facilement empoché, se servant de l'ultime chose qu'il possède : « son corps » comme monnaie d'échange, par l'estime inexistante qui lui accorde. On invente des machines que l'on perfectionne pour être plus aux faits de leur utilisation, que l'on met au service de l'HOMME, et on néglige celle qui nous est offerte, qui est partie intégrante de notre existence pour l'émancipation de notre être et qui ne demande qu'à être aimée pour évoluer et démontrer ce qu'elle renferme, et il la laisse dépérir comme une vulgaire machine utilitaire jetable qu'il alimente de substances néfastes. Rien qu'à l'idée, il m'en venait des nausées. À cet instant, son iris se dilata et je glissai dans le miroir de ses yeux.

Des images accablantes de mon passé à travers le sien ressurgissaient comme si ce moment me permettait de m'en débarrasser, avec le pouvoir de mes connaissances acquises et de l'argent que je possédais, pour me donner l'occasion de l'anéantir à tout jamais. À cet instant, dans un tourbillon qui unissait cet argent et la volonté d'anéantir ce fléau, naquit la transformation de la valeur correspondante qu'il en jugeait pour l'acquérir, en un énorme glaive, dont j'étais l'outil exécuteur. Je brandis ce glaive haut vers le ciel, pour me servir de la gravité et accélérer la force de frappe, jusqu'à le transpercer de part en part, dans sa fierté de semeur de terreur qu'il fut jadis. Je ressortis immédiatement de la noirceur de son antre. Il m'en venait comme des décharges électriques néfastes dans tout le corps. Et il poursuivit, en disant :

– Tu sais, le Bon Dieu ne m'a pas bien aidé, moi, hein ? Alors que toi, à en juger par tes vêtements, il t'a plutôt gâté, n'est-ce pas ? Alors tu viens, qu'on en finisse ? C'est gênant pour moi que tu me fasses attendre ! dit-il légitiment, avec le peu de fierté qui lui restait.

Je me souvenais de lui, il avait cette intelligence de rusé. Même lorsqu'il se faisait prendre sur le fait, il arrivait toujours à se dépêtrer d'une mauvaise situation, avec sa verve de champion. On l'enviait pour ce talent qu'il maîtrisait, nous qui étions plus réservés. Il aurait pu être assureur, avocat, vendeur en tout genre ou pire encore, politicien, tellement il avait une dextérité à mentir pour soutirer de l'argent aux plus faibles et aux plus crédules d'entre nous. Et là, quinze ans après, lui, le caïd, lui qui faisait régner au sein de l'école sa petite terreur en rackettant les plus vulnérables, il venait me demander à moi, « le rêveur », qu'il rabaissait en permanence de ses moqueries, l'aumône - une autre sorte de racket déguisé. En fait, il n'avait pas changé son schéma de fonctionnement : vivre toujours aux dépens d'autrui. Quelle ironie du sort !

Cette ambiance malsaine, ajoutée à la chaleur moite et à cette odeur pestilentielle, me fit dégobiller tout mon déjeuner. Je m'essuyai la bouche. Le voyant désespéré, je mis ma main dans ma poche, en sortis quelques billets puis les lui donnai. Je fis ce geste car j'avais l'impression d'être redevable d'avoir une plus grande chance que lui pour cette vie-là, sans vraiment réfléchir aux conséquences. Je le regardai, il était heureux d'avoir obtenu ce qui allait lui permettre de « flasher » un moment, et je savais pertinemment qu'il réitérerait son opération avec d'autres personnes crédules, comme moi, pour avoir sa foutue dose.

Des interrogations venaient se bousculer dans ma tête. Comment peut-on en arriver à de telles situations ? A-t-il conscience de ce qu'il fait endurer à son corps, son véhicule terrestre, mais aussi à ses vibrations ? me demandai-je, tout en repensant à tout ce que Michael m'avait dit sur l'œuvre inachevé et à la tourmente que ça allait engendrer chez lui. Comment puis-je l'aider ? Je commençai à chercher des stratagèmes pour le sortir de là. Après coup, je réalisai, puis je culpabilisai de lui avoir donné cet argent, sachant ce qu'il allait automatiquement en faire. Je parlais de l'aider et je lui apportais indirectement la matière qui allait contribuer à sa descente aux enfers.

Sur le chemin qui me menait à l'hôpital, j'avais échafaudé une manière de le recontacter, de lui proposer mon aide pour se sortir de cette affreuse situation. Je me disais que j'irais le voir le lendemain matin, croyant avoir trouvé un plan de secours pour lui.

J'arrivai dans la chambre comme tous les jours, le rituel habituel, et je m'assis dans le fauteuil. Je commençai à parler avec Michael de tout et de rien. Michael me regarda fixement dans les yeux.

– Ça va, papa ? Je vois que la couleur de ton aura n'est pas comme ces derniers temps. Tu ne me caches rien ? Hein papa ?

Je ne voulais pas l'immiscer dans des problèmes d'adulte qui pourraient choquer un enfant de huit ans, mais il est vrai qu'il n'est pas un enfant comme les autres.

— Oui, ça va! lui dis-je, en pensant le rassurer.

Jamie s'installa devant l'ordinateur, pendant que moi je me préparais confortablement dans le sofa pour continuer à écrire l'histoire que nous devions relater ensemble. Je commençai à dicter les grandes lignes directrices de l'histoire. Je débutais le premier paragraphe, quand Michael me coupa la parole et me dit :

— Papa, le moment que tu as vécu, tu devais le vivre, c'est affreux, mais c'est comme ça! Et que tu le veuilles ou pas, il t'aura libéré! Tu n'auras pas besoin de le revoir demain ton soi-disant « ami », il est mort. La « dope » qu'il s'est injectée était pourrie. Pourquoi te pollues-tu l'esprit avec un type comme lui? Il n'a rien de bon. Alors que toi, tu culpabilises d'être sur ton chemin de vie. Tu es en apprentissage pour réussir ta vie par ta volonté et par ta foi, n'est-ce pas? Tu voulais l'anéantir, ce fléau? Eh bien, tu l'as fait! Bravo!

Ne me doutant pas de ce qui venait de se produire, je m'apitoyais sur son sort.

— Justement! lui dis-je! Je voulais lui venir en aide, tout de même, car j'ai de la chance de n'être pas tombé dans ces engrenages de substances qui nous rendent dépendants d'elles et qui nous tuent à petit feu. Alors, je veux venir en aide aux autres. Non! Ce n'est pas juste ça!

— Il était peut-être ton reflet dans une autre dimension. Cela dit, c'est tout à fait honorable comme pensée, mais aide-toi toi-même, avant de vouloir aider autrui, car es-tu sûr de la qualité de ton aide? Pourras-tu l'assumer? Es-tu qualifié pour cela? Crois-tu que lui payer sa dope était une amende honorable. Et puis lui, que voulait-il de toi? N'est-ce pas là le seul intérêt qu'il te voulait? Te soutirer, t'extorquer en profitant de « ta » gentillesse quelques billets que « toi » tu as perçus avec le fruit de ton travail honorable! Mettons les choses à leur juste place. Tu sais papa, tu serais repassé demain, il ne t'aurait peut-être même pas reconnu tellement il aurait été défoncé. Et puis t'a-t-il demandé de l'aide, lui? Non, c'est toi qui t'es monté le bourrichon pour jouer au bon samaritain!

Parfois, j'ai l'impression que c'était moi qui devais l'appeler papa !

– Te rappelles-tu lorsque je t'ai dit : « Qu'est-ce que ça veut dire aimer ? C'est tout simplement se respecter et respecter l'autre, sa façon de penser, même si on ne le comprend pas toujours. » Pourquoi voulais-tu l'aimer ce type-là ? Tu n'as enduré que des misères, et pire encore, tu payes psychologiquement pour lui.

– Je suis comme ça ! Un type qui est dans la détresse, je ne supporte pas ça ! Et des liens du passé nous rapprochaient !

– Balivernes ! Ouvre les yeux, bon sang !

J'étais agacé de voir que ma défense ne menait nulle part. Il continua à me démontrer que ce type-là, n'était pas sur son chemin de vie, et que c'était lui-même qui s'était fourvoyé en profitant des autres.

– Pourquoi se décharge-t-il sur Dieu des échecs qu'il a lui même provoqués, par son libre arbitre. En te disant : « Tu sais, le Bon Dieu ne m'a pas bien aidé, moi, alors que toi, il t'a plutôt gâté » le résultat obtenu d'une action, n'est-il pas la conséquence d'une demande requise ?

– La réponse se trouve dans la question ! me dit-il !

Après coup, je venais de réaliser qu'il répétait, mot à mot, des phrases qu'il n'avait pas pu entendre, puisqu'il n'était pas là avec moi, me disais-je en moi-même. Et lui, à voix haute, reprenait la phrase que je pensais à l'instant !

– Là ! Tu te demandes comment je peux te sortir mot à mot… Et j'accompagnai à haute voix la fin de sa phrase : mot à mot, des phrases qu'il n'avait pas…

Je restais estomaqué.

– Tu me fais peur Michael !

– Sache que lorsque tu parles de l'esprit divin, cela résonne dans tout l'Univers !

Je ne comprenais plus rien. En l'espace de deux ans, notre vie avait littéralement changé, été chamboulé. Nous rentrions dans un nouveau système de pensée, et nous l'acceptions car tout fonctionnait plutôt bien pour nous. Et là, je faisais un acte de soi-disant « compassion » et je me faisais réprimander. Michael me dit :

– Papa ! Tout est en mouvement ! Rien n'est acquis ! Il est maintenant temps que je te parle de la puissance du grand huit !

CHAPITRE 9

PAPA, NOUS ALLONS VIVRE UNE EXPÉRIENCE EXTRAORDINAIRE!

– Eh! Vous avez vu, aux États-Unis, l'Afro-Américain, il est en train de percer dans les sondages, et la Madame Clinton est en train de lui mordre les fesses, comme un pitbull, pour qu'il dégage de la course à la présidence. Mais il s'accroche, le bougre! nous dit Mickèlé, le voisin d'en face, avec son accent sicilien, tout en rajoutant:

– Et tu verras, il va se faire pulvériser par son adversaire, l'autre… Voyons… dit-il, agacé de ne pas trouver son nom. Le conservateur qui a le même nom que les paquets de chips!

– Mac Ken! Répondit Michael au fond de la pièce.

– Ouais, c'est ça! dit-il en reprenant son souffle. Il s'intéresse à la politique, ton fils?

– Non, aux publicités qui vantent leurs mérites! lui dis-je en souriant.

– Ils sont trop racistes, là-bas, en Amérique, pour faire passer un « homme noir » au gouvernement! poursuit-il en reprenant encore une fois son souffle. Tu verras… Écoute, c'est l'expérience qui parle, mon petit!

– Tu as trop de préjugés Mickèlé. L'avenir nous le dira, lui répondis-je. Mais, Mickèlé, l'avenir, ce n'est pas à nous de le construire? Pourquoi faudrait-il rester sur les expériences, ô combien négatives du passé? Avons-nous si peur de découvrir de nouvelles expériences ? Ou bien même d'affronter notre avenir avec une nouvelle conception de la vie ? dis-moi Mickèlé ?

– Ça arrange bien les puissants de ce monde que ça reste ainsi, ils ont basé toute leur réussite sur le chaos, ça crée des peurs qui engendrent des guerres et ça enrichit toujours les mêmes ! L'histoire se répète toujours, mon petit, l'histoire se répète toujours ! dit-il, réitérant une seconde fois sa phrase, en guise de certitude, tout en se dirigeant vers sa chambre.

Je retournai m'asseoir dans le fauteuil, car cette nuit-là, j'avais très mal dormi. Des crispations musculaires très douloureuses, tout autour du cou, m'empêchèrent de me tourner dans le lit comme je le souhaitais. Je regardai par la fenêtre en cherchant une position confortable pour m'assoupir, quand des bruits stridents et irritants, provenant des ouvriers qui réparaient partiellement la toiture, vinrent agresser mes oreilles. Dans l'attente d'une accalmie, je repensais aux propos que nous venions de tenir avec Mickèlé qui, je dois me l'avouer, me laissaient songeur.

– Papa ! Le monde entre dans une nouvelle ère ! Beaucoup de choses vont changer ! Des endroits de la terre vont disparaître ! Des catastrophes naturelles, aussi, vont être plus fréquentes, en retour de ce manque de respect que nous infligeons à mère Nature ! On ne mérite pas la terre généreuse que l'on nous offre !

– Les vérités arrangées par l'homme hier sont les erreurs à réparer pour demain ! me disait-il, pendant qu'il continuait à jouer sur l'ordinateur que nous avions installé sur la table entre les manches au-dessus d'où Jamie avait installé, du côté extérieur de la vitre, le fauteuil, et à l'intérieur où l'infirmière avait aménagé des coussins pour qu'il puisse être confortablement positionné, de façon à ce qu'il puisse poser ses avant-bras sur les épaules de Jamie pour jouer en duo. Il ne fallait pas qu'il y ait d'ondes dans sa pièce aseptisée. Ils se complétaient tous les deux. Même si, parfois c'était elle qui prenait le contrôle de tout. Il positionnait ses mains gantées autour de son cou, et tout en la caressant et sans se parler, ils se comprenaient. Ils avaient développé une communication télépathique ensemble. Lorsqu'ils étaient tous les deux en phase, ils battaient des records, car leur concentration était optimale. En revanche, quand l'un des deux n'était pas concentré et qu'il y en avait un seul qui voulait gagner une partie, alors les insultes fusaient. Et on pouvait entendre Jamie lui dire : « espèce de morceau de viande sous vide ! » et Michael sachant où la toucher, lui répondre :

– Hé ! la grosse…

À cette insulte qui était son talon d'Achille, Jamie partait immédiatement dans sa chambre et pleurait, car elle savait que son problème de poids, en plus de sa mauvaise respiration, était des obstacles pour réaliser son rêve de danseuse. À peine était-elle sortie de la chambre, que Michael me demandait d'aller tout de suite la chercher, car il ne supportait pas lui faire du mal. « Je l'aime tellement » me disait-il. Et moi, je rabibochais les deux amants en peine.

Le jeu auquel ils jouaient, était un jeu en ligne. Michael avait l'air à l'aise avec celui-ci. Il me disait que les concepteurs de ce jeu s'étaient fortement inspirés de ce qu'il y a ailleurs. « Ce qui est en bas est aussi en haut », me répétait-il.

Mais où est cet ailleurs ? me demandais-je. Qu'est-ce que cet ailleurs ? J'en avais assez qu'il me lance des bribes de son savoir et qu'il me laisse ruminer dans mon coin, sans donner suite à ses propos. À le voir sourire dans son coin, il a sûrement ses raisons, mais moi, j'aimerais bien être dans la confidence. Il faisait comme s'il avait un jardin expérimental devant lui. Comme s'il semait des graines de son savoir avec ses paroles dans notre esprit, tout en laissant la nature de chacun agir pour les faire mûrir. Ces expériences le menaient à savoir s'il allait récolter le fruit, et surtout dans quelle qualité de nectar il allait savourer sa moisson. Il m'incombait, alors, d'arroser ou pas les graines qu'il m'avait plantées, ce qui me poussait à la réflexion. Il jouait à ce petit jeu aussi bien avec Jamie, sa mère qu'avec moi, et d'autres, sûrement.

– Papa ?

– Oui ! Quoi ?

– Papa, nous allons vivre une expérience extraordinaire, cet après-midi ! me dit-il avec ce regard spécial qu'il prend lorsqu'il entre en méditation.

Il demanda à Jamie d'observer et de s'imprégner de ce qui allait se passer, et surtout de ne pas en avoir peur, la vie est faite ainsi, et il faut l'accepter. Ce qu'elle fit sans rechigner. Comme si elle comprenait l'importance du moment que nous allions vivre.

À ce moment-là, comme fait du hasard, des nuages s'amoncelèrent au-dessus de nous, quelques gouttes de pluie tombèrent et firent fuir les ouvriers qui travaillaient sur le toit. Le calme était revenu.

– Ça ne peut pas attendre « ton expérience extraordinaire ? » Lui demandais-je. Je suis mal en point, et je ne serai pas concentré pour la vivre correctement.

Tout en l'interrogeant sur l'issue de cette situation, il me dit que tout a son moment, et que ce moment, c'est maintenant. Et si j'étais mal en point à ce moment-là, c'est à cause de raisons célestes. N'oublions pas, nous sommes tous liés dans l'énergie. Il me demanda de ne pas bouger du fauteuil et de le positionner en semi-allongé. Il me demanda aussi d'éteindre mon cellulaire pour ne pas être dérangé. De fermer les yeux, tout en écoutant ses paroles, et surtout de lui faire confiance. Il me demanda ensuite, de prendre plusieurs grandes respirations, de relâcher mes épaules et de détendre tous les muscles de mon corps. J'étais dans un état un peu vaporeux, mais toujours lucide. Il me parla lentement et quiètement.

– Maintenant, tu te visualises au-dessus de ta tête. Tu ouvres la porte symbolique qui se trouve sur le dessus de ton crâne. Ne t'inquiète pas, je reste avec toi, je serai la lumière qui t'accompagne, mais seul toi prendras la décision de prendre ou pas le chemin qui va te mener à ton antre ou celle de ressortir. Quelle que soit ta décision, je ne te jugerai pas. Es-tu prêt ?

– Oui ! On peut y aller !

— Tu descends les marches. Pour l'instant, il fait sombre dans le couloir qui mène au cœur, mais tu verras, avec le temps, tu en décoreras ses murs de sentiments émotionnels. Là, tu traverses ta conscience. Ne t'étonne pas de la ressentir perplexe à ce que nous sommes en train de faire. Continue à avancer. Ça va ? Tu entends les battements de ton cœur ? Il vibre dans tout ton corps !

— Oui, comme si je me rapprochais de plus en plus de la grosse caisse d'une joyeuse fanfare !

— C'est bon, tu prends le bon chemin, descends encore, tu arrives sur une plate-forme. En face de toi, tu vois un énorme cœur. C'est le tien, car tu es doté d'un énorme amour que tu vas explorer davantage, si tu le veux bien. Maintenant, tu es devant la porte de ton cœur, il y a un halo de lumière qui passe à travers le pourtour de cette porte. Veux-tu qu'on y pénètre ou pas ? Nous pouvons toujours faire demi-tour et revenir une prochaine fois, si tu as peur ! Mais sache qu'en ce moment, quelque chose de crucial est en train de se passer ! Veux-tu le découvrir avec moi ?

J'avais peur, et mon cœur se mettait à accélérer. Mais pourquoi devais-je avoir une appréhension ? J'étais en face de mon cœur, tout de même ! Il ne me voudrait pas de mal ! Ma curiosité me poussait à voir ce qu'il y avait au plus profond de moi.

— Oui ! On rentre ! lui répondis-je, fébrile.

Je sentais au travers de sa voix qu'il était heureux que je prenne la décision d'y pénétrer.

— Ose ouvrir la porte de ta vie, et le paradis y est ici à celui qui l'a compris ! Cette maxime prenait, alors, tout son sens.

— Que vois-tu ?

— La lumière qui brille derrière cette porte est forte, mais je la sens loin, comme le rayonnement du soleil à la saison la plus caressante de l'année, en son zénith. C'est bon.

— Ça, c'est ton héritage céleste, c'est la partie qui te relie à Dieu, qui t'appartient et qui est en chacun des êtres vivants pour communiquer avec lui, quand tu en as envie.

– Wow ! Il y a une telle puissance et un tel bien être au contact de cette lumière, c'en est vivifiant, réconfortant même, lui dis-je, euphorique.

– Tu peux venir t'y ressourcer lorsque tu le veux.

– Je vois sur ma gauche un recoin sombre et orageux.

– Veux-tu le garder ?

– Non ! Il m'incommode, il me donne de nombreux frissons, comme des décharges électriques !

– Inonde-le de cette lumière, en lui donnant ton pardon avec sincérité, bénis-le et demande-lui de rejoindre la lumière.

– Là, tu viens de libérer ton cou des vies antérieures qui s'étaient amassées là, tétanisées par des peurs latentes qui traînaient depuis quatre ou cinq vies en arrière. Des guerres, des assassinats, mais c'est du passé, avançons maintenant. Un de ces traumatismes, remonte à une mort dans des conditions atroces et s'est répercuté jusqu'à maintenant. Je peux te dire que c'est assez impressionnant à voir.

– Ça c'était ce qui se dégageait de ce nuage sombre que seul Michael était en mesure de constater. Sûrement pour me préserver. Je ressentais juste des intermittences de sensations froides passer à travers ma gorge à ce moment-là. Ce qui me fit tousser, pour expulser ce phénomène de mon corps.

En regardant de nouveau sur cette partie ombragée, je pus constater que cette zone sombre avait réduit considérablement sa superficie et m'apparaissait plus apaisée.

À droite, se dessinait un immense champ de roses anciennes, de couleur rouge, blanche et d'un vieux rose. Elles étaient les plus belles et les plus odorantes qu'il m'ait été donné de voir. Cette senteur m'enivrait les sens. Étonnamment, au milieu de ce champ, la silhouette que je connus plus jeune de mon parrain apparut. Au regard rempli d'affection qu'il m'envoyait, mon cœur s'emballa et se serra subitement, comme si je pressentais que quelque chose arrivait. Les synapses électriques qui nous unissaient, s'interrompirent dans mon corps. Signal, qui me fit comprendre que son énergie n'était plus de notre monde, mais connectée ailleurs. Cette cassure provoqua une intense émotion qui en macula les pétales de roses que je serrais contre mon corps, pour finir en leur sein, conservant, tel un écrin, ces perles de larmes.

– Dois-je comprendre qu'il est en train de partir dans cet ailleurs, Michael?

D'un hochement de tête, il me confirma que oui.

– Veux-tu lui offrir ces roses qui te représentent? Lui dire combien tu l'aimes et lui dire au revoir, mais pas adieu! Tu auras l'occasion de le revoir, dans tes songes maintenant, sur d'autres énergies vibratoires, et il te délivrera des messages, certainement d'une grande importance! Dorénavant, il veille aussi sur toi, comme toute la famille Universelle! N'oublie jamais ça!

Je le voyais, vêtu de son pantalon à pinces noir, de sa chemisette d'été blanche, de ses chaussures lustrées et de ses lunettes de soleil qui le définissaient dans son look à l'italienne. Comprenant la suite des événements, il affichait sur son visage apaisé un sourire rassurant, une main serrant le bouquet contre sa poitrine, pendant que l'autre, dans les airs, il effectuait trois battements de doigts contre la paume de sa main tournée vers lui, geste qui le caractérisait, comme pour nous capturer dans sa main, et trois battements contre son poitrail, pour mieux nous y transfuser et nous mettre à l'abri dans son cœur. Il se dirigea ensuite lentement vers l'intensité de cette lumière. Là l'attendait un comité d'accueil angélique, pourvu de puissantes auras incandescentes argentées, comme si le fil argenté qui est basé au sommet de notre crâne et qui nous sert de lien avec l'Univers, s'était concentré autour de leur être après cette cassure avec le monde matériel, pour leur donner cet éclat. Sa mère le rejoignit, accompagnée de son père, de ma grand-mère qui est sa sœur, de mon grand-père et de leurs frères et sœurs, afin de l'accompagner et traverser ensemble la passerelle, pour rejoindre la famille Universelle. Ils me rendirent aussitôt le signe de la main que je leur envoyais. Nous n'avions pas besoin de parler pour ressentir les mots d'amour qui en émanaient, et qui raisonnaient partout dans mon cœur. On pouvait percevoir que ça vibrait naturellement dans l'espace, et ça revigorait tout mon être de plaisir.

– Je vous aime, je vous aime moi aussi ! leur vibrai-je, les yeux embrumés.

J'avais, grâce à Michael, trouvé la voie tant recherchée du royaume de Dieu. Nous, êtres vivants, nous nous sommes évertués depuis toujours à aller chercher aux quatre coins du monde, voire de la lune, à l'aide de moyens raisonnables et déraisonnables, à travers des substances illicites, des expériences à la limite de la mort, érigeant matériellement une tour de Babel dans toutes les civilisations, pour atteindre le royaume de Dieu, et nous avions toujours eu en nous la solution, la clé pour atteindre ce lieu eidétique. Tout simplement par la foi, reliée par notre cœur, par l'entremise de L'Amour. Cette découverte était tout naturellement le chemin de notre rédemption.

Pendant que je vivais cette expérience, Sally entra dans la chambre en se plaignant de la pluie qui tombait, et Jamie la stoppa net dans sa discussion, en lui demandant de ne pas faire de bruit. Elle lui dit tout bas à l'oreille, que le père et le fils avaient une expérience extraordinaire à vivre ensemble. Michael leur fit un signe de la main et mima le geste de la fermeture éclair sur la bouche pour leur dire de conserver le silence et d'assister respectueusement à ce moment solennel. Ébranlé par cette épreuve, et toujours basé dans ce lieu de vibrations intenses, je pleurais en repensant aux âmes d'affiliations vibratoires, que je venais de revoir.

– Papa ! Tu viens de vivre en direct une montée au ciel des plus rapides. Car en général, ce passage prend plus de temps que ça à un défunt pour rejoindre la lumière et les siens. C'était vraiment exceptionnel ce que tu viens de vivre ! Et tu sais pourquoi c'était aussi rapide.

– Non, lui répondis-je d'un geste de la tête.

132

– C'est parce qu'il a transmuté dans l'autre dimension, dans l'Amour de sa personne et de celui de ses proches, facilitant par cette fluidité d'énergie à le transporter plus aisément et directement au royaume des cieux, me dit-il tout naturellement. C'est une bonne personne ton parrain ! Ce n'est pas pour rien qu'il t'avait pour filleul !

Michael me fit prendre le chemin inverse, en refermant successivement derrière moi la porte de mon cœur, puis celle de mon antre, tout en priant des divinités angéliques pour protéger mon être, la période que mon corps se remette de ce trop-plein d'émotion. Là, j'ouvris les yeux, encore tout embrumés par la vague d'intensité qui m'avait secoué. Mon corps était vidé, comme soulagé de ne plus transporter le poids, le fardeau de ces vies passées qui ralentissaient mon ascension. Après cette expérience, j'articulai plus aisément mon cou, de droite à gauche, et je n'avais plus cette douleur qui me tenaillait les muscles qui le soutenaient. Michael me répéta qu'il y a des moments dans la vie qu'il ne faut pas rater. Et celui-ci en était un d'exception. Sally, les yeux remplis de larmes, aussi affectée que moi par cette mort tragique, me serra dans ses bras de toutes ses forces et me dit, inquiète :

– Je peux savoir ce qu'il se passe, ici ? J'ai essayé de te joindre sur ton cellulaire, mais je tombais toujours sur ta messagerie, alors j'ai demandé à Lucie de s'occuper du magasin, car je ne trouvais pas ça normal de ne pas pouvoir te joindre. J'ai à t'annoncer deux nouvelles, Benito. Je sais combien tu l'aimes ton parrain, et ta sœur m'a appelé car elle n'arrivait pas non plus à te joindre pour te dire qu'il… elle marqua un temps d'hésitation, il vient de mourir il y a quelques heures, ton parrain, et…

Je ne lui laissais pas le temps de finir sa phrase.

– Je sais ! Je viens de lui dire au revoir mais pas adieu. Il est bien, il est dans la famille Universelle, et il nous protégera de là, maintenant !

– Comment ça, tu sais ! Dit-elle reculant sa tête de mon épaule en fronçant les sourcils.

Je lui racontai avec émotion le périple que je venais de traverser dans mon cœur et la voie que j'y ai découvert qui nous amène à Dieu. Tout en regardant Michael et Jamie, qui acquiescèrent en faisant des signes de la tête à toutes les paroles qui sortaient de ma bouche.

– C'est vrai, maman ! Tout ce qu'il vient de te raconter, est vrai. Nous l'avons traversé ensemble. Celle-ci est sa première expérience, même s'il en a vécu d'autres auparavant et qu'il ne s'en est pas rendu compte. Il va en avoir encore beaucoup d'autres, et il va aussi te l'enseigner ! lui dit-il fièrement. Il se tourna dans ma direction et dit :

– Papa ! Il y a des endroits dans l'univers où les gens fêtent la disparition d'un être cher, en chantant autour d'un feu qui a été allumé à l'aide de tous ses effets personnels, pour emporter avec lui l'empreinte de son passage. Ils rient aussi, avec émotion bien sûr, car le défunt a accompli ce pourquoi il était destiné, et c'est une victoire en soi. Comme lorsqu'une compétition est remportée par une équipe et que tous les gens présents se sentent concernés par cette victoire et vibrent tous ensemble. On devrait faire plus de compétitions et moins de guerres, les émotions en seraient plus bénéfiques. Il va être rendu à l'esprit créateur en ayant évolué de toutes les expériences, de toutes les émotions, de tout l'Amour qu'il s'est et qui lui ont été accordés. Il fera son ascension aussi rapidement que ton parrain, car personne ne pourra le retenir par ses sentiments de culpabilité ou de possession. Personne n'appartient à personne. Personne ne pleurera sa mort injustement, car il aura vécu pleinement sa vie, et un jour, lorsqu'il l'aura décidé, il se réincarnera plus fort spirituellement, pour apporter la contribution de son évolution au peuple dans lequel il sera missionné de le faire évoluer en harmonie avec les siens.

– Tu n'avais pas deux nouvelles à nous annoncer ? continua-t-il à dire spontanément à sa mère.

– Oui, oui! Le projet du médecin concernant le médicament est brevetable, et il a encore besoin des services de Michael pour sa rédaction!

La nouvelle était bien sûr, formidable, mais après ce que je venais de vivre, elle n'avait pas le même goût. Cela voulait dire aussi que la vie continue. Dans ma tête, tout en lâchant quelques larmes libératrices, je remerciai tout l'Univers de m'accorder la compréhension et l'importance de vivre une vie!

Deux ans après la disparition de mon parrain, ma marraine le suivit. Elle n'arrivait pas à combler l'espace d'Amour vide qu'il avait laissé dans son cœur. Je me devais de leur rendre hommage à titre posthume, et je savais que ces paroles arriveraient à destination par l'entremise du feu.

Marraine et Parrain

Aussi loin que mes pensées s'en souviennent,
Dans mon cœur, vous l'avez toujours été, Parents et Ma Reine.
Depuis le jour où, touchés par des raisons laissées à la discrétion du destin, l'Amour de mon conscrit,
Fut transféré, par cet univers noirci d'une grande peine,
Au nouveau-né qui y succédait, d'un sang affilié qui coule dans vos veines,
Acceptant par ce geste, en toute solennité, d'être nommés parrain et marraine.

Des témoignages simples recelant d'Amour au partage d'un festin de victuailles,
Ne portaient en ces faits, l'ombre détournée d'une faille.
De ces vers qui alimentent mon cœur, je vous offre à mon tour, ripaille,

Et soyez certifiés, où que j'aille, à votre sujet, mes paroles seront médailles,

Gratifiant de l'ornement glorieux d'une vie d'émérite distinguée,

Pareille à ce même Amour qui, au jusant, dépariait vos fiançailles, le jour de ces funérailles.

En emportant avec lui l'allégorie d'une vie qui définit l'ivresse de vos tendres épousailles.

Excédé par l'incompréhension de cette injuste privation,

Ton visage, au regard de ta filiation, prenait le sens de tes émotions,

Car l'espace qui lui était consacré était trop grand pour être comblé,

Saignant devant le clivage momentané de vos destinées,

Rien n'y faisait, l'espace était occulté.

Cinglants étaient les moments où je t'observais, les pensées désorientées,

Ignorant au fil des années ces bras familiers qui t'enlaçaient pour te protéger, ne cessant jamais de t'aimer,

Les rendant désormais vides et orphelins, remplissant cet espace d'un amer chagrin.

Le temps faisant, réconcilie les cœurs aimants,

Aujourd'hui, accrochés à cette idée, vos enfants sont enfin libérés,

Certain que tu l'as rejoint, comme fière, le disais-tu : ton bel Italien !

Âmes sœurs retrouvées, en un seul cœur passionné, de nouveau à l'unisson vont s'enflammés !

Nourrie par de riches vibrations émanant de sa belle voix de Baryton,

Tu l'accompagneras dans les chœurs ou dans les sons, lorsqu'il poussera l'effluve d'une chanson,

Ainsi, de l'autre côté du ponton, nous partagerons aussi cette émotion !

Merci à vous deux, pour toutes ces belles peintures de jeunesse,
Qui, sans tempête, trottent dans ma tête.
Merci de les avoir colorées de vos hauts rires,
Et signées des valeurs de vos sourires.
Votre filleul : Benito.

CHAPITRE 10

LA PUISSANCE DU GRAND HUIT
OU LA NAISSANCE DU MYTHE DU PÈRE NOËL.

Toc. Toc. Toc !

— Puis-je entrer ?

— Hé, mon pote ! Bien sûr que tu peux entrer ! C'est J.P. accompagné de sa guitare, Michael !

— Hé, salut J.P. ! renvoya Michael, tout en se trémoussant, heureux de cette visite !

Et un clin d'œil décalé et le pouce levé pour l'occasion.

Ce fut J.P. qui initia Michael à cette marque de ralliement. Avec le temps, elle se transforma en un rictus et contamina l'ensemble de la famille pour exprimer à notre congrégation toute notre sympathie.

— Viens t'asseoir avec nous et raconte-nous ! Alors, ta tournée, mon pote, comment se passe-t-elle ?

— Ça va ! dit-il sur une tonalité de voix inexacte à l'affirmation donnée. Écoutez, je ne peux pas me plaindre, j'ai une tournée qui marche bien, programmée sur deux ans, et c'est pour ça que je suis là. Je fais une tournée des plages de l'été avec d'autres chanteurs, qui va débuter ce soir. Venez me voir avec Sally et cette jolie petite frimousse, si vous voulez. Ça me fera plaisir.

J.-P. nous tendit quelques billets de promotions et rajouta :

— Désolé, Michael, que tu ne puisses pas venir. Mais si t'es cool, je te ferai un concert privé plus tard, rien que pour toi et ta copine qui ne dit pas un mot. T'es O.K. ?

– C'est cool, J. P ! Elle, c'est Jamie, et apparemment, elle est intimidée par ta présence.

Jamie n'osait pas adresser la parole au grand J.P. Vinchau. Elle restait là, les yeux ébahis devant cette star internationale, ce qui rendait Michael un peu jaloux.

– Oui, pour revenir au sujet de ma musique, je me suis adapté à la demande du marché, pour grossir mes entrées d'argent plus vite, et en acceptant une proposition de contrat avec un très gros label pour me faire connaître. À la demande d'une nouvelle catégorie d'industrie qui ne créé plus, mais qui transforme, qui remixe des chansons qui ont marqué nos mémoires collectives, je me suis laissé tenter. Dans ce sens, ces grosses boîtes, économisent sur les droits d'auteur, elles prennent moins de risques, puisque ces chansons ont déjà eu un premier succès, et puis elles s'adressent à une clientèle nostalgique, ainsi qu'à une autre, novice, qui croit que ce sont des tubes du moment et qui demande à ses parents de payer tous ses caprices pour être dans le « mot du moment », qui veut dire qu'elle est dans la tendance du moment. Il faut prendre l'argent là où il est ! Mais j'ai un grand regret, car je trippais beaucoup plus avec le public qui m'a vu débuter, et avec qui on a partagé ce, je ne sais quoi de magique sur des chansons de mon inspiration, unis par une même fibre, et maintenant, seuls quelques nostalgiques me demandent de rechanter quelques vieux tubes marquant ma prime carrière, continua-t-il à exprimer, d'un ton blasé.

– Tout évolue, mon ami ! C'est le business qui veut que tu prennes cette direction ! Si tu ne suis pas le courant, tu finiras aux oubliettes ! lui dis-je fièrement, me confortant dans ma façon commerciale de voir les choses.

– Papa, laisse-le parler et pense avec ton cœur, pas avec ta tête COMPTABLE ! me dit Michael en me coupant sèchement la parole, m'indiquant que je faisais fausse route avec mon argumentation de chef d'entreprise aveugle.

Après réflexion, voyant ma face blessée par la dureté de sa remarque qui lui demandait de ne pas être impoli. Il me demanda immédiatement de l'excuser et J.P. reprit :

– Tu veux dire que je me tromperais d'auditoire en composant de la sorte, Michael ? Tu sais, j'ai un nouveau producteur qui a investi beaucoup d'argent pour ma carrière. Au début de notre collaboration, il me laissait développer mon art à ma manière, et ça marchait plutôt bien. C'était pour mes compositions et ma musique qu'il m'avait repéré, entre autres. Mais plus le temps passait, plus il m'imposait ces valeurs à en oublier les miennes. Il base mon répertoire de chansons sur des statistiques comparatives aux autres chanteurs qu'il produit. Il faut faire davantage de chiffre d'affaires en suivant les courants de tendance, alors il s'aligne sur ces chanteurs qui surfent sur la vague du moment, et je dois leur composer des chansons à distiller de la médiocrité pour satisfaire ses statistiques, son portefeuille, consécutivement le mien aussi, et un public qui n'est pas réellement le mien. Ce cas de conscience le fit réagir.

– Et mon art alors ? releva-t-il furieux. Ces correspondances de valeur ne sont pas les miennes. Moi, je ne m'y retrouve pas dans celles-ci ! Je ne vibre plus ! Chanter j'aime ça ! dit-il en nous prenant à témoin. J'ai même l'impression de me mettre à nu, lorsque j'interprète une de mes chansons, tellement elles sortent du fond de mes tripes. Mais je dois vous avouez, elles ne retentissent plus vraiment en moi ses nouvelles chansons là ! Vous comprenez ?

Michael intervint à ce moment.

– Alors, pourquoi les chantes-tu, si tu as cette impression de ne pas être en phase avec toi-même ? De duper ton monde, et surtout de te duper toi-même, avec ces semblants de litanies implorant le dieu Argent pour la simple raison de possession d'argent ? C'est comme si tu jouais d'un instrument mal accordé qui te fait mal aux oreilles, mais avec lequel tu t'obstinerais à jouer, convaincu qu'à force d'acharnement, tu en extirperais une bonne mélodie ! Tu t'es vendu. Tu l'as dit toi-même, tu avais un public qui te suivait car vous vous compreniez, vous vibriez ensemble. Il aurait fini par s'accroître ce public, et tu aurais généré de meilleures vibrations dans ton corps et consécutivement, dans ton portefeuille, pour reprendre tes termes. C'est l'équilibre de ta bonne personne qui importe, pas le pourcentage des intérêts d'autrui sur ta personne.

À ces mots, J.-P. secoua la tête de gauche à droite à plusieurs reprises, accompagnée d'expirations déconcertées. J.-P. voulut se justifier et répliqua énergiquement :

– Il faut bien manger et payer les factures. Et puis, mon nouveau public, il aime ce que je chante, je m'en contente ! dit-il, prenant de nouveau conscience à cet instant, de ce constat navrant.

La stratégie de Michael pour mener J.P. à éveiller son vrai bon sens cheminait efficacement. Et Michael poursuivit :

– Au détriment de l'ancien public qui t'avait découvert, celui-là même qui te poussait à sortir le meilleur de tes tripes pour vous satisfaire mutuellement. Et lui, voyant que tu répondais à sa demande par, tes vraies valeurs vibratoires, t'a soutenu et t'a fait émerger de l'anonymat en vous respectant mutuellement et sans fausse note. Vous étiez en synergie, branchés à une même vibration émotive, mais en aucun cas suppléée d'artifices, à l'inverse de ces pseudo-chanteurs qui, déclinés sur l'échelle du temps, ont une existence de médiation par l'imitation d'une naissance mythique, mesurable au craquement d'une allumette ! Tu ne trompes pas longtemps les gens qui t'aiment, et pour garder cette réciprocité d'amour entre vous, il faut que toi aussi tu leur délivres des choses que tu aimes ! Dit moi encore J.P., ajouta Michael, il faut manger, ça c'est indéniable, mais faut-il s'empoisonner pour autant ? Sais-tu les souffrances que tu t'infliges en raisonnant comme ceci ? Si on te donne une assiette pleine de nourriture qui, tu le sais au fond de toi en voyant son aspect, va te tuer à petit feu, vas-tu l'ingérer tout de même au risque de te retrouver malade et peut être même d'en mourir ? Crois-tu encore que si tu ne manges pas ce que contient cette assiette, il n'y aura pas une autre assiette, plus saine, celle-ci, à manger pour toi, autre part, et dans ton intérêt personnel? Crois-tu que tout est figé, comme scellé dans le béton, et que tu n'as nul autre choix dans ton horizon? Est-ce forcément les autres qui t'apportent à manger? Ne crois-tu pas, qu'à l'inverse, s'ils t'ont choisi, c'est qu'ils voyaient en toi un potentiel exploitable qui pourra les nourrir grassement par les valeurs que tu prônes, sans qu'eux fassent d'efforts pour s'alimenter d'eux-mêmes, comme le coucou qui pond son œuf dans le nid d'un autre oiseau, trop peu courageux d'affronter les pesantes vérités qui sommeillent en eux, pour élever leur âme? Ces mêmes vérités qu'ils admirent au travers de ta détermination à livrer ton cœur, que tu exprimes au travers de tes chansons. Pourquoi toujours se créer des peurs, en dévalorisant les belles énergies qui émanent de soi, pensant que ce que ton voisin va faire va être mieux que toi? Tant mieux pour lui si ça lui réussit, car cette manière de faire lui correspond, mais elle n'est pas identique pour tous! Mais toi, reste en harmonie avec toi-même, ne te fourvoie pas, ne dérive pas dans la rivière d'un autre! Fais en sorte que les choses que tu penses, soient en phase avec les actes que tu portes dans ton cœur. Elle est là, ta réussite, ta richesse! C'est cette attitude qui différencie un homme ordinaire, d'un homme qui devient lui-même riche de ses émotions. Quel que soit l'acte à accomplir, il fera toujours partie intégrante pour l'évolution de ta personne. L'intégralité tout entière de ta personnalité choisira l'issue de celui-ci et choisira bien, en toute conscience, des choses à accomplir. Tu vois, pour ton producteur c'est son schéma de fonctionnement: on pourrait croire qu'il veut faire à tout prix de l'argent sans se soucier des vibrations émises par autrui. On pourrait dire cela! mais c'est faux! Il livre la médiocrité qu'on lui demande de servir, en inventant des scénarios de contes de fées basés sur l'imaginaire d'une hypothétique réussite extraordinaire, transformant du jour au lendemain la vie d'une personne ordinaire en la « coqueluche » d'un pays tout entier. Super, ça marche pour lui! C'est son schéma stratégique pour mettre en attraction ses énergies de pensées qui l'animent pour qu'elles se matérialisent. Sa vie prend la direction d'un mode d'exploitation qui est orienté par rapport à ses propres intentions, pas par rapport à son cœur. Car sachez que tout est attraction, toutes vos pensées sont soumises à cette loi ancestrale. Les meilleures comme les moins bonnes. Mais que serait-il advenu si cette même énergie d'intention, utilisée avec la même puissance, avait été employée pour accomplir sa vie avec une réelle façon de pensée provenant du cœur ? Faisant abstraction de toute influence extérieure, et n'accomplissant que la visualisation de sa propre évolution personnelle intérieure ? Car à bien y penser, qu'aura-t-il assouvi, hormis son compte bancaire terrestre ? Et son âme, « elle », s'est-elle réellement assouvie d'une plénitude à avoir vécu cette vie-ci ? A-t-elle la satisfaction d'avoir accompli une pleine réalisation de ses ressentis ? Je suis à peu près sûr qu'il en va du contraire. Et pour cela, il y a de grandes chances qu'il devra revenir sur terre ou ailleurs, indéfiniment, jusqu'à ce que la compréhension de ses schémas déformés se reformate pour combler et comprendre l'équivalence de réelles valeurs, en ayant pour mission d'accomplir des actes qui auront d'autres valeurs éthiques que celles de s'en mettre plein les poches, par l'abus d'autrui, comme ton copain Christophe, papa ! Comprends-tu J.P. !

Le nom de Christophe retentit dans tout le corps de J.P., comme le ferait un coup de poignard reçu froidement dans le dos.

– Christophe ! Lequel ? dit-il, réalisant qu'on parlait de cette même personne. Ah ! Tu as revu Christophe qui était avec nous à l'école ? « Le » Christophe ! souligna-t-il ! Que voulait-il encore ce salopard ? Il voulait encore te casser la gueule, t'anéantir ou il a encore essayé de t'escroquer de l'argent ? me dit-il d'un ton révolté !

– Cette fois-ci, c'était de l'argent ! Mais si je me souviens bien, c'était à toi qu'il avait escroqué de l'argent. Nous, nos affrontements n'étaient pas d'ordre pécuniaire, car nous nous étions mesurés physiquement à maintes reprises, et tu étais souvent là pour prendre ma défense, mais il s'acharnait surtout sur moi, car il voulait me manipuler. Nos combats étaient, dans la plus grande majorité, d'ordre psychologique, où il gagnait très souvent, par mon manque de détermination. Même au judo, lorsqu'il usait de sa fameuse planchette japonaise qui, je dois l'avouer, était assez difficile à parer. Et bien sûr, la fameuse fois où il s'était muni d'une batte pour réussir son coup d'intimidation !

— Il est mort d'une over dose. Indirectement, papa l'a tué en lui donnant de l'argent pour qu'il puisse s'acheter sa dose. Et il est tombé sur de la merde, m'interrompit Michael pour abréger rapidement ce chapitre et que j'en vienne au fait de cette fameuse fois.

— C'est vrai, Benito. Là, c'est toi qui lui as mis une leçon de vie ! dit J.P. en sourcillant de bonheur.

Je répondis de la tête par l'affirmative, tout en mimant d'une gestuelle que c'était le fait du hasard, si je lui ai fourni le moyen d'acquérir « le mobile » de son suicide.

— Qu'est-ce qu'il s'est passé, cette fameuse fois, papa ?

— Je te raconterai ça un autre jour ! lui répondis-je, bouleversé.

J.-P. me regardait, surpris, pensant comme moi qu'en grandissant, Christophe aurait pu avoir une vie différente de celle que je lui exposai. Il allait de soi, qu'il garderait toujours dans nos esprits sa nature de magouilleur, mais dans un intérêt plus profitable à sa personne. J.-P. se clarifia la gorge et changea de conversation en revenant sur les discussions qu'il entretenait avec Michael.

— Chaque fois que je le vois, ce petit, il me scie ! Mais où vas-tu chercher tout ça, hein ?

— Là où peu de personnes veulent s'orienter, croyant perdre tout leur petit confort matériel si elles rentraient en phase avec elles-mêmes ! Si vous saviez l'infime distance qui vous sépare pour atteindre la vraie richesse, tout simplement en étant en adéquation avec votre cœur ! De toutes les richesses inestimables dont vous ne soupçonnez même pas les répercussions pour votre avenir ! Et il continua : vous ai-je déjà parlé de la puissance du grand huit ou de la naissance du mythe du père Noël !

— Non ! C'est quoi ? demandâmes-nous d'une seule voix.

Chaque fois que Michael nous exposait une de ses visions, dans mon esprit, ses paroles se transformaient en un dessin animé, mettant en scène des personnages de mon entourage ou moi-même. Dans ce cas-ci, il s'agissait de ma personne, décomposée dans un schéma géométrique à la description de l'équivalence à « l'homme de Vitruve » par une captation sensorielle visuelle de mon être matériel, vis-à-vis de mon âme.

— C'est grandiose, ce concept-là ! La matérialisation de la pensée par le « neuro » « psycho » « émotionnel », nous dit-il, un grand sourire aux lèvres. C'est l'élément clé de notre existence. Si tu mets en application le fonctionnement de ce précepte, ta vie sur terre va en être un paradis. Puis il continua en nous délivrant son contenu :

— Vous avez sûrement déjà été confrontés à une situation où des personnes construisant leur vie sont épiées et critiquées par d'autres personnes, en étant commentées par ce qui suit : « Ils ont de la chance, eux ! Ils ont bien réussi dans la vie ! Ils sont partis de rien et ont réalisé leurs rêves. » Sous-entendu : « J'aimerais bien être à leur place. » Se plaignant toujours de leur soi-disant mauvais sort. Pensant que les bonnes choses n'arrivent toujours qu'aux autres et sans effort et sans structure de mise en pensée. Et bien, ces gens qui ont été épiés et critiqués et qui, par leur soi-disant « chance », ont réussi, eh bien, eux ont eu la foi en eux, consciemment ou inconsciemment, et en « la puissance du grand huit. » C'est gratuit. Ce qui coûte le plus, dans tout ça, c'est de croire en soi et se faire confiance. Nul besoin d'adhérer à un groupe de personnes, tu ne dois rien à quiconque, hormis en la foi en ta réussite. Tu fais ta vie en écoutant tes propres ressentis, constructeurs ou destructeurs, dans ton propre sanctuaire. Attention ! La vengeance, les coups fourrés, les vices en font aussi partie, car on parle d'exaucer toutes nos émotions. Mais encore une fois, attention, dans un sens comme dans l'autre, la réussite nous attend, selon l'intensité de nos pensées à les matérialiser, et est redistribuée au centuple. Je donne du bien, je reçois du bien au centuple, je donne du mal, je reçois du mal au centuple. Moi, je parle de donner les plus purs sentiments, ceux qui nous procurent la satisfaction d'être fier d'avoir contribué à l'évolution de sa personne et de notre espèce dans cette vie-ci. En ayant apporté le meilleur de soi-même à la contribution d'un avenir prospère. Alors que les observateurs restant derrière, leurs journaux à scandales, leurs fenêtres, leurs télévisions, leurs sites internet, leurs misérables vies étriquées, continuant à voir défiler la vie des autres, ce qui n'enlève rien au mérite de leur réussite, d'exceller dans leur discipline, au lieu de se soucier d'être acteur de la leur. Pourquoi n'ont-ils pas de « chance », eux ? se demandent-ils, n'attendant que cette « chance » là, pour transformer leur vie. Parce qu'ils ne la provoquent pas. Mais la vraie question qu'ils ne se posent pas, c'est : « Pourquoi vivent-ils une vie étriquée ? » Tout simplement parce que dans leur tête, ils sont étriqués, et le temps passé à épier les actes courageux des autres qui réussissent empiètent considérablement sur le temps des actes qu'eux doivent créer pour avancer. Ils laissent place à la fabulation de leur existence, au travers de l'imaginaire des autres qui réussissent, sans pouvoir prendre réellement acte de la leur. Ils ne cherchent pas à développer leur propre chance de réussite, qui réside au fond d'eux-mêmes. Pense « petit », et tu resteras toujours « petit » ! Pense « grand », et tu ne feras que ça tout au long de ta vie : « grandir ». Ton nombril n'est pas ton seul centre d'intérêt, la vie coule tout autour de toi, alors prendre ta part de responsabilité pour améliorer la tienne.

L'équilibre psychologique de ta personne au moment de ta demande ne doit être influencé que par tes propres critères d'émotions, sans compromis de décision. Une demande basée sur la confusion, se matérialise avec la même confusion.

La valeur de l'intensité avec laquelle tu ambitionnes que cette même demande se réalise est importante. C'est elle qui te fera avoir avec précision, dans l'idéal de ta pensée. Les mots, les verbes d'action qui composent la phrase que tu vas prononcer à haute voix pour la formuler ont toute leur importance aussi… Donc, claire et direct, doit être chaque demande.

En Amour par exemple, une fois les bonnes conditions remplies dans les demandes, la puissance d'émission vibratoire de ta personne va concentrer cette énergie et te faire rencontrer une personne qui, parallèlement, aura émis une semblable demande en tous points émotionnelle, et tu auras la chance de trouver ta flamme jumelle. Celle qu'inconsciemment tu attendais. Pareillement pour des objets matériels, la réalisation de projet…

Par ce concept sont orientés tous les actes qui jalonnent notre vie, depuis notre naissance jusqu'à notre mort.

Voilà pourquoi les personnes qui ne se respectent pas et ne respectent pas les autres, ne s'aiment pas, et n'aiment pas les autres, projettent leur existence au travers de la vie des autres, reçoivent la valeur qu'elles ont émise, et souffrent de demandes qui correspondent à leur attitude étriquée. Alors cherche cette satisfaction d'atteindre le plaisir dans tous tes propres actes, avec toutes les personnes que croise ton chemin de vie. Partage ce que tu as ressenti au plus profond de toi avec eux, et ça va procurer du bonheur à profusion à tout le monde. Regarde les conséquences :

– Tu as peur de t'investir dans l'Amour, l'Amour a peur de toi, et difficiles et compliquées seront tes relations.

– Extasie-toi de l'Amour que t'apporte ta vie, et la vie t'étreindra de son Amour.

– Tu as peur de manquer d'argent. Les conséquences : cette impression te fera toujours courir après l'argent !

– Tu te dis que tu as de l'argent en abondance. Les conséquences : tu en possèdes plus que tu en espérais !

– La peur est le frein, à l'abondance.

Tenez, écoutez encore cet exemple sur l'attraction de la peur. Ça vous est sûrement arrivé, et c'est un test éprouvé par la science ! Vous vous êtes endimanchés d'un habit clair, et au moment où vous l'avez enfilé, dans votre tête vous vous dites « Il ne faut pas que je me tache, car il est évident que cela va se voir, tel le nez au milieu de la figure. » Et par un curieux hasard, paf! Une belle tache de cocktail sur votre bel habit dès le début de la soirée. Il faut savoir que dans l'univers, la négation n'existe pas, et en analysant cette phrase émotionnelle, vous avez souhaité, en fait « Il faut que je me tache. » Vous recevez, « exaucer », l'intensité de la demande que vous avez formulée.

Vous, vous êtes à la croisée de votre grand huit. Vous savez ce symbole de l'infini! Ça part de vos émotions, de ce que vous désirez pour votre équilibre, entre autres : votre bonne santé, créer une descendance, avec un ou une partenaire, avec qui vous découvrirez et construirez l'Amour qui vous a permis de vous réunir. De cet élan, des ambitions de créations d'une vie partagée vont naître des enfants, votre belle maison, une belle voiture, des achats futiles, dans un environnement sain, et tout cela généré par la profusion d'un équilibre financier, émanant d'une activité professionnelle qui correspond à votre propre personnalité. Je sais, à voir vos regards, tout cela semble sortir tout droit d'un conte de Noël, n'est-ce pas ?

– O.k. ! Si nous avons cet instinct de survie, c'est bien que cette vie-ci est importante à nos yeux ! Oui ! Alors, pourquoi croyez-vous que nous devions la passer dans de mauvaises conditions ? Sauf pour ceux qui n'auraient pas respecté leurs précédentes vies ou celle d'autrui, il est toujours temps de remédier à tout ça. Tout ce concept ne repose que sur « la foi » de réaliser tout ce à quoi vous aspirez. Une fois ressenties, toutes ces aspirations vont se frayer un chemin, formant une grande boucle qui circule en vous. À ce moment-là, elles peuvent rester dans cette boucle et tourner sans cesse, seulement dans votre tête, jusqu'à provoquer un mini-maxi schizophrénie. C'est-à-dire rester en l'état de rêve, d'illusions inatteignables, sans pouvoir les réaliser par manque de confiance en soi. Adhérer à ses propres peurs et aux peurs des autres, ce qui va amplifier les vôtres. Vous vous référez à la peur, que ce soit d'avance des échecs comme ceux qui n'y ont pas cru, alors vous allez minimiser la réalisation des vôtres, et elles s'amplifieront en état de frustrations, par peur. Après tout, ce n'était qu'un rêve, allez-vous vous dire pour vous confortez cette part de pragmatisme sécuritaire qui veille en vous. Mais ces rêves, c'était ce dont vous deviez vous acquitter pour l'équilibre de votre vie et de ceux qui vous entourent. Lorsque vous avez des choix à faire, bien souvent, vous vous contentez du peu auquel vous croyez avoir droit pour rassurer une conscience collective néo-protectionniste, qui laisse en suspens cette spoliation, alors que vous avez droit au meilleur pour ne pas alimenter la sensation de frustration et prendre la direction de l'épanouissement. Au fond de vous, vous savez que la réalisation de vos rêves est primordiale ou alors, en conséquence de ceci, ils vont tourner en permanence dans votre tête. Vous allez maximiser la contenance des cellules éponges, et ceci jusqu'à en devenir schizophrène. Vous avez provoqué des rancœurs qui vont à contresens de vos envies. À leur tour, elles vont se transformer en maladies touchant les parties de votre corps correspondantes à ces réalisations, si vous laissez broyer la peur dans votre tête, dans votre torpeur. La vie, dans son terme générique veut dire l'épanouissement à l'évolution par le mouvement, et pas son contraire : l'immobilisme.

Alors, considérant cela, si vous voulez que ça se réalise, vous les laissez mûrir tranquillement, et la vie va organiser le cheminement de la réalisation de vos rêves. Et vous, vous allez les alimenter par votre foi en leur réalisation. N'oubliez pas, vous n'êtes pas seul ! Alors, armé de conviction constructive, car certains brûlent de s'en être servi à mauvaise escient, vous allez faire descendre le chemin que vous voulez réaliser au niveau de votre cœur. La première boucle, à ce niveau, va en former un autre devant vous, votre futur, pour laisser passer vos rêves les plus profonds, qui vous animent, permettant ainsi de créer et concrétiser votre avenir sur la route que vous vous êtes imaginée. Il est important d'exprimer ces requêtes toujours au présent, car la vie se vit à l'instant présent. Même si ce sont des projections pour votre futur. Si vous repoussez vos demandes, votre processus sera lui aussi toujours repoussé. Pas de « ne pas » non plus. Dites ce que vous souhaitez, et pas ce que vous ne souhaitez pas. C'est primordial ! « Je mérite cet amour que je me porte. Mes proches méritent l'amour que je leur porte, comme je mérite leur amour. L'environnement mérite l'amour que je lui porte, et il me le rend bien. Je suis en parfaite santé pour accomplir ma vie. J'ai la vie que je souhaite, j'ai la propriété que je… et de ton infinie bonté, je te remercie, l'Univers, pour la grâce que tu m'accordes. »

– Hé ! J.-P., ça peut être de bonnes paroles pour ton prochain album, oui !

– Tu m'as ouvert bien grand les yeux, tu sais, j'ai même du mal à me dire que c'est un petit…

Michael l'interrompit fermement et affirma :

– Ne me dit pas « petit », tu me réduis !

– Oh ! excuse-moi ! Tu as raison, la grandeur d'un être ne se mesure pas par le nombre de ses années. Oh ! La claque qu'il me donne ce « grand ». Je sais ce qu'il me reste à faire, et je te le dois mon pote ! Et un clin d'œil décalé ! Mais au fait, pourquoi « le mythe de la naissance du père Noël ? »

Michael commença à faire un question/réponse à laquelle il ne nous laissa même pas le temps de répondre.

– Que fêtons-nous le jour de Noël ? La naissance de Jésus Christ. Jésus : faisons glisser l'accent du « é » entre le « u » et le « s » et ça fait « je suis Christ. »

– Que veut dire Noël ? Nouveau Soleil ! Associons cela : « Je suis Christ le nouveau Soleil ». Et ceci pour nous faire comprendre que toutes les naissances apportent leur lot de nouveaux soleils, de nouvelles lumières, pour contribuer ensemble à l'évolution de la vie. De là vient : « Aimez-vous les uns les autres » ; « Dieu est Amour, annoncez la bonne nouvelle au monde entier. » Puisque nous sommes tous sans exception, une cellule de Dieu, dans notre harmonie, nous le reconstituons. Pourquoi, à votre avis, chaque année on témoigne d'une attention toute particulière, à célébrer le jour de notre naissance, et si on ne le célèbre pas, on nous (ou on se) le rappelle tout de même par des pensées aimantes ?

Au même instant, J.-P. se gifla le front. Une étincelle surgit dans son esprit, faisant le rapprochement évident que toute cette conception de symboliques, était l'aphorisme intégré du mythe du père Noël. Qui pour l'esprit collectif, découlait de ce principe, en matérialisant le rapport de la valeur de l'Amour que l'on porte pour soi et pour les autres, sous la forme de gratitude de la vie, par la symbolique des cadeaux apportés par le père Noël.

Après cette révélation, Michael proposa à J.P. d'honorer sa promesse, surtout pour le plaisir de Jamie, qui était impressionnée par la présence de J.P., et qui nous observait sans dire mot, inversement à son habitude.

– Tu nous chantes quelques chansons de ton répertoire à minettes, qu'on rigole un peu ? lui dit Michael. Et tu me dois un album, à moi. O.K. J.-P. ! rajouta-t-il.

J.-P. lui fit un clin d'œil en guise d'acceptation, tout en accordant sa guitare, et commença à gratter un de ses premiers succès « Love, Just Inside ». Jamie le regardait, les yeux remplis d'étincelles, comme toutes les filles de son âge, d'ailleurs, et l'écouta en toute béatitude, savourant l'ampleur du privilège qui lui était accordé.

Quelques mois passèrent, et après que cette leçon de vie se soit décantée, une prise de conscience, à savoir où étaient ses vrais intérêts pour son être, J.-P. quitta enfin son producteur, laissant quelques plumes financières en prime, mais la roue tourne, et il entama une carrière solo. Il sortit son album, qu'il avait écrit avec son cœur et sans peur, ce que son public a ressenti au travers de ses chansons, qui ont fait vibrer des salles entières dans le monde, et sans se soucier du volume important que prenait son portefeuille. Il débutait toujours ses concerts en faisant un clin d'œil avoué, sur l'ouverture d'esprit qu'avait un petit gars prénommé Michael. Comme promis, il lui avait dédié son album qu'il avait intitulé « Tout spécialement pour un ange. »

La poudre étant répandue par le vent « sous le manteau », ces derniers temps, Michael recevait de plus en plus de monde en visite. La parenté prenait un ordre de passage VIP. Les personnes qu'il côtoyait dans l'hôpital, les infirmières auxquelles il était très lié, profitaient de leur proximité affective, pour demander des conseils de toute nature. Même le médecin qui le suivait le questionnait à propos de certaines théories, certaines pratiques, qu'il appliquait dans son travail, et Michael lui exposait son point de vue pertinent, ce qui nous a valu des entretiens des plus mémorables. Et, pendant ce temps, des cadeaux s'empilaient le long du mur, le gratifiant de cette générosité. Imaginez, un enfant de huit ans, contrecarrer des années de recherches sur la teneur et l'existence de certaines molécules composant un psychotrope, dont Michael voyait les inter-agissements destructeurs à long terme sur les tissus du cerveau, au travers du corps cobaye, sur lequel étaient expérimentés les essais. En prouvant, par des essais cliniques qu'il faisait renouveler en laboratoire et par des renouvellements d'expériences avec d'autres molécules moins nocives et tout aussi efficaces, qu'il demandait à son médecin d'ajouter sous d'autres formes, que ce qu'il avançait se révélait vrai ! Du résultat de ces recherches, le médecin en avait déposé un brevet, et bien sûr, en cueillit les fruits. Je pense que ça devait faire partie des fameuses graines que Michael laissait pousser dans ses jardins expérimentaux, d'un coin de nos cerveaux.

Ces derniers temps, Michael réunissait tout ce monde autour de lui, car, m'a-t-il dit plus tard : « Les gens sur la terre ont besoin de plusieurs vies pour se concrétiser, moi j'ai besoin d'un millième de ce temps pour le faire. » À chaque rencontre, il nous faisait promettre, de garder tout ce qu'ils ont vécu ensemble « secret » pour ne pas nuire à la réputation de l'hôpital. Promesse qui fut respectée dans l'ensemble. Le pourquoi de « sous le manteau. » Il nous fit promettre aussi, à tous, de toujours pardonner pour ne plus vivre dans la tourmente, et surtout de croire en soi. La plus belle église, la plus belle mosquée, la plus belle synagogue, le plus beau temple, se trouve dans le plus beau sanctuaire de culte qu'il soit : dans son cœur, la voie qui nous connecte tous à Dieu. Mais au fond, de toutes ces diversités architecturales religieuses qui viennent d'être citées, ce qui en ressort, c'est qu'on y vient tous pour prier la même chose : La recherche de « l'amour et la paix. »

CHAPITRE 11

DANS NOS RÊVES

Pour pallier le remplissage du magasin à l'occasion de la période de Noël, qui approchait à grands pas, avec Sally, nous magasinions dans les allées du grand salon « Bien être » à Paris, pour dénicher les dernières créations mises sur le marché pour les fêtes de fin d'année. Cela se passait fin octobre, début novembre. Une période de l'année où l'activité commerciale était un peu plus calme et où il fallait songer aux stratégies commerciales cadeaux, qui représentaient un pourcentage conséquent de notre chiffre d'affaires, et les enjeux étaient importants. Mais, Sally était suffisamment à l'écoute de sa clientèle pour bien maîtriser les choix de produits qu'il fallait faire. C'était toujours un plaisir de trouver de nouvelles idées de décoration pour Noël. De découvrir puis d'implanter de nouvelles marques de cosmétiques dans le magasin pendant cette période-là. Les gens raffolent, des dernières trouvailles parues dans les journaux qui tiennent les tendances de la mode, prenant aussi en considération les nouvelles technologies de soins. Nous profitions aussi de l'occasion, pour trouver des idées originales de décoration à mettre dans la chambre de Michael, dans des stands les plus ludiques du moment. Après une journée mouvementée au salon, nous prolongions notre séjour de deux jours en moyenne, profitant de ce moment pour nous retrouver en amoureux dans cette magnifique ville. Nous réservions toujours une chambre d'hôtel au cœur du Quartier Latin. À cette période-ci de l'année, nous trouvions que l'atmosphère y était dès plus enjouées, car les décorations de Noël prenaient forme dans la ville et les grands magasins. La deuxième journée, nous nous accordions une journée de relâche, en empruntant les bus à touristes, comme nous aimions à le dire, avec un sourire moqueur. Les circuits empruntés nous faisaient découvrir la beauté de nombreux quartiers historiques de monuments incontournables en mémoire d'événements marquants, et bien sûr, nous ne manquions pas les rues commerciales qui les prolongeaient. Nous prenions soin, avant de monter sur la partie panoramique du bus, de nous munir d'une bonne couverture chaude, dérobée pour une journée à l'hôtel où nous demeurions, et d'un grand thermos chacun. Sally, rempli de thé à la menthe et moi de café au lait sucré. Nous laissions de côté la bande audio qui défilait le long des différents lieux que nous traversions, pour la remplacer par le son de notre baladeur numérique. Une compilation des plus grands airs d'opéra y était numérisée, afin de concilier la générosité visuelle du panorama qui s'offrait à nous, avec l'ambiance sonore qui l'accompagnait pour une mise en scène des plus délectables. Nous nous installions juste derrière la bulle pour être protégés au maximum de l'air froid qui s'engouffrait sur la plate-forme décapotée. Main dans la main, gantée, nous nous laissions bercer par les voix lyriques, tout en admirant les successions de chefs œuvre architecturaux, éclairés par le soleil à demi éteint de novembre. Rares étaient les individus non équipés de combinaisons chaudes qui restaient longtemps sur cette plate-forme. Voilà la raison de nos moqueries sur les bus à touristes. L'emplacement où nous nous trouvions nous rendait privilégiés de ce spectacle qui défilait devant nous. La contrepartie était que nous avions le bout du nez gelé, mais ça en valait la peine. La lumière douce de l'automne, le cycle bien entamé de l'agonie des feuilles sur les branches qui finissaient par se décrocher, puis s'envoler à chaque mouvement d'air provoqué par la circulation intense, laissant apparaître sous nos yeux ébahis une façade sculptée, oubliée le temps d'un été. Un petit coup de coude pour interpeller l'autre. Lui demander de tourner son regard par ici, ou bien par là, afin de ne rien rater du spectacle. Une halte à la Madeleine, une autre sur les Champs-Élysées, au passage quelques petites emplettes. Visite obligée à la Bastille, « Ah ! Ça ira, ça ira les aristocrates on les vaincra… » La tour Eiffel, l'esplanade du Trocadéro, et nous finissions par Montmartre. Nous montions les marches pour atteindre la Basilique du Sacré-Cœur et admirer le panorama. Nous nous installions sur le parvis, comme d'autres amoureux le faisaient, se réchauffant par de tendres baisers, afin d'assister au spectacle du coucher de soleil, qui ne tarda pas à tomber sur la capitale. Au fur et à mesure qu'il perdait de son intensité, la Ville lumière, elle, ornait ses artères de parures artificielles aux éclats de lumière, pour rester de jour comme de nuit la Reine de la Seine. Après ce premier spectacle, nous poursuivions les festivités en nous dirigeant vers un cabaret mondialement réputé, où les meunières ne faisaient pas que moudre de la farine, elles devaient aussi saigner leurs riches clients, à voir la couleur des murs de l'enceinte. Je ne sais pas si nous étions sous l'effet des bulles de champagne, mais nous assistions à la continuité du mouvement de cette bascule ancestrale en VIP, par une succession de levers de lunes, qui s'empressaient de prendre le relais.

Certains, à qui nous racontions avec engouement cette escapade, disaient qu'une telle description inspire au cliché surfait de la romance parisienne. Mais il est surtout vrai que si vous n'êtes pas amoureux, cette impression est impalpable et vous glisse dessus, sans que vous ne puissiez vous laisser prendre facilement à cette atmosphère pittoresque, qui provoque en vous cette délectable exultation.

Le lendemain, nous passions la matinée à faire des emplettes. Celles-ci, généralement, débordaient sur l'horaire, ce qui nous faisait prendre le déjeuner sur le pouce, afin de ne pas manquer, en début d'après midi, le train à grande vitesse qui nous permettait de rejoindre Marseille.

Sur le trajet du retour, je regardais Sally qui, dans un demi-sommeil feuilletait son magazine, son sourire irradiant son doux visage, et je lui dis :

– Avant que tu ne t'endormes Sally, je voulais te dire que je n'aurais pas voulu être ailleurs sur cette planète qu'ici, et avec toi, pendant ce merveilleux séjour qui a été magique ! Merci mon amour, merci la vie, je t'aime !

Un autre petit sourire me fut envoyé, suivi d'un « Je t'aime Benito », mais la fatigue du séjour était trop pesante, elle finit par s'endormir apaisée.

Pendant que le paysage défilait sous mes yeux, un flash-back de tous les bons moments que nous avions passés durant ce séjour défilait inlassablement dans ma tête. J'avais l'impression que toutes les directions que nous avions prises, tous les choix des achats que nous avions faits, tous les lieux que nous avions visités étaient guidés par une étrange force qui facilitait nos décisions, et ça me faisait prendre conscience que l'on avait découvert et ressenti Paris, autrement que toutes les autres fois où nous l'avions visitée.

Le soir même de notre arrivée à la gare Saint-Charles, à Marseille, nous prîmes un taxi, nous nous arrêtâmes chez le traiteur, puis direction l'hôpital pour rendre une petite visite à Michael. Lorsque nous arrivâmes sur le perron, Noëlle nous accosta pour nous avertir que pendant notre absence, Michael avait énormément dormi. Ce qui était assez inhabituel. Ceci ne faisait que me conforter sur mes doutes à propos de nos choix guidés.

– Salut les Parisiens ! Comment s'est passé le voyage ? nous demanda Michael d'une voix guillerette.

– Bonsoir mon fils ! Tu dois en savoir quelque chose ! Et puis, nous avons croisé Noëlle, qui nous a informés que ton sommeil était plutôt pesant, le temps de notre absence ! lui répondis-je d'une voix suspicieuse, lui rappelant les voyages subliminaux qu'il peut effectuer dans ses méditations.

Un sourire en coin, le regard gêné, Michael se trouva démasqué.

– O.K. ! Je vous ai accompagnés dans toutes vos promenades. J'ai aussi un peu contribué aux négociations avec le marchand de jouets ! Mais moi, je n'ai pas eu froid au bout du nez, sur la plateforme du bus à touristes !

Sally l'interrompit, n'étant plus surprise par ses propos supranormaux et dit :

– Moi qui pensais que mes techniques de vente étaient infaillibles, toi tu m'annonces que tu peux rentrer dans l'esprit des gens et les faire changer d'avis ! Mais j'y pense, tu n'étais pas dans la chambre de l'hôtel j'espère ?

– Non maman ! Je connais mes limites, mais je connais les bonnes vibrations que cela procurent. Sur un visage rougi de stupéfaction, Sally le fixa de ses gros yeux malicieux, en affichant malgré tout un sourire retenu par pudeur. Michael s'abstint de continuer dans cette voie en changeant de sujet, en revanche, parler aux âmes de tes interlocuteurs pour mieux négocier, ça tu peux le faire toi aussi ! Écoute ! Si tu vas à un rendez-vous dans le cadre de ton travail, par exemple, eh bien, les soirs avant ton entretien, tu te concentres sur la personne que tu dois rencontrer, tu demandes à parler avec son âme et tu lui exposes tes requêtes en lui demandant d'être équitable dans la transaction que vous allez réaliser ensemble. Même si tu ne la connais pas du tout, car tu te projettes dans la future action que tu ambitionnes de voir se réaliser ! Parfois, tu seras même étonné de constater que la situation dans laquelle tu t'es projetée sera à l'identique de la réalité, avec des détails marquants. Et tu en souriras de te voir à l'aise dans la situation. Il faut pratiquer, et tu pourras envisager ta vie entière sur ce principe et dans tous les domaines ! Lorsque tu t'es réconcilié avec ta sœur, inconsciemment, tu as demandé à parler avec son âme. Les mauvaises consciences peuvent se duper entre elles, mais les âmes, elles, reconnaissent la vérité au mensonge. Nous sommes tous reliés à une énergie pure, qui nous est commune et sur laquelle nous communiquons tous, comme lorsque vous voyez virtuellement représenter sur un écran d'ordinateur la connexion de milliards de neurones entre eux dans un cerveau, qui sont reliés entre eux à l'aide d'une tension électrique, par des synapses qui permettent la transmission de l'influx nerveux de neurone à neurone, puis dirigent les informations aux organes qui doivent effectuer les ordres reçus ! Le principe de besoins à notre subsistance est le même à toutes les échelles de vie. De l'infiniment grand à l'infiniment petit. Nous faisons tous partie d'une cellule qui grouille de vie. Pour nous, humains, la terre indépendante, est sous l'influence des autres planètes qui forment le système solaire, avec tous ces principes généraux fonctionnels, mais dans un mécanisme d'engrenages parfaitement synchronisés pour garder la vie présente dans un équilibre. Elle est composée d'un cœur qui chauffe sa surface, un squelette sous forme de minéral, de gaz, une majorité d'eau, un système de ventilation et de renouvellement d'air à l'aide de végétaux terrestre et océanique, semblables à des poumons ou branchies d'êtres vivants, dont nous sommes tous concernés par son entretien pour notre survie, sans oublier le système d'alimentation. Viennent se greffer à ce système, des vibrations relatives au bon fonctionnement du magnétisme de l'Amour pour assurer son existence. À notre tour, nous, humains, nous sommes une cellule indépendante, mais néanmoins tributaire du bon fonctionnement de la terre et de ses influences, un monde qui grouille de milliards de milliards de différentes cellules qui nous servent à nous faire fonctionner par leur bonne santé, sur les mêmes principes que la terre, sans oublier les vibrations d'Amour qui sont indispensables à notre subsistance. À leur tour, ces cellules qui nous composent, sont le monde… Un jour elles s'associent à d'autres cellules remplies de vie, pour créer de nouveau une autre forme de vie et ainsi de suite. Des conflits de positions vont en découler, peut-être même des guerres, puis des ententes de paix vont être scellées, et nous continuons à développer notre système d'évolution tous à notre niveau. J'ai commencé volontairement par la terre, car elle aussi est la cellule de quelque chose de bien plus grand dont on ressent les vibrations, et que l'on appelle Dieu, par son Amour. Dans cette logique de grandeur, nous aussi nous sommes considérés pour nos propres molécules comme un Dieu.

Alors, nous devons, par ce titre suprême, être à la hauteur de la tâche et résoudre les conflits de tous ordres qui règnent en nous, pour montrer que nous savons gérer celui-ci par l'équilibre et l'harmonie de nos vibrations et perpétuer l'évolution de notre être. Pourquoi croyez-vous que les polémiques autour de toutes les guérisons qui se sont passées dans cet hôpital se sont estompées rapidement ? Car j'ai demandé à l'âme de chacun d'entre eux de ne pas le divulguer. La polémique s'est propagée par la joie de leurs proches. C'est un cadeau de la vie qui leur est offert, qu'ils le gardent précieusement en eux, car si c'est divulgué, ça perd de son intensité et de là, la rechute !

Et les proches, alors, qui voient ceci ?

— L'âme de celui qui est guéri va parler à l'âme de ses proches, même travail que celui des neurones, et ça apaise l'histoire. Même si parfois, il y a des fuites, comme dans ce cas !

À l'écoute de Michael sur sa façon de guérir les gens, les yeux de Sally brillaient, puis rougissaient de colère, et elle finit par éclater en sanglots. Après l'expérience qu'elle a vécue avec Michael, elle a retenu la leçon, et toutes les émotions qui doivent sortir le font instantanément.

— Tu guéris tout le monde ! Tu nous fais des sermons sur l'attitude à avoir, sur notre comportement pour être sur le droit chemin et équilibrer nos vibrations. Mais toi ? Tu fais quoi, derrière ta cage de verre ? Hein ? cria-t-elle en tapant de rage sur celle-ci. Ça va faire bientôt neuf ans que tu es enfermé, et tu ne te guéris même pas ! De plus, je ne peux même pas te serrer et sentir ta peau contre moi ! Qu'est-ce que j'ai fait au Bon Dieu pour qu'il m'empêche de pouvoir t'embrasser, hein ? Tu veux me le dire toi ?

— Calme-toi mon amour ! Calme-toi ! lui demandais-je, tout en la serrant fort dans mes bras.

L'émotion à fleur de peau, Michael lui répondit :

– Maman, pitié, ne m'en veux pas ! C'est comme ça pour l'instant ! S'il te plaît, ne m'en veux pas !

On pouvait ressentir qu'il était tenu au secret, malgré notre filiation. Il en était énormément peiné, mais il y avait des règles à respecter dans l'ordre Divin, c'est ainsi ! L'incident ainsi se clôt.

Le temps passait rapidement dans l'effervescence des préparatifs de Noël, et le mois de décembre était bien entamé. Les nouvelles marques sur lesquelles nous avions misé firent que le magasin continuait d'augmenter son chiffre d'affaires, et l'institut de beauté jumelé profitait des répercussions de cet achalandage pour accroître aussi sa clientèle. Sally avait même été obligée d'embaucher une seconde esthéticienne. Pendant la période des fêtes, j'avais inversé mes visites chez Michael pour le voir le matin. L'après-midi, je retournais au magasin pour aider Sally et Lucie, en préparant les boîtes cadeaux et profiter d'apporter mes maigres connaissances dans ce domaine pour faire quelques ventes sur des produits qui n'avaient pas besoin de grandes explications techniques.

Ah ! Elles riaient bien de moi, lorsque je séchais sur une question technique à propos des vertus d'un produit spécifique, posée par une cliente ! Mais c'était dans un bon esprit. C'était peut-être aussi pour cela que ça marchait aussi bien, par cette convivialité et ce professionnalisme qui dominaient.

Comme chaque année, pour la veillée de Noël, nous nous installions dans la chambre de Michael. Après le repas, nous aménagions un petit coin pour dormir, avec l'accord des infirmières bien sûr ! Le matin, de bonne heure, avec Sally et Jamie, nous organisâmes une tournée de distribution de cadeaux, que nous avions achetés chez les fameux grossistes à Paris. J'ai toujours en mémoire le regard pétillant de ces enfants qui, les mains tendues, attendaient impatiemment leurs présents. Ensuite, un cadeau aux infirmières qui le méritaient bien, de par leur dévouement concédé aux malades. Et j'ai aussi en mémoire la tête de Mickèlé, notre voisin le Sicilien, lorsque je lui ai offert un livre où l'on pouvait écrire, aux dates majeures de toute la période de son mandat, les actes qu'aura accomplis le futur premier président noir des États-Unis d'Amérique, pour les comparer à ses prédécesseurs. En lui dédicaçant : « Le changement est une question de volonté ! Je t'invite à voir son investiture avec moi, au mois de janvier ! Sans rancune ! »

Nous nous réunîmes tous les quatre, Jamie faisant partie intégrante de la famille maintenant, et nous nous offrîmes nos cadeaux. En ces périodes, Michael a toujours l'esprit ailleurs. Sûrement connecté avec l'au-delà. En ce temps des fêtes, de grosses agitations célestes se manifestent, et Michael devait y prendre part. À ce moment-là, Jamie lui faisait une blague, et il était de nouveau avec nous. Nous avions offert à Jamie un collier accompagné d'une plaque en or où Michael avait tenu à lui faire graver au verso : « Ose ouvrir la porte de ta vie » et au recto « et le paradis y est ici à celui qui l'a compris. » Michael, lui, avait reçu un ordinateur plus puissant que le précédent, car son jeu avec ses extensions demandait plus de mémoire et de puissance. Et pour toute la famille, la programmation d'un voyage au Canada l'été prochain, si l'état de santé de Michael s'améliorait. Nous gardions un espoir inconditionnel en sa guérison. Enfin de vraies vacances ! En espérant que les parents de Jamie soient d'accord pour nous la laisser, le temps du séjour.

Après le repas de midi, l'estomac bien repu, Michael nous proposa de faire une séance de méditation, car à son tour, il voulait nous offrir, à sa manière, un cadeau de Noël. Nous nous allongeâmes tous les trois sur le matelas que nous avions aménagé la veille. Il nous demanda de nous préparer à la méditation, ce que nous avions appris à très bien faire, maintenant. Nous devions juste écouter sa voix et suivre exactement ses indications, après nous être décontractés par des exercices respiratoires. Il nous fit descendre les escaliers de notre mental, et avant d'arriver à l'émotion de notre propre cœur, il nous demanda de créer l'émotion d'un cœur commun. Dans celui-ci, on pouvait mettre les pensées les plus pures, les plus personnelles, les plus intimes, les plus folles. Nos rêves aussi étaient acceptés. Ensuite, tour à tour, on partageait la passion des uns et des autres, en ayant la possibilité de fermer une porte, si c'était trop intime.

– Êtes-vous prêt ? Nous demanda-t-il.

Et d'une seule voix un grand « Oui ! J'ouvre la porte ! » Et nous voilà vêtus de justaucorps pour danseuses et danseurs, partageant le rêve de Jamie sur une scène remplie de confiserie, rentrant dans l'action d'une mise en scène pour combattre harmonieusement, avec l'art martial le plus féroce qu'il puisse exister, le ballet dentaire. Le développement d'entrechats, de jetés, de sauts, de pirouettes, d'arabesques que nous exécutions à merveille avait dissuadé les foudres d'envahisseurs cariés qui voulaient s'emparer de la seule nourriture du royaume : les sucreries, d'évacuer les lieux. Et pour s'en débarrasser à jamais, Jamie nous faisait tournoyer, encore et encore, jusqu'en perdre la tête, formant à nous quatre une roulette de rire qui, sous la candeur de ce bonheur insupportable aux oreilles des envahisseurs cariés, les fit disparaître à jamais, dans le trou d'une cuvette. En face de nous, ses parents, à l'aspect familier, nous acclamaient, et bien sûr, acclamaient tout spécialement leur fille, lui montrant par leurs regards attendris la fierté d'avoir une fille pleine de créativité comme Jamie. On la voyait heureuse d'être reconnue par les siens. Puis, pendant un court instant la porte de Sally, puis la mienne se fermèrent. Nous pouvions deviner qu'elle partageait un deuxième gros baiser langoureux avec Michael. À l'ouverture de celles-ci, ils rougirent.

Ensuite, on passa à l'effluve de Sally. Sa pensée la plus profonde, et je me joignais bien sûr à elle, était que Michael guérisse de ses carences dans son métabolisme. Mais d'autres rêves personnels remplissaient aussi l'émotion de son cœur de ces attentes d'enfant.

Et nous voilà chevauchant de magnifiques étalons blancs, coiffés de gigantesques crinières qui filaient et accompagnaient les mouvements du galop dans le vent. Dans ce rêve-ci, il y avait Christelle, sa sœur, qui nous accompagnait. Nous galopions à une vitesse si excessive qu'il nous semblait survoler la plage de sable volcanique, entre la lisière d'une magnifique palmeraie et la mer turquoise. L'écume, qui s'était accumulée au frottement des rochers se transformait en une crème Chantilly. Sally, par une figure d'équilibriste, se pencha sur un côté du cheval, en ramassa du bout des doigts, puis l'apporta à sa bouche, toujours avec le raffinement et l'élégance du petit doigt levé. Je la voyais si sexy sur son cheval blanc, j'avais remarqué aussi que le galbe de ses seins était beaucoup plus généreux. Elle était au summum de son plaisir, et c'en était enivrant.

La voyant ainsi, d'autres rêves plus instinctifs se firent entendre, et je fermai trois portes et leur demandai d'aller faire un tour ailleurs. Derrière celles-ci, de petits plaisirs s'en dégageaient. Puis je rouvris les trois portes. Jamie me regarda dédaigneusement et me traita de gros dégueulasse. Quant à Michael, il sourit de voir ses parents aussi amoureux.

Vint mon tour. Moi, je les embarquai dans la peau, ou plutôt dans les plumes, d'un oiseau survolant une région montagneuse. Au début du périple, il fallait se jeter du haut d'une branche pour mettre au défi nos réflexes de survie. Défi relevé avec brio pour tous les quatre ; apparemment, nous tenions tous à la vie. Il fallait ensuite maîtriser l'environnement en trois dimensions dans lequel nous évoluions. Puis, à l'assurance de chaque mouvement que nous réussissions à maîtriser, une joie nous envahissait, et un moment de plaisir nous était offert. Être soutenu par les airs et avoir la joie de porter son regard au lointain sur l'horizon, ça c'est le pied ! Pourvus d'une agilité instinctive, nous nous servîmes de celle-ci pour passer dans des endroits magiques, jonchés d'obstacles que nous évitâmes par un profilage de manœuvres frôlant le kamikaze. Les parois étaient colorées de cascades et de pics vertigineux qui pouvaient être observés et empruntés seulement par des êtres ailés. Le plaisir de s'engouffrer et de voir de somptueux paysages rocheux et verdoyants défiler rapidement à chaque battement d'ailes et le vent sifflant dans nos orifices auditifs était tout simplement jouissif. Puis, bizarrement, un changement de décor. Nous volâmes au-dessus d'un groupe de jeunes qui ressemblaient à ceux qui me regardaient agressivement aux abords du port. L'ampleur de leurs gestes et de leurs sourires nous laissait entrevoir l'ambition de nouveaux projets, plus constructifs, à observer les plans d'urbanisation et les dessins qu'ils avaient dans leurs mains. Sur cette note joviale et encourageante, nous longeâmes le bord de mer, profitant de faire du rase-mottes pour témoigner de la vitesse à laquelle nous volions.

Après ce périple, nous nous regardâmes tous, le sourire au bec, et nous attendîmes avec impatience quel tour de magie Michael allait encore nous faire. À cet instant, on entendit toquer à la porte. C'était Noëlle qui portait le repas du soir à Michael.

– Eh bien, vous avez l'air d'avoir fait une bonne sieste ! Apparemment, la digestion a été longue ! nous dit-elle, sourire au bec. Euh… aux lèvres.

Le temps, là-haut, n'avait pas d'emprise sur nous. Nous avions espoir que Michael nous fasse découvrir des choses encore plus inhabituelles. « Ce qui est en haut est aussi en bas », laissons le temps nous apporter ces magnifiques découvertes. On pourrait apparenter ces histoires vécues à la chance qu'Aladin ait eue de rencontrer son « génie ». Nous avions passé l'après-midi entier à prendre du plaisir. On devait avouer que le cadeau de Michael était le plus époustouflant, et par là même le plus apprécié. On s'enlaçait en guise de remerciement. Tous, avions pris du plaisir à partager les rêves de chacun. Michael rajouta :

– Lorsqu'un moment de libre s'offre à vous, que la joie est en vous ou même que vous vous sentez perdu, que vous avez besoin de vous ressourcer, n'hésitez pas à me rejoindre dans cet univers, je serai toujours là pour vous.

Vous savez, beaucoup de monde vient emmagasiner de l'énergie émotionnelle ici. Tous viennent puiser ici leur inspiration, leur créativité, s'allègent de leurs peines et retrouve la force nécessaire pour continuer leur chemin. Certains le font consciemment, d'autres à travers leur sommeil, leurs rêves, d'autres encore d'instinct. Des plus petites aux plus grandes inventions ont été puisées à cet endroit. Les pensées les plus pures, idéologiques, constructives, amoureuses, créatrices, géniales, sont parties de là aussi. Un boulanger qui crée de nouveaux concepts de pain, un entrepreneur qui construit des maisons en respect avec la nature, des inventeurs qui rendent la vie plus confortable... Vous savez ce qui garde cet endroit intact ? C'est la foi. Vous l'avez tous, mais vous n'y croyez plus. La peur aussi vous empêche de l'appliquer, la négligence et la honte du regard des autres. Dieu vous aime, et il est là pour vous aider, pas pour vous délaisser. Demandez son aide, il vous la donne tous les jours !

— Certains savent bien que ça existe, mais malheureusement, se servent de ce magique lieu de vie pour le pervertir et l'assombrir de leurs pensées étriquées et égoïstes pour garder ces connaissances pour eux, car ça n'arrange pas leurs petites affaires que ça se sache. S'ils le partageaient, ce magnifique souffle de vie, ils s'enrichiraient davantage personnellement et rendraient la vie plus prospère. Papa, maman, Jamie, vous avez beaucoup de choses à puiser dans l'émotion de ce cœur, c'est votre avenir qui va se construire grâce à ça. Faites passer le message, tout le monde y a droit au bonheur, et il ne va en ressortir que du bon.

— Pourquoi croyez-vous que les chercheurs découvrent constamment de nouvelles fonctions aux moindres cellules de notre corps, et qu'ils ont toujours du mal à cerner le cœur même de notre cerveau ? Car notre cerveau, complexe, on se l'accorde, est un émetteur-récepteur de nos émotions, relié par le fil d'argent lumineux qui gît au-dessus de nos têtes, afin de nous garder connectés à ce grand cœur qui se trouve tout autour de nous et auquel nous sommes raccordés par nos fréquences émotionnelles. En revanche, au plus vos émotions sont perturbées, tourmentées, au plus la progression pour atteindre ses portes sera difficile. Tout ce que vous avez vu dans notre méditation, ça vie autour de nous. Nous vivons dans plusieurs dimensions en même temps, mais notre cerveau humain a du mal à l'accepter. Car n'est vrai que ce que l'on voit! Notre côté cartésien! Nos peurs figent ces autres fréquences, qui nous empêchent de les voir, laissant ainsi ces portes fermées, et tout un univers reste dans l'inconnue et nous empêche d'avancer plus lisiblement sur le chemin de nos vies. Certains s'enivrent à outrance, d'autres se droguent pour atteindre ce niveau-là, le « nirvana »! Mais de meilleures techniques de respiration, de méditation, peuvent avoir de meilleurs effets bénéfiques, avec plus de lucidité et de compréhension, pour analyser les messages reçus, de plus sans sacrifier sa santé et en respectant son corps. N'ayons pas peur de Dieu, il est là pour nous aider, pour nous guider à accomplir ses idées à réaliser, et une fois le concept assimilé, on en sera récompensés!

Nous étions tous les trois en train de boire ses paroles, comme si nous nous abreuvions à une source de jouvence, mais l'heure terrestre tournait et il était temps pour nous de rentrer. On se fit de gros câlins, comme à notre habitude, pour se dire au revoir.

Après des moments comme nous venions de vivre, nous avions du mal à nous laisser.

CHAPITRE 12

JOUR DE NEIGE

Le jour de l'an approchait, et par conséquent nous allions fêter l'anniversaire de Michael. Il allait avoir neuf ans, déjà! Neuf longues années qu'il était enfermé dans cette prison de verre! Neuf ans que nous lui faisions découvrir le monde à travers des images virtuelles, dans des émissions, des reportages diffusés à la télévision, sur internet, dans des livres d'aventures! Mais nous savions pertinemment que la vie ne se cantonnait pas à voir le monde numériquement, mais plutôt de vivre intensément ces instants.

Avec l'accord de son médecin et sa participation également pour assurer une sécurité optimale, nous avions organisé une méga-surprise pour casser cette routine quotidienne. L'effet, nous en étions convaincus, remplirait enfin un moment d'action dans sa petite vie physiquement passive. Ne nous méprenons pas non plus sur l'ampleur de l'action, elle restait simple et sous haute surveillance. Michael adorait s'imaginer, qu'après les limites de la largeur de sa fenêtre, l'un de ces majestueux voiliers aux clinquants titres publicitaires multicolores qu'il voyait au loin, lui serai confié le temps d'une course. Sûrement aussi s'imaginait-il barrer le plus profilé d'entre eux en indiquant à ses mousses, une manœuvre à exécuter à la perfection, pour changer de cap rapidement. Glissant à toute allure sur les flots, priant le Dieu « Éole », par son souffle puissant, de gonfler un peu plus qu'à ses concurrents ses voiles pour le mener à une victoire collaboratrice.

Le souhait, qu'un jour nous l'emmenions naviguer, sur une de ces magnifiques coques voilées, pour connaître la sensation de voguer sur les flots, prenait forme. Mais la technicité logistique de ce souhait relevait d'une organisation rigoureuse. Pour une partie de l'intention, grâce à la curiosité de Jamie, ce projet avait pu débuter son cheminement. En effet, lorsqu'elle déambulait dans les corridors, elle observait les maniements des patients, qui s'effectuaient dans l'enceinte de l'hôpital. Elle s'aperçut que, les transferts d'une chambre à l'autre, ou d'un hôpital à l'autre, pour les cas à risques infectieux, s'opéraient dans des caissons hermétiques. Elle nous soumit donc ses observations, que le médecin confirma.

Pour la seconde partie, quatre infirmiers, s'occupèrent de la mise en place de l'opération. Ils organisèrent toute la logistique sur le voilier personnel du docteur, afin de passer un jour de l'an des plus mémorables. Les mesures de sécurité nécessaires à une manœuvre comme celle-ci avaient été gérées à la perfection.

Nous voulions garder cette initiative secrète. Mais le déchiffrage de nos intentions ne tarda pas à être élucidé. Les vibrations d'Amour émises à l'égard de Michael n'étaient pas chose aisée à dissimuler. Les conséquences en furent que, la veille de cette fameuse journée, Michael fut pris d'une forte montée de fièvre, et le docteur nous prévint avec fermeté que :

– Si demain la fièvre ne tombe pas, nous serons dans l'obligation de tout annuler.

À ce moment-là, convaincue par toutes les leçons relatives à la positivité de nos pensées actives, et en la croyance que si cela échouait, la cause en serait que nous émettions un doute quant à son issue, sans douter, Sally reformula la phrase du docteur, en lui ôtant sa forme négative et la corrigea en disant :

– Demain, la fièvre tombera, et nous vivrons une belle journée, comme nous l'avons prévu !

Je la regardai fièrement, le sourire aux lèvres. La détermination de ses mots en disait long sur les résolutions qu'elle s'apprêtait à entreprendre. Elle en conclut que Michael avait découvert nos intentions, et que le déclenchement de cette fièvre psychologique était la résultante de la peur d'affronter une vie extérieure qui se trouvait en dehors de sa zone de confort sécuritaire. En bonne mère qu'elle est, Sally alla rejoindre Michael dans sa chambre, passa ses mains dans les gants en latex pour garder le contact physique avec Michael et révéla, par obligation, le déroulement de notre surprise. Elle lui expliqua point par point l'évolution de cette journée, en lui rapportant toutes les mesures de sécurité qui allaient être prises. Sur ces explications rassurantes, ses sens trouvèrent le chemin de l'apaisement, détecté par le relâchement de ses épaules et de sa face qui se décrispaient.

Le lendemain, mission accomplie pour le docteur en psychologie : Sally. Le soin prodigué fit disparaître la fièvre de Michael, et l'organisation de la journée se mettait en branle. Les quatre infirmiers installèrent Michael dans le caisson. Ils me demandèrent de participer au transport, en tenant la bouteille d'oxygène qui y était raccordée et la batterie qui permettait de tenir le caisson à une température confortable. Le docteur, en commandant de manœuvre, donna le coup d'envoi de l'excursion.

Jamie faisait aussi partie du voyage. Elle avait son inhalateur portatif, ce qui lui facilitait le déplacement. Dernièrement, elle avait reçu un message important, qui disait que bientôt, elle allait reformer une vraie famille avec ses parents. Jamie était heureuse de cette bonne nouvelle, et étonnamment, son état de santé s'en fit ressentir presque immédiatement. Elle avait sûrement entretenu une discussion à cœur ouvert avec l'âme de ses parents, sur les conseils de Michael, et apparemment ça a fonctionné. Un autre miracle de la vie, ou une faculté télépathique qui se développait en elle ?

Elle embrassa la vitre du caisson dans lequel se trouvait Michael, en lui recommandant de ne pas essayer de donner à manger aux poissons en vomissant, car ils ne pourraient pas profiter du festin.

Sur le voilier, l'épouse du docteur nous attendait avec leurs enfants. Les infirmiers montèrent à bord et fixèrent le caisson sur une planche dont l'axe central pivotait à trois cent soixante degrés, aussi bien dans la position verticale, qu'horizontale. Michael n'était plus limité à la simple ouverture de la fenêtre de sa chambre pour admirer le monde extérieur et les moniteurs de téléviseurs. Il avait enfin la possibilité d'observer et de ressentir les différents paysages dans n'importe quelle direction et où il désirait que son regard se pose. Il profita de ce moment pour absorber un maximum de sensations, et me souligna les attraits visuels et sonores du port que je lui dépeignais dans mes récits.

Il devait être sûrement accompagné par ses anges, car il fut pris d'une euphorie contagieuse, toute la sainte journée.

La mer était calme. Une brise au fond frais, sifflait dans les voiles, se mêlant aux cris perçants des mouettes, qui venaient animer et compléter l'atmosphère musicale de cet instant. Les conditions de navigation étaient excellentes. Pourquoi, tout au long de cette journée-là, une météo aux allures d'un début de printemps nous était offerte, alors qu'à cette période-ci de l'année, les températures devraient être beaucoup moins clémentes ? Nul ne sait ! La question était suspendue dans nos esprits, mais elle ne voulait pas être posée, de crainte que ça ne vienne gâcher la magie. Comme ce moment dans notre sommeil, où nous rêvons d'un instant délectable, qui à cause de la sonnerie du réveil vient à se fracturer, mais dans un demi-sommeil, qu'on veuille consciemment s'y accrocher, pour ne pas qu'il s'évanouisse. La vie est-elle si moche, qu'on veille rester perpétuellement dans nos rêves ?

L'après-midi se passa paisiblement, et Michael s'était même endormi un instant, bercé par le mouvement des vagues. Nous fîmes le tour des îles du Frioul. Nous contournâmes le fameux château d'If d'où, expliquai-je à Michael, s'échappa le célèbre comte de Monte-Cristo pour aller se venger d'un pouvoir monarchique à l'orchestration de manigances douteuses pour gérer le pouvoir dont il en avait subi les conséquences. Pendant un instant, un banc de dauphins nous accompagna, alimentant un peu plus nos émotions dans cette balade. On finit par assister au coucher de soleil sur la mer, pendant que de l'autre côté, les lumières artificielles de la ville prirent le relais. On jeta l'ancre à un demi-mile du port, d'où le soir, un feu d'artifice devait nous illuminer par intermittence.

Ce soir-là, cette légère brise au fond frais continua à souffler. Elle époussetait les quelques petits nuages qui stagnaient au-dessus de la ville et nous laissaient par là même, devant l'observatoire d'une Voie lactée, des plus féériques. À qui appartient cette robe décorée de strass étoilés, qui scintille dans la froideur du cosmos ? Peut-être à cette lune ronde et pleine qui se mire dans la Méditerranée, se préparant sûrement aux festivités de la nouvelle année. Y a-t-il une célébration réservée, dans l'univers à laquelle nous, petits, n'avions pas été conviés ? Nous étions tous sur le pont du bateau pour admirer ce spectacle. En provenance du port, nous entendions défiler le compte à rebours, chantonné par les cris des badauds, ayant pris de l'avance sur le sabrage du champagne, accompagnés des cris de Jamie qui les imitait tortueusement. Trois, deux, un… Bonne année 2009 !!! Un feu d'artifice jaillit, telles de grandes fontaines de champagne pétillantes. Au gong, nous souhaitâmes la bonne année à l'équipage, et les remerciâmes de nouveau de vivre ces instants inoubliables. Avec Sally et Jamie, nous nous installâmes juste à côté du caisson de Michael d'où nous avions une perspective de vu assez impressionnante. En face de nous brillait cette fameuse lune ronde et pleine, et provenant du port, la projection du feu d'artifice nous donnait l'impression que l'artificier voulait, de ses talents d'artiste, la maquiller de mille feux, et à cela elle souriait, car elle allait être la plus belle au bal céleste.

– Bon anniversaire, mon fils !

Il colla ses deux mains sur la vitre du caisson et nous fîmes de même. Au contact, le verre se déroba sous nos doigts, nous permettant d'avoir la sensation de tenir les mains de Michael.

– Je vous aime, je vous aime ! Vous m'avez offert l'un des plus beaux moments de ma vie, merci, merci, merci encore !

– Nous aussi, nous t'aimons ! lui répondit Sally, heureuse, malgré tout, de vivre ce moment magique, en compagnie des personnes qu'elle aime.

– Et nous serons toujours là pour toi, tu sais !

J'avais du mal à contenir mes larmes qui amalgamaient la joie d'être réunis en famille à cet endroit-ci, mais aussi de peine d'être handicapé par cette dure réalité.

Soudain, Jamie fixa mon regard et curieusement sans mouvoir ses lèvres, elle me transmit ses pensées : « Maintenant, il ne tient qu'à toi de nous rejoindre dans ce monde, tout est rentré dans l'ordre. » Mais, je ne comprenais pas bien pourquoi elle me disait cela, je vivais un excellent moment et…

Le moteur du bateau se mit en marche pour rentrer doucement au port où nous attendait une ambulance, escortée par deux bateaux de la police maritime. Des gyrophares tournoyaient dans tous les sens, assurant sûrement le maintien de l'ordre sur le port.

Quelques jours après cette excursion le froid s'abattit sur l'Europe. Dans la nuit, une vague neigeuse déferla aussi sur la France pour la recouvrir en totalité. Laissant sur son passage quarante centimètres de neige sur les routes, qui neutralisa la circulation, des régions les moins bien équipées, à ce genre de conditions météorologiques. Même dans les annales, une aussi forte précipitation n'avait pas été enregistrée depuis fort longtemps. Toutes les écoles furent fermées par mesure de sécurité. Prolongeant par là même les vacances de Noël de quelques jours, au grand bonheur de leurs locataires.

Très tôt ce matin-là…

– Michael ! Michael ! cria Jamie en refermant la porte derrière elle. Regarde par la fenêtre, il neige !

Michael, encore pris dans son sommeil, les yeux à demi ouverts, avait l'air d'être encore dans son rêve, en voyant toute cette belle neige tomber. Depuis cette escapade en mer, un certain goût de vivre l'aventure l'envahissait et le motivait à stimuler le déclenchement de ses anticorps, pour vivre sa vie.

– C'est comment, la neige ? demanda Michael à Jamie.

– C'est froid, mais c'est magique. Veux-tu que je t'en ramène, pour que tu puisses la sentir ?

– Oh oui ! J'aimerais bien ça Jamie !

Jamie ôta son masque à oxygène, évitant d'en être encombrée au moment de descendre les escaliers, puis s'engagea, d'un pas pressé, dans sa quête, tout en se dissimulant derrière certains recoins, pour ne pas être interceptée par les infirmières. Elle sortit dehors, tout juste vêtue de sa chemise de nuit. Elle prit deux grosses brassées de neige, qu'elle apposa contre sa poitrine et remonta rapidement dans la chambre. Arrivée en haut, son souffle sifflait. Elle prit un bassinet et y déversa la neige. Sur le trajet, la chaleur ambiante jumelée à celle de son corps fit fondre un peu de cette neige sur son vêtement. La fragilité de sa santé aidant, elle fut prise par des quintes de toux à répétition.

– Tu vois c'est ça la neige ! dit-elle en essayant de récupérer son souffle entre deux quintes.

Tout à coup, elle regarda Michael et finit par perdre connaissance.

– Jamie ! Jamie ! cria Michael. Qu'est-ce qu'il se passe Jamie ? Jamie ! Réveille-toi !

Pris de panique, Michael ouvrit la porte de sa chambre de verre, ce qui déclencha le système d'alarme. Ce geste instinctif, il ne l'aurait jamais fait, si ce n'était pour accourir sauver Jamie. Il lui insuffla de l'air dans ses poumons en apposant ses lèvres sur les siennes pour la troisième fois. Il se retira, et un souffle vaporeux opaque sortit de la bouche de Jamie. Il lui réajusta son masque à oxygène et ouvrit la bouteille pour qu'elle puisse reprendre son souffle. Elle reprit connaissance, et tout en lui souriant, elle se rendit compte que Michael était en danger, à l'extérieur de sa bulle.

– Qu'est-ce que tu viens de faire là, Michael? Tu ne dois pas sortir de ta pièce! Rentre! Rentre vite dans ta chambre stérile! Dépêche-toi!

– Ne t'inquiète pas, tu m'as libéré, Jamie! Ne te fais pas de souci pour ça, tout va bien! Alors, c'est ça la neige!

À peine eut-il le temps de dire ces mots, qu'il perdit à son tour connaissance. Dans sa chute, il renversa sur lui le bassinet qui contenait la neige.

À ce moment-là, alertée par les sirènes d'alarmes, Noëlle, l'infirmière entra dans la chambre. Tout en écoutant les explications que Jamie lui relatait, elle demanda d'urgence du renfort par téléphone. Elle lui apposa le masque à oxygène et réussit à ranimer Michael en lui tapotant le visage de petites claques, puis enfila sa combinaison stérile et l'aida à s'installer dans son lit en déclenchant le système de décontamination.

– Tu sais ce que tu viens de faire Michael? Te rends-tu compte des conséquences?

Tout en lui disant cela, Noëlle, se rendait vraiment compte des conséquences que ça allait engendrer. Elle ne pouvait pas maîtriser sa colère. Tout en frictionnant son corps pour le réchauffer, car la fièvre s'emparait de plus en plus de lui, l'émotion apparaissait sur son visage.

Pendant qu'elle faisait cela, Françoise, l'infirmière en chef, m'appela sur mon cellulaire.

– Allô Benito! Oui, c'est Françoise de l'hôpital!

– Quelque chose ne va pas? lui demandai-je, surpris par cet appel!

– Michael a fait une énorme bêtise! me dit-elle.

Et elle me raconta toute l'histoire, en m'indiquant le niveau de santé dans lequel était à cet instant-là Michael. Dans ma tête résonnaient les paroles que le médecin nous disait: « Si Michael est en contact avec un microbe, ça lui sera fatal. » Sur le chemin qui me menait à Sally, je visualisais l'hôpital. Des images venaient fouetter mon esprit. Malgré les précautions prises par les agents de nettoyage, en ces lieux regorgeant de maladies, je voyais le brassage, par des va-et-vient incessants, qui accéléraient la propagation de toutes ces créatures microscopiques pathogènes. Je les imaginais, ou les voyais peut-être, envahir le corps de mon Michael et l'anéantir.

J'arrivai devant la boutique, Sally sortit. Tout deux, équipés de bottes de neige, nous traversâmes le port de Marseille à pied, voyant que la circulation était immobilisée par la neige.

J'ai attendu si longtemps sa première bêtise, eh bien là, me voilà servi ! Elle était de taille, celle-ci !

Les jours passaient, et l'état de santé de Michael se dégradait. Jamie se rendait responsable de cet acte, mais nous la suppliâmes de croire que c'était en lui de porter assistance aux gens et que son instinct avait réagi avant sa pensée. Je lui donnai l'exemple que si une chose pareille s'était produite pour sa mère ou moi, il aurait fait la même chose pour nous secourir. C'était en lui.

Malgré les recommandations des infirmières qui nous demandaient d'aller nous reposer chez nous, nous étions restés constamment sur place pour veiller Michael. Nous nous mettions en position de méditation pour entrer en contact avec lui, mais la fatigue et surtout la tristesse nous empêchait de communiquer avec son âme.

Le troisième soir, nos corps accusant le contre coup de la fatigue, nous nous sommes endormis sur les fauteuils.

Dans la nuit, des déchirements de papier, comme au petit matin de Noël, vinrent nous réveiller. Michael se délectait enfin du contenu de ses paquets cadeaux.

– Mais qu'est-ce que tu fais là ? Rentre vite dans ta pièce ! lui cria Sally.

Elle voulut déclencher le système d'alarme, pour avertir les infirmières, mais rien ne fonctionnait. Elle se mit à crier, mais sa voix ne portait nulle part.

Je regardai autour de nous et demandai à Sally de se calmer, car l'atmosphère qui régnait me rappelait celui de nos voyages astraux, et je compris que Michael avait une raison de nous faire vivre cet instant.

– Michael, tu ne nous fais pas venir ici pour nous annoncer quelque chose qu'on ne veut pas entendre, n'est-ce pas?

Il délaissa les paquets, s'assit sur les jambes de sa mère et la serra fort dans ses bras.

– Ça fait du bien de te sentir, mon fils!

On ressentait qu'un événement relativement fort allait se produire. Nos gorges s'asséchèrent, les larmes se faisaient sentir, nos corps tout entiers vibraient.

– Continue à prendre soin de ton mari et de Jamie comme tu l'as toujours fait. Donne-leur la possibilité de s'exprimer dans leurs propres choix. Tu es une femme formidable. Plus d'une femme aurait lâché à ta place, alors que toi, tu t'es accrochée et tu n'as pas craqué, dit-il tout en lui caressant ses longs cheveux blonds. Et, rajouta-t-il, je voulais te remercier pour ton dévouement et ton courage, tu es une bonne mère, pleine d'amour et d'attention pour les tiens, mais aussi pour les autres, et je t'aime pour ça.

À ces mots, Sally se mit à pleurer à chaudes larmes. Elle anticipait l'issue de ses phrases d'adieu. Et elle répétait:

– Non! Non! Je ne veux pas! Je ne veux pas Michael! Ne pars pas!

Puis, tout en serrant la main de sa mère, tout en la rassurant, il se tourna vers moi et dit:

– Quant à toi, as-tu regardé une fois ce qu'il y avait dans toutes ces boîtes cadeaux que tu as si soigneusement rangées?

– Mais elles sont pour toi, Michael, en attendant que tu puisses les ouvrir! lui dis-je d'une voix sanglotant.

– Ouvre-les et regarde bien, elles sont toutes pour toi Benito!

Surpris, je m'empressais d'ouvrir le premier paquet qui se plaçait sous ma main. Il provenait de Sally. Je déchirai le papier, écartai le rabat de la boîte, et là, apparu son doux visage qui disait:

« Mon amour, depuis cet accident plus rien n'est pareil, ma vie avec notre enfant n'a aucune signification sans toi, tu me manques, j'espère que là où tu es, tu peux entendre mes prières. Je t'aime, mon amour. »

Des cadeaux de sa part, il y en avait un pour tous les jours qui se sont écoulés depuis neuf ans. Je regardai Sally, l'air interrogatif.

J'en pris un autre, et les visages de mes parents apparurent en disant :

« Dieu tout puissant, faites que notre fils ne souffre pas. Qu'il se trouve à côté de vous, car je sais que là, il sera en sécurité. Benito, reviens-nous vite, mon fils. Maman et papa qui t'aiment. »

Puis, à son tour, le visage de ma sœur apparut :

« Mon frérot ! De voir les enfants grandir et de te voir, toi, rester allongé et inerte, nous remplit le cœur de peine. Tes neveux te réclament tous les jours pour que tu les fasses rire avec tes blagues à deux sous. Tu nous manques, reviens-nous vite. Ta sœur qui t'aime. »

« Benito, reviens dans le vrai monde, car ici, tu es mon papa. Tu me manques, Jamie. »

« Ça fait trop longtemps que tu es parti, nous avons encore des choses à partager, mon pote ! Reviens-nous vite ! J.-P. »

Je ne comprenais plus rien. Je me sentais transporté, au milieu des boîtes cadeaux qui venaient, chacune leur tour, de s'ouvrir d'elles-mêmes, laissant apparaître le visage de leurs expéditeurs, qui me livraient leur affection et leur amour. Le plus surprenant était qu'ils provenaient aussi bien de personnes vivantes, dont je n'aurais pas pensé qu'elles porteraient autant d'attachement, que de personnes défuntes, telles que mon parrain, mes grands-parents et mes amis disparus dans des accidents de voiture. Mon émotion était à son comble. Je n'arrêtais pas à mon tour, de pleurer à chaudes larmes.

Michael me regardait, portant sur ses lèvres un sourire nerveux et dit :

– La vie t'offre une nouvelle chance Benito. Prends-la et fonce ! Tu es bon, tu es constructif, tu as de l'amour en toi, c'est une force, ça ! Fais vivre ta créativité. Vas puiser ton imagination dans le cœur du monde et fais ressortir ce qu'il y a de plus profond en toi en le délivrant au monde. Réalise tes rêves, et tu te réaliseras ! Fais vivre l'enfant qui est en toi ! Fais-moi vivreeeee… ! cria-t-il.

À ce hurlement qui venait du fond de son âme, la pièce de verre se mit à vibrer et finit par exploser en mille éclats, et un souffle emplit mes poumons.

– Il s'est réveillé ! Benito s'est réveillé ! Infirmière ! Infirmière !

Je regardai mes mains, puis je touchai mon visage, et je constatai que je n'avais pas de blessures dues à la déflagration. J'ôtai le masque à oxygène qui était apposé sur ma bouche et je vis Sally.

– Ça va, Sally ! demandai-je, surpris et paniqué de voir, que malgré le fort souffle, personne n'avait été blessé.

– Oui ça va, maintenant, ça va mieux ! me dit-elle, c'est le verre d'eau qui s'est brisé par terre qui m'a fait sursauter !

Je tournai la tête à droite, à gauche et tout affolé, je m'écriai :

– Où est Michael ? Hein, Sally ? Où est Michael ? Et, je ne cessai de hurler, « Qu'on me retrouve Michael ! »

CHAPITRE 13

UN RÉVEIL DOULOUREUX!

Le lendemain qui suivit mon réveil, je ne voulais voir personne, à part Sally. J'étais en deuil. Je n'arrivais pas à admettre que Michael avait disparu et que personne ne savait ce qu'il s'était passé. Sally pensait au début que Michael était le fruit de mon imagination. Sur les conseils du médecin, qui diagnostiquait une dépression post-coma, ce qui s'avérait assez fréquent après autant de temps déconnecté de la réalité de la vie, il fallait qu'elle se montre patiente. De fait, au début, Sally acquiesçait aux histoires que je lui racontais, tout en restant perplexe quant à leur véracité, et suivant les conseils du médecin, elle demeurait d'un stoïcisme déconcertant, car la moindre contrariété se transformait en une furibonde hégémonie. Fatigué de m'évertuer à faire admettre mes dires, je finis par la regarder et je ressentis qu'elle avait, elle aussi des choses à me dire, sur le temps de ma soi-disant absence, qui s'était écoulé. Je ne pouvais me résoudre à me dire, qu'elle avait d'autres anecdotes, dont je n'étais pas au fait, restant sur mes positions. Par la suite, lorsqu'elle me prêta l'oreille, c'était pour dire des banalités:

– Tu as coupé tes cheveux? lui demandai-je.

– J'ai toujours eu les cheveux assez courts, mais c'est vrai que j'aimerais bien les laisser pousser. Ça te plairait, à toi, que je les laisse grandir?

– Comme tu veux! Mais je suis sûr que ça t'irait très bien!

Je me retournai, et plongeai dans mon sommeil de dépressif, aidé par des médicaments assommants. Le temps passait, et j'occupais mon après-midi à zapper sur les différents canaux de la télévision. En boucle, des émissions, des d'actualités, relataient de faits marquants, comme pour mieux abreuver la partie émotionnelle des personnes qui les regardent. Ce martelage basé sur les différentes méthodes de marketing pour mieux vendre leurs produits, faisaient leurs effets, car elles conservaient leur auditoire dans le négativisme. Après cela, je me demandai pourquoi je gardai en moi cet état de déprime, qui aux vues de ces images, s'amplifiait davantage. Des homicides, des guerres, des kidnappings d'enfants, des infanticides, la recherche de victimes après des catastrophes naturelles, retrouvés souvent trop tard. Lorsque je restais captivé par toutes ces souffrances, il m'en venait comme des décharges électriques dans les muscles de mon dos.

Désœuvré, je regardais les murs autour de moi, qui étaient dépourvus de boîtes cadeaux, celles qui égayaient la chambre par leur diversité de papiers d'emballage. Mais, elles avaient été remplacées par des petits mots, des cartes, punaisées sur les murs, me souhaitant de bons rétablissements, reconnaissables de loin par les smiles, les bonhommes sourires, qui y figuraient. Ces attentions étaient entrecoupées par de curieux dessins, déterminant l'évolution chronologique d'un artiste en herbe. Par contre, la vue par la fenêtre, restait la même, sur cette vaste étendue d'eau bleue, qui finissait dans l'horizon.

Le soir, je me sentais toujours engourdit dans mon corps, malgré la séance de rééducation et les massages musculaires qui m'étaient soigneusement appliqués par l'infirmière. À ce moment-là, je pris conscience que quelque chose s'était passé, car encore la veille, j'avais un corps d'athlète en pleine capacité de ces moyens, et ce matin je m'étais réveillé dans un corps transformé en un tas d'os recouvert de muscles flasques et tout endolori, sans parler d'une respiration, qui est tout de suite coupée au moindre effort. Et pour couronner le désastre des constatations, malgré mes origines latines, un manque de soleil a eu raison de la couleur de ma peau, à en témoigner de sa blancheur blafarde.

Le surlendemain matin, j'eus droit à la visite de Sally et à une autre surprise. Elles étaient venues me voir aux aurores, car ma surprise me réclamait depuis qu'elle savait que je m'étais réveillé. Elle avait été mise en garde, que je devais être pris avec des pincettes, car mon réveil m'avait quelque peu chamboulé.

– Salut, toi ! me dit Sally, tout en déposant un vase sur la table de chevet, dans lequel se trouvait un bouquet de roses rouges et blanches.

Ces fleurs me déclenchèrent un agréable frisson partout dans le corps. Chaque émotion qui m'était retournée était perçue par mon corps comme une retranscription des valeurs des intentions émises de celle-ci, en une sensation bizarre qui me témoignait de la sincérité de ses vibrations, à fleur de peau.

– Ça fait très longtemps que je ne t'ai pas offert de fleurs, hein, Sally ?

Tout en lui disant cela, une phrase entonnait dans mon esprit, quand Sally prononça ces premiers mots, que je finis par balbutier avec elle :

Blanc, pour la pureté de notre amour, rouge pour la passion sans mesure de nos sentiments.

– Tu me manques ! rajouta-t-elle, la voix serrée et les yeux remplis d'émotion.

Il était vrai que la seule affection que je lui avais témoignée ces derniers jours était seulement celle de lui tenir mollement la main, sans la moindre forme d'émotion.

– Il a l'air plus apaisé, car le soir de son réveil, dit-elle en s'adressant à la surprise, il n'arrêtait pas d'appeler un certain Michael et il criait qu'il était mort lorsque le verre de sa chambre a explosé. Les infirmières ont même été obligées de lui administrer un tranquillisant pour le calmer.

Je ne me rappelais pas ce que Sally rapportait sur la situation de mon soi-disant réveil, je devais être sous l'effet du tranquillisant. En revanche, je me souvenais parfaitement de ce que j'avais vécu ces dernières années, jusqu'au moment de la déflagration. « Pourquoi me parle-t-elle de mon réveil de coma ? Pourquoi me dit-elle aussi que je lui ai manqué ? Aussi loin que portent mes souvenirs, j'ai toujours été avec elle ! Elle était même là lorsque le verre a explosé », me dis-je à moi-même, dans un doute qui s'obstinait.

Je me sentais déboussolé, mal dans ma peau et dans mon corps. Je ressentais bien que quelque chose s'était passé, car auparavant, je me sentais plus léger et là, je me sentais perdu. Mais assez lucide pour voir que Sally était tous les jours de plus en plus belle. Ça la faisait rougir lorsque je lui disais. Pourtant, je lui dis tous les jours que Dieu fait, en me réveillant, en me couchant, dans la journée, qu'elle est une très belle femme, mais ça continue à la faire rougir.

– Alors, c'est qui m'a surprise ?

– Benito, je te présente Jamie…

Je lui coupai la parole, et je leur fis la remarque que moi aussi, je connaissais une petite fille à peu près de son âge qui s'appelle comme elle : Jamie. Et qu'elle n'allait pas tardait à passer, comme à son habitude.

– Allons, Sally ! Tu te rappelles de Jamie ! Elle a grandi avec Michael ! C'est la fille des Delaporta, nos voisins, ceux qui ne viennent jamais la voir, car son père est toujours fatigué. D'ailleurs, j'y pense, elle n'a plus son masque à oxygène ! Elle est blonde, comme toi, et souviens-toi, les gens croyaient même qu'elle est ta fille, tellement elle te ressemble !

À ces paroles, un froid emplit la pièce. Elles se regardèrent toutes les deux, d'un air déconcerté, et cette Jamie, que je ne connaissais pas se mit à pleurer.

– Ce n'est pas un masque à oxygène, reprit Sally, mais un inhalateur de cortisone qui l'aidait à respirer lorsqu'elle faisait des crises d'angoisse, dues au manque affectif et à l'absence de son père !

– Ah! quel salaud, celui-là! leur dis-je, soulignant le rôle important que remplit le parent au sein d'une famille.

– Mais, reprit-elle, depuis quelque temps, elle n'en a plus besoin. Elle sait que son père va revenir à la maison, car il s'est réveillé de sa grande fatigue. Et autre chose, je ne connais pas de Jamie blonde, et celle-ci n'est pas la fille des Delaporta, car ils ont un fils qui s'appelle Marco, et tu l'as vu naître, car c'est toi qui as emmené Alice à la maternité en urgence. Jamie, la brune, est ta fille!!!!!

– Ma fille! Mais à l'échographie, ils disaient que c'était un fils, et on l'a élevé en ensemble, c'est Michael, enfin Sally!

Je dévisageai Jamie. Il me serait difficile de la renier, le teint mat, les cheveux noir et épais comme du crin, et surtout ce regard d'un doré intense, très rare, comme les miens. Une belle petite Sicilienne.

– Mais notre fils Michael? Repris-je.

À cette insistance et à la prononciation du prénom de « Michael », Sally craqua. Elle passa outre les recommandations du médecin, pour me faire subir un électrochoc:

– Il n'y a pas de Michael! cria-t-elle d'énervement. Je n'ai jamais eu de fils! À l'échographie, j'y suis allée avec ta mère, une semaine avant ton accident qui se produisit le trente et un décembre mille neuf cent quatre-vingt-dix-neuf. Je voulais t'annoncer cette belle nouvelle dès ton retour de Lyon, à la réception que donnaient les Delaporta, justement, mais tu es resté tout ce temps, dans le coma. J'avais espoir que tu te réveilles avant sa naissance, mais il n'en fut rien. Alors, j'ai dû élever notre fille toute seule, et parfois avec l'aide de ma sœur Christine et de Paul, son mari, et d'autres fois avec tes parents, qui me la gardaient pour me soulager. Tu le comprends, ça?

Et là, j'essayai de cerner la situation, en énumérant les différentes étapes qui se sont passées dans notre existence commune. Je lui demandais:

– Nous avons bien un magasin? Que nous avons agrandi, parce que la vieille d'à côté, celle qui vendait des macramés, est décédée, et nous y avons fait un institut de beauté dedans, avec deux employées, hein, Sally?

– Elle s'appelait Madeleine, un peu de respect pour les morts, s'il te plaît, Benito, me retourna Sally.

– Et nous continuons à aller à Paris pour faire le salon « Bien être », puis les achats de Noël, comme chaque année? Nous achetons toujours des cadeaux pour les enfants de l'hôpital et le personnel hospitalier? Nous continuons à faire notre petite ballade en bus à touristes, avec le bout du nez gelé, encore cette année? Et on a acheté une maison aussi, non, Sally?

Surprise par la précision de ces faits détaillés, elle fronça les sourcils et me répondit que:

– Oui! En effet, nous avons bien un magasin, que nous avons acheté avant ton accident. Oui aussi, il y a bien eu un agrandissement. Mais, dit-elle d'un ton interrogatif, tout en comptant dans sa tête:

– Seulement, tu as eu ton accident quatre ans après que j'ai fait débuter les travaux pour l'institut, et tu étais déjà dans le coma. Et pour Paris: oui, je continue à y aller! Et oui, je continue à acheter les cadeaux pour les enfants et les infirmières. Mais seule! Cria-t-elle nerveusement. Et je fais toujours notre petite balade, en pensant que tu es avec moi, en écoutant nos airs d'opéra préférés!

– Mais j'étais bien avec toi ma chérie!

– Arrête! Arrête! dit-elle furieuse. Tu me rends folle! Ça fait neuf longues années que je fais tout toute seule. Alors, pour l'amour de Dieu, arrête avec ton Michael! Arrête de me dire que tu es avec moi à plein-temps. S'il te plaît arrête, je t'en conjure! me dit-elle exténuer de s'époumoner à m'expliquer les difficultés qu'elle a endurées tout ce temps.

À ces explications, j'avais l'impression d'avoir vécu comme un fantôme. Être là, sans être vu par quiconque de matériel!

À cet instant, l'infirmière toqua à la porte, entra dans la chambre, et Sally, par pudeur, se retourna et essuya ses larmes.

– Bonjour monsieur Ducielo, vous allez mieux ce matin !

– Mais mon nom, c'est Archangelo, Noëlle ! lui soutenai-je en me retournant vers Sally pour qu'elle acquiesce mon interjection !

Elle aussi me regarda étonnée.

– Non, non ! Votre nom est bien Benito Ducielo ! me dit-elle d'une voix rassurante. En revanche, ce qui était moins rassurant pour elle, c'était que je sache son sobriquet !

– Comment savez-vous que mon petit nom est Noëlle ? Ici, on m'a toujours appelée Emmanuelle ou Manue, et c'est seulement que dans ma famille qu'on m'appelle Noëlle. Et hormis les monologues que j'entretenais avec vous, étant donné que vous étiez dans le coma, c'est la première fois que nous avons une réelle conversation ensemble !

– Je suis en train de devenir fou ! Je regardai Noëlle et lui dis :

– Tu es née la veille de Noël. Tes parents étaient tellement heureux de t'avoir eue en cadeau ce jour-là, car ils ne t'attendaient, que quinze jours après, que le cœur rempli de joie que tu sois née ce jour-là précisément, ils t'ont surnommée ainsi ! Tu as trois enfants, et nous avons souvent parlé de choses paranormales ensemble et de l'état de santé de Michael ! C'est quoi, ce complot que vous montez contre moi ? leur disais-je, excédé de ne pas savoir ce qu'il se passait à ce moment-là.

Stupéfaite par ces paroles elle se tut. Puis changea de conversation le visage effrayé, comme si elle venait d'être surprise par des fantômes.

– Le docteur va venir vous rendre visite vers neuf heures ce matin et il va vous expliquer certains phénomènes qui se passent lorsqu'une personne comme vous revient à elle.

– Tu m'inquiètes, Benito ! Je sais qu'avant ton accident, tu avais souvent des prémonitions, des flashs, et parfois tu as vécu des faits inexpliqués, mais là, tu me fais vraiment peur ! me dit Sally.

– Comment ça : « comme vous » ? retournai-je à Noëlle. Moi aussi, figurez-vous, je m'inquiète. Je ne comprends plus rien à ce qu'il m'arrive ! Je sais que nous avons un fils qui s'appelle Michael, nous l'avons élevé à l'hôpital. Il a grandi dans une pièce de verre, car depuis sa naissance, son organisme ne fabrique pas d'anticorps, et Michael a aidé des tas de gens à guérir. Je te dis que je connais toutes les infirmières de cet établissement…

À leur façon de me regarder, je ressentais bien qu'elles ne me croyaient pas.

Dans une détresse absolue, je me laissai submerger par l'émotion, car aucune issue ne s'offrait à moi, pour leur faire comprendre ce que j'avais vécu, et qui peu à peu, commençait à se transformer en doute dans mon esprit.

Noëlle reprit son rôle d'infirmière et me massa les muscles pour les stimuler, tout en écoutant mes propos sur Michael. Il lui revint à l'esprit le souvenir où le nom de Michael revenait souvent dans les confidences de ses malades. Elle nous fit part d'une anecdote qu'elle avait elle-même vécue, il y a quelques années en arrière, qu'elle voulut nous faire partager.

– Attendez voir ! La première fois que j'ai entendu parler d'un Michael dans une pièce de verre, c'était, euh… je m'en souviens bien, j'étais de garde ce soir-là, et un enfant dont le prénom m'échappe, après qu'il soit sorti du coma, puis remis sur pied, cherchait dans tout l'hôpital un autre enfant de son âge qui s'appelait Michael. Il me disait que c'était ce garçon qui l'avait aidé à comprendre pourquoi il était passé par cet état-là. Que grâce à une bonne compréhension et acceptation de ses explications, il s'en était sorti. Ils avaient joué ensemble, mais surtout, échangé des idées pour construire l'avenir dans l'électronique. Ce jeune homme m'avait dit aussi que ce fameux Michael avait aussi aidé son père qui s'était suicidé après ce terrible accident, car il buvait trop et qu'il s'était rendu responsable de celui-ci. Ah oui ! Je me souviens qu'il avait dit que Michael avait permis à son père de retrouver son chemin dans « le cœur du monde ». Je trouvais ce terme beau, « le cœur du monde » pour définir le lieu d'accueil après la mort. Mais c'était un enfant. Alors, pour lui faire plaisir, je fis des recherches sur les admissions d'entrées et de sorties pour essayer de retrouver ce fameux Michael, mais aucun résultat ne relatait d'historique sur un Michael de son âge. Vous savez comment sont les enfants, ils se racontent souvent des histoires lorsqu'ils sont seuls. Un jour, alors que j'arrivais pour vous masser les muscles, je l'avais justement surpris dans votre chambre. Sans le brusquer, je lui demandai ce qu'il faisait là, et il me répondit que Michael était à ce numéro de chambre, mais dans une pièce de verre. En vous voyant allongé dans ce lit, je lui confirmai que ça faisait des années que vous occupiez les lieux. Il ne comprenait pas où Michael se trouvait, car ce numéro de chambre correspondait bien au sien ! Allons… Comment s'appelait-il ce jeune homme ? Euh… laissez-moi réfléchir un instant…

Je pris la parole et dis :

– Il s'appelait Jean-Louis ! C'est ça, Noëlle ! Jean-Louis ! Puis il y eut d'autres personnes qui furent guéries « miraculeusement », suite à ça, n'est-ce pas ? lui demandai-je, convaincu de mes propos.

– Oui ! Oui ! C'est tout à fait ça… Jean-Louis ! Comment le savez-vous ?

Un moment passa.

– Je me souviens, les responsables de l'hôpital s'enorgueillissaient de ces miracles ! Mais eux-mêmes ne savaient pas comment toutes ces guérisons spontanées survenaient. Certains ont même profité de cette publicité gratuite pour extorquer de l'argent à des familles qui attendaient la guérison d'un proche, en les attirant dans cet hôpital et leur montrant par des statistiques, que le taux de miracles était bien plus élevé ici qu'à Lourdes, et que ça deviendrait un jour le nouveau pôle attractif de la cour des miracles. Et certaines compagnies pharmaceutiques, profitaient aussi de cette aubaine pour crier haut et fort que c'était leurs médicaments qui étaient à l'origine de toutes ces guérisons. Tous y allaient de leur propagande, pour s'attirer à eux les grâces des sacro-saints et Dieu Argent.

Je rajoutai à ces paroles :

– Une situation, qui était à la base « magique » pour les personnes qui en ressortaient, devenait sinistre par rapport à l'esprit humain qui veut toujours tous transformer à son avantage, sans jamais reconnaître que d'autres alternatives de guérison existent, en jumelant et sans renier les progrès qui sont faits au niveau de la recherche scientifique. En fait, la politique de ces gros bulldozers de l'industrie pharmaceutiques est « comment faire de l'argent en soignant des gens ». Car les guérisons alternatives ne se mettent pas en gélules. Au détriment de « comment soigner des gens sans leur vendre des placébos, mais en approfondissant la cause d'une maladie par une traduction du pourquoi le déclenchement de cette maladie-ci », en procédant comme une investigation, en menant une enquête, en fouillant dans les profondeurs de notre âme. Retrouver la cause souche qui a affecté l'émotivité psychologique causant celle-ci. Car la maladie qui s'est développée dans le corps est le reflet de son mal-être, et selon l'endroit dans le corps où elle se déclenchera, on aura des indices quant à sa guérison car le corps fait office d'émetteur de signaux de douleurs affectifs. Et aussi en partageant plus d'intérêt d'amour que d'intérêt financier. Mais cela ne rapporte pas ! Il leur faut des malades.

– C'était à peu près en ces termes, que ces propos nous étaient rapportés par les miraculés ! Nous dit Noëlle.

– Je m'en souviens ! souleva Sally, tout en me regardant, ébahie par la théorie que je venais de développer. J'enrageais même contre Benito, à l'époque, en lui demandant pourquoi il ne guérissait pas miraculeusement lui aussi ! Et pourquoi des gens attendaient parfois derrière la porte de sa chambre.

Pendant que nous discutions, Jamie avait ouvert son ordinateur portable, puis s'était connectée à un jeu en ligne. Je tournai la tête vers elle et m'aperçus que c'était le jeu avec lequel l'autre Jamie blonde jouait en compagnie de Michael.

– Tu as pris la nouvelle extension ? Lui demandai-je.

Sally, les yeux écarquillés, regarda Jamie, surprise du fait que je sache à quoi se rapportait son jeu. Mais Jamie n'en fit pas cas et répondit à ma question.

– Non, car je n'arrive pas à finir ce niveau, depuis quelque temps, je me sens un peu perdue !

– Ah ! toi aussi ! lui dis-je cyniquement.

Et elle reprit :

– Avant, ma progression dans le jeu avançait plus rapidement, mais j'ai l'impression qu'il est de plus en plus dur à comprendre !

Je lui souris.

– Quand tout ça sera moins embrouillé dans ma tête, si tu veux, on pourra jouer tous les deux, nous avons un ami en commun qui m'a expliqué comment on s'y prend. Hein ? Ça te plairait ?

– J'adorerais ça ! me répondit-elle en me regardant fixement avec ses jolis yeux couleur or.

Le docteur, à son tour, entra dans la chambre. Il était distant et froid. Je lui expliquai, ce qu'apparemment je n'ai pas vécu, et il me répondit qu'il était très rare que des patients qui sortent du coma se rappellent de ce qu'il s'était passé pendant cette période avec autant de précisions. Ceux, en revanche, qui s'en souvenaient, ou croyaient s'en souvenir, pensait-il, faisaient un amalgame de faits marquants dans leur vie antérieure à leur état de coma et projetaient ces antériorités en les transformant dans leur esprit par rapport à leur propre vision de leur espace cérébral. Ils fabuleraient, en d'autres termes.

J'étais déçu de cette réponse et de son comportement. Je pensais qu'il approfondirait un peu plus, lui avec qui j'avais eu de grandes discussions sur des sujets d'invention. Que je trouvais doué, sensible et passionné dans son travail. Avec qui Michael entretenait des réflexions sur ses recherches et l'aida même à breveter de nouvelles compositions moléculaires pour faire un nouveau médicament. Là, il était indifférent, il ne s'appuyait plus sur l'enthousiasme de son instinct, sur ses ressentis. Il ne faisait plus qu'interagir ses pensées endoctrinées aux schémas types de ses connaissances. Il ne faisait plus qu'appliquer son quotidien, sans motivation. J'attendais autre chose comme explication. « Je te prouverai que je ne fabulais pas », me dis-je en moi-même. Il me prescrivit une série de médicaments, puis m'annonça que dans quelques semaines, selon mon état psychologique, je pourrais sortir, et bien sûr, je devrais suivre des séances chez le kinésithérapeute pour mon corps. Puis, pour le mental, des séances chez un psychothérapeute, et il sortit rapidement de la chambre avec Noëlle.

Jamie demanda un peu de monnaie à sa mère pour prendre un chocolat chaud au distributeur qui se trouvait au rez-de-chaussée. J'étais seul avec Sally, je profitai donc de cette occasion pour la questionner sur des choses plus intimes.

– Dis-moi, Sally, j'ai souvent cru que nous faisions l'amour tous les deux, mais ça me paraissait tellement vrai !

Sally se mit à rougir comme une petite fille qui passerait aux aveux d'une bêtise qu'elle aurait commise effrontément.

– Tu sais, Benito, dit-elle un sourire gêné aux lèvres, parfois je surprenais Kim, la kinésithérapeute, qui venait te masser pour stimuler tes muscles, et je dois avouer qu'au début, ça me rendait un peu jalouse qu'une autre femme puisse te toucher et pas moi, comme je le souhaitais. Kim le sentait, à mon regard gêné et crispé, que quelque chose m'incommodait. Un jour, elle me demanda de m'approcher de toi, elle enduisit mes mains de crème décontractante, puis se mit en face de moi et me montra les gestes à effectuer dans la longueur de tes muscles. Elle éteignait toujours la lumière. Des rayons de soleil pénétraient la pièce à travers le store vénitien et faisaient scintiller ta peau. Ensemble, nous avons appris à coordonner nos gestes. Lentement nous te massions, laissant pénétrer nos mains sur ton corps et parfois, à voir la serviette se lever, nous étions persuadées que ça te stimulait réellement. Je dois aussi avouer que cette situation m'excitait. Nous deux sur toi, et moi à qui l'amour charnel manquait. Alors, après qu'une longue formation me fut donnée, je venais au moment du déjeuner, en accord avec

Françoise, pour te masser. Je fermais la porte à clé derrière moi. Je te déshabillais et parfois, je me déshabillais aussi, et je te stimulais tous les muscles, sans exception, et ça te faisait toujours de l'effet.

– Ça fait du bien de te voir sourire! me dit-elle.

Et nous nous mîmes ensemble à repenser à cette situation. Je lui avouai par la suite que j'ai vécu cette expérience, mais qu'apparemment dans le coma, je pouvais ressentir ce que réellement les gens pouvaient penser, et que le moment d'érotisme qu'elle me décrivait, était beaucoup plus intense, car que ce soit Sally, Kim ou moi, nous étions plus impliqués dans l'action.

Refusons-nous à passer à l'acte, dû à notre pudeur ou à notre éducation? Réaliser le fruit de notre imagination et la créativité que cela engendre fait-il de nous une personne empreinte de vices? Le passage à l'acte dévoilerait-il le vrai fond de notre personnalité, ou est-ce le réveil de certaines mémoires pleines de frustrations dans ce domaine qui aimerait être assouvies? Ou encore allons-nous faire absorber de cette substance de frustration à nos mémoires éponges, au risque qu'une fois atteint le trop plein, cela nous déclenche une nouvelle fois tout un tas d'étapes successives qui finiraient par nous développer une nouvelle maladie?

Le regard de Sally était perplexe. Aurait-elle aimé me partager avec quelqu'un d'autre tout en participant à l'ébat, dans le respect des sentiments de chacun? Nous parlions d'un autre niveau d'amour. L'idée l'excitait, mais le passage à l'acte serait plus difficile à franchir, car tout un mécanisme de questions sur la moralité, se mettrait en branle dans son esprit. Tous ses principes seraient à reconsidérer!

À ce moment-là, Jamie revint avec son chocolat chaud et une surprise de taille: mes parents. Ils se mirent chacun d'un côté et ne cessèrent de m'embrasser. Tout aussi rempli d'émotion, je leur rendis leurs baisers. Cela fit rire Jamie. La voix enrouée, ma mère, ne pouvant plus se contenir, me dit avec son accent italien:

– Tu ne voulais plus nous voir, hein ! Ça fait deux jours que tu es réveillé et nous ne pouvions même pas te voir ! Nous, tes parents ! Tu ne nous aimes plus, hein ? Nous avons passé des journées entières à attendre que tu te réveilles, et à ton réveil tu ne veux même pas qu'on te rende une visite.

Je les rassurai et leur fis comprendre que mon état de santé mental n'était pas au mieux et que je ne voulais pas qu'ils me voient ainsi. Puis j'entamai la conversation en leur posant des questions, et eux voulaient me tenir au fait de tout ce que j'ai apparemment raté comme événements. Ils commencèrent à m'énumérer ensemble les moments où ils étaient présents à l'hôpital et ce qu'ils faisaient pour me stimuler, me réveiller.

– Nous écoutions des airs d'opéra, car tu as toujours aimé ça. Ton père, assis sur le fauteuil et moi sur la chaise, on priait le Bon Dieu qu'il te rende à nous sain et sauf ! me dit ma mère.

– Maman, papa, bien sûr que je vous aime et je vous aimerai toujours ! Vous avez toujours été si bons, mais depuis que je me suis réveillé, je ne comprends plus rien.

Je regardai mon père, et je m'aperçus qu'il n'avait plus sa canne. Je lui fis aussi la remarque qu'il avait l'air d'être en bonne santé avec ses kilos en moins. Ce qu'il me confirma avec véhémence.

– Oui, ça fait quelques années maintenant que je n'ai plus de canne. Un soir, j'ai fait un rêve où j'étais tellement gros que j'en étais impotent, et j'ai eu peur. Alors, j'ai pris le téléphone et j'ai eu un entretien avec une nutritionniste. Avec elle, nous avons réorganisé mon alimentation, et rien qu'en équilibrant mes repas, avec maman on a perdu elle neuf et moi quinze kilos. J'ai aussi arrêté de fumer et de boire de l'alcool, mais toujours un peu de vin en mangeant ! souligna-t-il. Nous faisons de longues marches et de la natation aussi avec ta mère. Voilà mon secret, qui n'en est pas un à vrai dire, et au fur et à mesure, je n'ai plus eu besoin de ma canne ! Et regarde ce corps d'athlète.

– Super! C'est bien pour tous les deux, je suis vraiment heureux que vous soyez en pleine forme! Et au fait, ma sœur, comment va-t-elle? Elle s'est enfin mariée, hein?

– Mais comment le sais-tu? me demanda ma mère.

– Oh! Il me semblait logique qu'après lui avoir donné deux beaux garçons, et fleur bleue telle que je la connais, elle l'a fait changer d'avis sur le mariage, ce rustre! Ne pouvant pas leur dire que j'ai, moi aussi, assisté à leur mariage.

Et Sally reprit:

– Quand j'ai dit à ta sœur que tu étais réveillé, mais que tu ne voulais voir personne pour le moment, elle a fondu en larmes. Tu lui manques horriblement.

– Elle aussi, elle me manque. Dès que je serai sur pied, j'irai lui rendre une petite visite.

– Je crois, entre nous, que c'est elle qui va venir te voir la première, avec ton accord ou pas! dit ma mère en riant.

La journée passa, et je sus tous les potins de tout le voisinage.

J'avais hâte que ce séjour à l'hôpital se termine pour enfin voir ce qui se passait au-dehors. Jamie s'approcha de moi pour me faire un bisou, et me susurra à l'oreille, comme si une autre personne s'adressait à moi par sa bouche:

– J'ai oublié de te dire, « papa », que Michael va bientôt venir te voir, et qu'il a vraiment été heureux d'entendre que tu étais parmi nous dans ce monde.

– Que dis-tu?

Puis elle reprit sa voix de petite fille.

– Bonsoir, papa!

– Bonsoir, ma fi… Jamie!

Malgré toutes ces bonnes nouvelles qui ont résonné dans ma tête durant toute la soirée, la dernière note était suspecte. Elles mirent leur manteau, m'embrassèrent chacune à leur tour de nouveau, et j'attrapai Jamie par la taille en la chatouillant, puis je serrai le bras de Sally en lui demandant si, demain à sa pose déjeuner, elle voulait bien venir me masser. Elle sourit, gênée, puis me fit un clin d'œil décalé en signe d'acceptation et elle referma la porte derrière elles.

J'étais heureux que mes proches m'aient rendu visite. Je m'étais calmé, mais je n'arrivais pas à me résoudre que durant neuf ans, j'étais bien dans le coma, que tout ce que j'avais vécu n'était qu'une illusion. Il y avait bien trop de similitudes et de rapprochements pour que tout cela ne soit que le fruit de mon imagination. Ça voudrait dire aussi que j'aurais dû passer physiquement à côté de nombreuses fêtes, de moments de joie, d'anniversaires de ma fille Jamie et pas ceux de Michael. C'était inconcevable pour moi, surtout après ce que Jamie venait de me dire. Je comptais bien aller chercher des réponses là où je savais les trouver.

J'allumai le poste de radio, et tout en cherchant un canal qui correspondait à mon état du moment, c'est-à-dire mélancolique, j'entendis « Diana » de Paul Anka. En écoutant cette chanson, je me rappelai de ce que Michael me disait à propos des différentes ondes :

« La vie, c'est comme un poste de radio, certains écoutent la même station, d'autres ont la possibilité d'écouter plusieurs fréquences en même temps, mais ce qui est sûr, ce n'est pas moi le directeur d'antenne ! »

J'avais tout de même une question qui me trottait dans la tête :

« Mais pourquoi Michael absorbait-il tout mon temps et mon attention ? »

Pour répondre à cette question, il fallait que je rentre dans le cœur du monde.

CHAPITRE 14

UN SOIR DE LUMIÈRE !

Noëlle entra dans la chambre pour vérifier que tout allait bien. Elle me remplit un verre d'eau pour la nuit, qu'elle posa sur la table de chevet, tout en me faisant la remarque, que mon cas attisait de nombreuses conversations parmi le personnel du milieu hospitalier. Un rictus nerveux s'afficha sur son doux visage, sous forme de sourire gêné, voulant m'en dire davantage sur la situation. Devant mon regard stoïque, elle fit demi-tour, comprenant que je n'étais pas intéressé à parler de ces propagandes de couloir. Elle referma doucement la porte derrière elle, en me souhaitant de passer une bonne nuit. Si j'avais porté un tant soit peu d'importance à ces élucubrations qui courraient à mon sujet, je m'encombrerais l'esprit de pensées néfastes, qui alourdiraient mon ascension de mouvances diffamatoires, auxquelles j'aurai dû me justifier par des faits palpables, et qui aurait fini en débat stérile. De cela, je n'avais point envie et point la force. Ma journée m'avait éprouvé.

Le regard fixe, une seule idée en tête : avoir des réponses à mes questions, et j'étais bien déterminé à en obtenir pour percer le mystère.

J'essayai de trouver en moi la paix, afin d'être en contact avec mon cœur. Je pris plusieurs grandes respirations de plus en plus fortes. Je me délestai de petites pensées nuisibles à mon ascension, pour emprunter mon chemin intérieur et me retrouver dans ce formidable endroit de pureté. Malgré tous mes efforts, j'éprouvais une grande difficulté à atteindre une concentration optimale comme auparavant, dans le lot de ces petits bruits qu'apporte la nuit à l'intérieur d'un hôpital. Après plusieurs tentatives, en tournant la tête en direction de la fenêtre, je trouvai la solution pour parer aux bruits pollueurs qui venaient altérer ma méditation. Sur la table se trouvait l'imposant casque audio de Jamie, qu'elle avait dû oublier avant de partir. C'est tout de même bizarre qu'elle l'ait oublié quand moi j'en avais besoin. J'arrêtai de m'interroger sur les coïncidences ou les faits du hasard de la vie. J'accrochai donc le casque à mes oreilles, puis aidé par la luminosité du clair de lune qui me permettait de discerner plus facilement l'emplacement de chaque objet dans la pièce, j'installai le premier compact disque qui me vînt sous la main. La musique m'isola complètement de la nuisance sonore externe, et je pus enfin exécuter mon rituel d'exercices, en reprenant de grandes respirations pour ventiler mon corps, pour me laisser glisser dans mon antre. Ça y est! Je captais la vibration musicale qui m'était offerte. Elle venait me calmer, en caressant une partie de moi qui avait besoin d'être apaisée, relaxée. Ces sons plus harmonieux résonnaient dans mes tempes. Des rythmes aux vibrations de la nature venaient rassurer mes sens. Je me laissai bercer par le chant du vent sifflant dans les feuilles d'un arbre associé au clapotis de gouttelettes retentissant dans les flaques. À l'écoute de cette musique qui s'intensifiait, venait se dessiner dans mon esprit un cours d'eau qui prenait naissance dans l'activité dense d'un orage. Suivant sa course, il jalonnait une piste que la gravité lui définissait, en s'installant dans l'éphémère lit qui lui était destiné, le temps qui lui était imparti. Il envahissait différents milieux naturels, faisant accélérer ou ralentir sa course selon les dénivelés ou les obstacles qui se présentaient sur sa route. Allant par là même s'agréger à d'autres cours d'eau pleins de vie, aux destins distincts, mais pour une évolution commune, faisant naître ainsi ensemble un courant plus imposant, pour subsister le plus longtemps possible dans le temps.

Au bout d'un moment, les rayons du soleil traversèrent les derniers nuages du troupeau, leur façonnant de longues pattes de lumière, afin de leur donner la possibilité de paître paisiblement l'herbe givrée, sur les flancs de ces hautes et majestueuses montagnes. Cette éclaircie rendit à la nature le chant d'une faune volatile plus intense, qui venait installer un fond sonore musical à ce paysage, laissant présager les prémices d'une période printanière. De volubiles prestations nuptiales venaient mettre en exergue leurs distinctifs et formidables atouts de séduction. Pour certains, un exercice de force se présentera à eux, démontrant à la promise convoitée, que la lignée sera assurée d'un puissant ADN de champion. Pour d'autres, un défilé de parures colorées, délicatement lustrées, mettra en scène leur goût de l'esthétique et leur raffinement en avant. Pour d'autres encore, leur talent de bâtisseur et de décorateur déterminera la valeur des gènes à transmettre auprès d'une conquête soucieuse de la protection et du devenir de ses progénitures. Mais le plus perspicace est certainement celui qui, en plus de ses attributs particuliers, maîtrisera le déploiement de son organe, et pas des moindres, en jouant de vocalises, d'où une mélodie enchanteresse subjuguera sa future prétendante.

À l'écoute de ces mélodies, il est à peu près sûr que l'origine de la musique et de ses compositions, vient de ce même schéma pour séduire et conquérir le cœur de sa future prétendante. Forçant l'homme à s'inspirer de la nature par son génie, en utilisant dans un premier temps son propre instrument vocal à deux cordes, puis en l'harmonisant dans le prolongement de ses bras, par des instruments musicaux aux résonances acoustiques rythmées.

J'étais donc en conditions favorable pour partir dans ma quête, pour me libérer de cet habit de victime, et dénouer cette situation de confusion totale qui régnait en mon être, pour prendre en main ma vie.

Enfin, me voilà dans ce fameux corridor dont j'avais, au fur et à mesure de mes ascensions, animé de souvenirs émotionnels les murs qui l'ornaient. Des photos avec mes proches et de certaines de mes rencontres amicales et amoureuses dans des moments agréables, s'animaient sur mon passage, me demandant de ne pas les oublier. Des dessins et des croquis en faisaient aussi partie et se reconstituaient chronologiquement avec l'idée l'émotion, bonne ou mauvaise, qui les avaient fait naître. Tiens ! « l'homme de Vitruve » y est aussi ! C'est original, cet hologramme ! Mais à y regarder de plus près, je me rendis compte qu'aucune médaille de grand vainqueur n'y figurait par manque de réalisation. Des actions de servitudes, des gentillesses étaient reconnues, mais pas celles de réels trophées.

Je me trouvais devant l'antre de mon cœur. La lumière qui ornait celui-ci était toujours aussi douce et puissante d'apaisement. Au vu de ce lieu, mon corps astral se détendait, se relâchait, pour mieux absorber l'effluve de ses sens. Ici, pas de mensonge, tout y est vite détecté. En cet endroit, il n'existe que la vérité !

J'apposai ma main sur la poignée de la porte, et me voilà transporté directement dans l'idée ou plutôt les questions pour lesquelles je me rendais à cet endroit précis.

Je siégeais à l'intérieur d'une salle sphérique où j'étais le noyau central, en sustentation au cœur de mon univers. Une musique d'ambiance, sollicitant l'harmonie d'un piano et d'un violoncelle, venait prendre le relais de la musique qui m'avait permis de me rendre ici. Je ressentais ces deux instruments résonner en moi. Tout ce que j'observais autour de moi m'évoquait la perception dont « j'aurai pu aborder la vie », en comparaison avec comment « j'ai vécu ma vie. » Comme si j'étais en face de deux mondes similaires, mais réalisant des actes différents qui relataient des tranches différentes de ma vie, de ma naissance jusqu'à maintenant.

Au-dessus de ma tête, des engins volants qui me fascinaient étant plus jeune faisaient des va-et-vient dans un ciel d'été bleu azur, parsemé de petits cumulus blancs aux formes angéliques. Je reconnaissais ces modèles, car j'en avais fait les schémas, puis l'idée me semblait intéressante à exploiter, et j'en avais constitué les plans. Mais le manque de confiance en moi, m'avait empêché de les concrétiser, en proposant ces concepts à des fabricants. Pourquoi ? Je n'en sais rien ! Autour de ce projet flottait comme une sensation bizarre de peur. Elle n'émanait pas de la viabilité de cette idée, mais d'une peur qui provenait du profond de mon antre qui se persuadait de sa non-réalité en disant : « Et si tout ça n'était que des foutaises ? Je ne suis même pas concepteur d'avions, et me voilà en train de croire que mon avion pourrait voler, à cause d'idées farfelues qui me passent par la tête. » J'étais si honteux de les voir concrétisées, virevoltant au-dessus de ma tête, que j'en baissais les yeux.

Et là, accrochée à mes pieds, une autre idée que j'avais eue et qui se démarquait de ce qui existe déjà sur le segment de marché de l'embarcation mono ou biplace flottante, et dont la pratique aurait pu s'effectuer sur des lacs, des rivières et la mer. Là encore, ce même sentiment de peur venait envelopper cette idée-là.

La chambre de mon enfance où j'imaginais, ou percevais, toutes ces fameuses idées, se matérialisait autour de moi. En face de mon bureau, sur la totalité du mur, un grand poster à la nature tropicale luxuriante sur de gigantesques hauteurs de montagnes y occupait la place d'honneur, avec ces couleurs vives et captivantes. Laissant place à mon imagination débordante de vagabonder en toute liberté, dans des aventures liées aux émotions du moment, je portais mon regard sur le coin du bureau, où se trouvait une pile de projets non réalisés. Tout à coup, chacun des dossiers se mit à réémerger de ma mémoire, en s'accomplissant dans l'environnement dans lequel il avait été pensé. Je les réinvestissais avec jubilation, un sourire aux lèvres, ressentant ce plaisir que j'avais à baigner ici, dans le sanctuaire de mes pensées, pour les concevoir. La voix de ma mère résonnait encore, en provenance de la cuisine, qui disait : « Viens manger ! Le repas va refroidir ! » Et moi de lui rétorquer : « Dans cinq minutes, j'ai presque fini. Commencez à manger j'arrive ! » Mais ces cinq minutes avaient toujours une démultiplication dans le temps, car une idée en amène une autre, et l'empressement de la vivre dans ma tête avant qu'elle ne s'envole faisait primeur. Et le repas était encore à réchauffer.

Les raisons pour lesquelles ces idées avaient été soigneusement pensées étaient toujours pour atteindre un seul but : celui de faciliter et d'améliorer le quotidien dans tous les domaines qui régissent notre vie, et profiter du temps épargné, l'utiliser pour se procurer du plaisir avec d'autres inventions plus récréatives. En observant tout ceci, je prenais conscience que j'avais créé un monde à mon image, et qu'évoluer dans cette atmosphère-là, convenait à ma personnalité : que ce besoin de créer était en moi depuis toujours, car ce que je voyais du monde réel ne me convenait pas. Je réalisais aussi que tout était en moi, les solutions pour trouver ma voie dans la vie, ce qui n'était pas une évidence jusqu'alors. Mais une fois encore, flottait tout autour de moi un sentiment qui était imprégné de cette odeur de la peur. Pourquoi cette odeur est-elle continuellement omniprésente, dès lors que j'ai l'ambition de réaliser un nouveau projet ?

Soudain, Michael apparut en face de moi. En un instant, une explication me fut donnée sous forme de l'effet d'un morphing physique, ou du dernier souvenir que j'avais de lui enfant. Il vieillit de quelques années jusqu'à reprendre l'aspect de la toute première fois, dans l'église de ma paroisse, où il descendit de son piédestal, lors de la célébration du jour de Pâques, pour se présenter à moi. J'avais six ans. Depuis ce jour, il m'avait accompagné dans mon évolution d'adolescent, jusqu'au fameux jour où je perdis totalement la foi. Le jour de ma plus forte déverrouillée, où après cela, je lui avais fermé ma porte, car je ne croyais plus en rien. J'avais dix-huit ans à l'époque. Quelques mois s'étaient écoulés lorsque je voulus reprendre contact avec lui. Mais plus un signe qu'auparavant j'aurai pu décrypter. Il m'avait abandonné, comme moi je l'avais fait sur un coup de colère, croyais-je. Suivirent des années d'errance, de débauche et d'échecs successifs. C'est l'amour de Sally qui m'a permis de tenir jusque-là. Et lorsque nous avions investi dans un commerce, sur l'idée de Sally, et que j'avais enfin l'impression qu'avec ce nouveau départ tout allait rentrer dans l'ordre, un accident survint, suivi d'années d'illusions, où il n'y existait pas d'actif de ma part.

Michael se tenait droit devant moi, tout illuminé d'une lumière d'un blanc si pur et si intense que mes yeux mirent un moment avant de s'habituer à le regarder fixement. Un souffle froid qu'il m'était familier de ressentir pénétra mes vibrations à son contact. Les battements de mon cœur ne cessaient d'accélérer tel un roulement de tambour. Aucun mot ne pouvait sortir de ma bouche. Ma gorge se nouait et j'avais beau déglutir pour la détendre, rien n'y faisait. Même les muscles de ma bouche ne répondaient pas à leur rôle fonctionnel. Une vague d'émotion étreignait mon corps, et je contins mes émotions en serrant les dents, tout en gardant crispé mon visage, afin de résister à toute cette puissance qui voulait s'extirper du fond de mes entrailles. Mes yeux se brouillaient.

Michael me regarda et dit :

– Je sais lire dans tes pensées, tu t'en souviens !

À cet instant, il ressentit la colère qui me tétanisait et parla à ma place :

– Toi ! Qui que tu sois ! Pourquoi t'es-tu fait passer pour mon fils ?

Puis il reprit sa place et répondit :

– Ce n'est pas moi qui t'ai abandonné, c'est toi qui t'es fui. Tu n'avais plus foi en rien, avant cet accident. C'était la seule manière pour moi de t'aider à retrouver la foi en tes rêves et de prendre soin de ta personne, car tu ne le faisais plus, « prendre soin de toi ». Tu t'étais mis à boire déraisonnablement, jumelé à des prises de drogue, devenant, par ces absorptions de produits dévastateurs, irrespectueux et infâme. En me faisant passer pour ton fils, là, avec ton cœur protecteur, j'étais sûr que tu y ferais plus attention. Et cela a permis de réveiller l'enfant créateur qui est en toi et l'amour qui y abonde !

– Aime-toi Benito ! Aime-toi comme tu es ! Accepte-toi avec ce qui t'a été donné à ta naissance et qui est ta personnalité ! Tu sais, si je brille autant, c'est toute ta richesse intérieure que tu vois devant toi. Ta bonté, ton amour, ton sens aiguisé de l'observation, qui font que tu veux améliorer les choses autour de toi ! Pour le bien de tous, mais qui reste frustré en toi, car tu as peur de t'ouvrir au monde. Tu dois faire sortir toute cette beauté pour être en harmonie avec toi-même. Pourquoi en as-tu si peur ? Si tu continues à garder cela en toi, ça va se transformer en mal. Ce mal va te ronger de l'intérieur sans te prévenir, petit à petit. Des maladies vont apparaître, de plus en plus fortes et elles vont t'anéantir, car tu n'auras pas voulu exprimer ce que tu es réellement. Tu le sais, maintenant tout cela !

La pression était trop forte. À l'écoute de ces paroles, je lâchai prise des mauvaises convictions qui m'avaient été forgées au fil du temps. Des visages me revenaient à l'esprit, dont le mien, plus précisément, qui disaient : « Les rêveurs, ça ne sert à rien, ils feraient mieux de penser à avoir un vrai métier. »

À l'écho de ces vérités que Michael me servait, je me mis à fondre en larmes, ressentant comme la délivrance d'un fardeau de culpabilité que j'avais accumulé toutes ces années et qui emplissait mon esprit en m'empêchant d'accepter ma vraie personnalité.

– Connais-tu, le sens du mot « maladie » ?

– Oui ! Cela exprime une altération du bon fonctionnement vital ! Je pense ! lui dis-je.

Et lui poursuivit en enchaînant :

– Arrête de toujours douter ! C'est ça ! Et c'est cette altération qui peut mener à la mort si tu n'écoutes pas ! Décompose : « le Mal A Dit ». Alors écoute ce que dit ton mal et tu te soigneras de toi-même ! Me dit Michael d'un ton désolé.

– La maladie est le système d'alarme du corps, toutes maladies ou phénomène qui survient à notre corps, est le signal qu'un dysfonctionnement dans nos sentiments et nos émotions ainsi que le manque d'amour pour soi et pour les autres sont présents.

– Si une prise de conscience ne se fait pas rapidement et que le mal n'est pas pris en soin, c'est la « maladie » qui viendra à t'anéantir! À terme, l'accumulation de cet anéantissement engendrera l'extermination de la planète entière, et l'espèce humaine, à qui on a confié cette mission d'entretenir la vie dans le respect, sera vouée à vivre dans l'errance, la tourmente pour l'éternité!

– Et les médicaments, alors! Ils n'ont pas été créés pour guérir?

– Heureusement que oui! Grâce à des chercheurs talentueux et à leurs instincts de survie, ils reçoivent des solutions pour pallier ce problème. Mais ce n'est qu'un substitut au réel problème qui subsiste en nous et qui est un désaccord de nous-même envers la vie! Très peu de gens l'ont compris. Ceux qui ont réalisé l'importance de vivre le ressenti qu'ils ont au plus profond de leurs entrailles, ce sont eux qui réussissent dans la vie, malgré les interrogations, voire les affirmations, souvent négatives provenant de la mauvaise expérience vécue que leur soumet leur entourage. Il faut savoir que toutes les expériences, bonnes ou mauvaises, sont là pour nous faire avancer, nous faire évoluer et il faut les accepter comme telles. Certains, après des années prospères dans leur activité professionnelle, se sont vus devoir fermer leur entreprise, et par ce fait, se laisser abattre en se flagellant de questions sur le pourquoi de leur échec. Qui n'en est pas forcément un, mais tout simplement la durée de vie d'un projet qui venait à échéance. Ne s'accordant pas d'ouvrir d'autres portes présentes sur leur chemin de vie, ils connurent la « maladie ». D'autres, au contraire, voyant cela comme une opportunité, ont su rebondir et mettre à contribution leur expérience pour repartir de nouveau dans d'autres aventures.

– Eh bien, le premier processus, c'est ce qui s'est passé pour toi!

L'absence de ton corps pendant neuf longues années a été la démission de toi envers ta vie et ton intervention a dérogé l'équilibre céleste!

– Qu'est-ce que ça veut dire? J'aurais provoqué mon accident? Pour entrer dans un coma?

– Inconsciemment, oui! C'est ta volonté, car tu étais tellement perdu dans l'organisation de ta vie que tu as fait une cassure. Un

204

« burn-out » ou peut-être même, à terme, l'asile psychiatrique pour le restant de ta vie. Tu l'as déjà vécu dans une autre vie, pendant la crise économique de mille neuf cent vingt-neuf, dû à ce krach boursier, tu as connu la perte totale de tes acquis, qui sont passés en perte sèche. Et c'est la projection dans ta tête d'images prometteuses sur l'avenir, et surtout l'amour de tes proches, qui t'a permis de te reconstruire à l'époque, après ce passage à l'asile psychiatrique. Le seul lien qui nous unit tous : l'Amour ! Dis-moi, Benito, j'ai une question à te poser ! Lorsque tu étais dans le coma, comment percevais-tu les gens que tu côtoyais ?

Je repris mon souffle, car j'étais abasourdi parce que je venais d'entendre, et surtout que pour moi, dans cette période d'interruption matérielle, je n'ai pas cessé de vivre. À ce moment-là je crus reprendre une conversation qui avait été interrompue quelques années auparavant avec lui.

– Je dois avouer, c'était assez bizarre, continuais-je. J'avais l'impression, dès lors que je m'adressais à leur moi intérieur, qu'ils se livraient en toute confiance, sans retenue. Ils me donnaient une accréditation pour glisser en eux et voir leur vraie personnalité, en étant guidé par leur âme jusqu'au moment où la douleur, causée par un drame noué de grandes frustrations se manifestait intensément. Une fois positionnée à la période qui correspondait à la péripétie vécue, je leur relatais les faits pour qu'ils soient compris, et ainsi libérer leur âme de fardeaux du passé. Comme si à ce moment-là précis de leur existence, l'exécution de cette tâche devait être démêlée de cette incompréhension, et que ces personnes s'en départissent pour avancer plus aisément sur leur chemin de vie. Ça se passe comme ça : lorsque je pénétrais leur antre, tout d'abord, je voyais la beauté de chaque personne dans l'harmonie de son âme originelle. Puis, je voyais au travers leur corps physique avec toutes les manifestations organiques vitales qui leur permettent de fonctionner. Comme un mécanisme d'engrenages où certaines pièces dérogeaient au bon fonctionnement si elles n'étaient pas en place, influencé par l'engrenage émotionnel constitué de joie, de plaisir, d'amour, de créativité, lesquels s'ajoutaient aux meurtrissures accumulées du passé, les détresses psychologiques dans ce moment et les circonstances vécues, contrebalançant cet équilibre. Je voyais leur bon côté empli d'intentions constructives. Au fur et à mesure que je les voyais progresser dans leur chemin de vie, la souffrance s'était développée, altérée par des actes assassins qu'ils subirent ou qu'ils firent subir, physiquement, psychologiquement et émotionnellement, affectant mon dos de décharges électriques. Je voyais leurs vrais sentiments, et ils se livraient à moi sans barrière. Là, après cette compréhension, les pièces de l'engrenage qui avaient été dérangées émotionnellement, se replaçaient et consécutivement replaçaient les pièces du métabolisme physique. Et après la rémission de ces actes, la vie reprenait son chemin plus allègrement, contrairement aux fois où, dans la vie matérielle, lorsque je suis en face d'eux, les discerner me semble beaucoup plus difficile, car ils sont crispés dans une crainte et une retenue d'autoprotection. C'est un peu naïf ce que je vais dire, mais toute cette beauté que je voyais en eux était dissimulée, presque étouffée, derrière une façade. Une carapace qu'ils se sont forgée, de peur de mettre à nu leurs plus beaux sentiments devant d'éventuels assaillants. Beaux sentiments qui, je le comprends maintenant, sont asphyxiés, et deviennent « maladies ».

– Tu as une seconde chance, Benito, profites-en !

Je me sentais de plus en plus délesté et plus en confiance à propos de ces ressentis que je ne comprenais pas auparavant. Tout simplement en les exprimant. J'étais regonflé de courage et de connaissance pour ne plus affronter, mais accompagner et accepter ma destinée. Encore une question me turlupinait tout de même l'esprit :

– Mais qui suis-je, moi, pour défier tout seul la gangrène de la « maladie » ? Tu veux me le dire, toi ?

– Cesse de mettre toujours en doute l'utilité de ton existence ! Tu as le don de la vie. Et ce n'est pas rien ! Tu n'es pas seul ! Tu es soutenu par des êtres qui sont tout autour de toi pour te guider. Tu es à l'image de tous les êtres humains qui ont été envoyés sur terre, pour accomplir leur propre quête du Saint-Graal. Qui n'est pas, n'en déplaise à tous ces conquérants qui sont morts pour son mythe, de tester la pureté de leur cœur en tombant par « chance » sur cet objet de culte qui leur fera obtenir la vie éternelle, mais bien sa métaphore. La transposition pour chacun de nous d'obtenir sa propre vie éternelle en extériorisant ses propres valeurs, ce pourquoi nous sommes faits. Montrer toute sa beauté, sa créativité, son génie, sa magnificence, son amour, du franchissement réussi, au cours de nos multiples vies passées, de l'évolution (le Saint-Graal) de notre « Moi ». Tout cela pour en arriver à une pureté qui nous servira tout juste à côtoyer le plus bas échelon du paradis et passer ensuite à d'autres phases purificatrices pour avoir le privilège, et ce ne sera plus de la « chance », car nous prouvons par nos saints actes que nous méritons, d'être auprès de Dieu. C'est ça la vraie quête du « Saint Graal ».

– Paradoxalement, si on garde toutes ces belles choses en soi, cela va se transformer en : « maladie ». Et si nous n'écoutons pas sa « Mal a Dit », nous en subirons les conséquences.

– « Ce qui peut nous sauver peut aussi nous détruire. »

Des larmes coulaient sur les joues de Michael, et le voyant ainsi, un sentiment d'injustice m'envahit. Car si nous, humains, nous échouons, c'est tout le travail qui a été fait en amont et ceux qui l'ont supervisé qui périclitent.

– Alors, c'était donc ça que tu disais aux miraculés qui sortaient de cet hôpital, hein, Michael ?

– Je n'y suis pas arrivé avec tous, car tu as ton libre arbitre, tu as le choix de te battre ou celui de stagner dans tes remords mais tôt ou tard la vie te rattrape ! À toi de saisir ta chance !

D'un sourire crispé, il me dit :

– Veux-tu continuer la visite de ton « Moi » intérieur ?

– Allons-y ! lui répondis-je, plus apaisé.

Le livre de ma vie.

Toujours en sustentation, Michael se posta prêt de moi. La musique était toujours omniprésente, gardant sa place dans l'harmonie de mon cœur.

S'immisçant dans la peau d'un maestro, Michael orchestra une mise en scène, et d'un revers de main, il balaya le décor de ma chambre pour se retrouver dans une sphère de verre, me laissant percevoir à l'extérieur toutes les autres sphères satellites qui gravitaient autour de la mienne, comme moi je gravite autour de la leur, puisque nous sommes interactifs les uns avec les autres. Toutes ces sphères sont reliées entre elles par des synapses, à l'image d'une chaîne neuronale, pour que des transmissions d'informations se fassent en permanence entre chaque neurone, à l'image d'une autoroute, tissée à l'aide d'un seul fil, chaussant le monde. À chaque carrefour, un être demeure.

Qui en est le propriétaire de cette chaîne neuronale ?

De mon point de vue, c'est comme si une cellule de mon corps se posait la même question. Moi, je sais qu'elle fait partie de moi, puisque des milliards de petites cellules composent mon corps. Mais, ça j'ai pu m'en apercevoir car les technologies qu'a élaborées l'homme au fil de son évolution ont permis l'observation de ces manifestations. En revanche, cette cellule ne sait peut-être pas qu'elle fait partie de moi, en tant que moi, mais elle ressent, par son instinct, qu'elle fait partie d'un tout et qu'elle a un rôle à jouer pour me faire subsister. À mon tour, je suis la cellule d'une autre cellule, mais je ressens par mon instinct que je fais partie d'un tout et que

j'ai aussi un rôle à jouer pour la faire subsister, et cela à l'infini. Nous savons pertinemment que nous faisons tous partie d'un vaste tout, que nous avons un rôle à remplir, par nos fonctionnalités innées. Dans ce tout, nos rôles à remplir, se lisent d'instinct ou par fonctionnalité. Nous accomplissons humblement ce que nous ressentons pour subsister et, par conséquent, faire subsister la cellule supérieure. Si je m'entaille la peau, à mon échelle, cela se résume à une simple coupure, avec ses effets émotionnels gérables. Mais à l'échelle des cellules qui me constituent, dans leur vie, peut-être ai-je créé une éruption volcanique, avec les répercussions d'un effet matériellement catastrophique et un effet émotionnellement décuplé, résonnant sur tout mon corps, et provoquant des événements de paniques ? On va peut-être réfléchir avant de s'infliger des meurtrissures !

Notre corps a une programmation d'évolution physiologique, d'auto-défense, de reproduction, et en fin de vie, d'autodésagrégement. En parallèle de cette programmation d'autogestion matérielle est reliée à une programmation d'évolution spirituelle qui nous connecte à la cellule supérieure, mettant en place des actes combinatoires pour sa compréhension, qui sont initialement prévus tout au long de notre vie, en ne négligeant pas les répercussions des expériences de nos actes de vies passées. Ce processus nous donne le choix, mais seule la voie de la croyance en nos ressentis nous guide plus rapidement à terme. En défiant se ressent, la route n'en sera que plus longue et tortueuse. Ce choix est confronté au libre arbitre, géré par la pensée émotionnelle, géré aussi par le néocortex, mettant en conflit l'analyse irrationnelle au rationnel. Au début, certes, nous tâtonnons, nous allons dans tous les sens. Nous ne comprenons pas pourquoi certaines choses autour de nous se mettent en travers de nos routes. Ces fameux « problèmes ». Puis nous découvrons naturellement des affinités avec la vie car, celle-ci qui, va donc savoir pourquoi, nous attire et nous fait sentir bien avec des gens que nous connaissons parfois à peine ou d'autres fois pas du tout, et avec qui, si ce n'était pas d'un intérêt commun lié au fait curieux hasard, à un moment précis, nous ne nous serions jamais rencontrés et font que ces fameux problèmes trouvent leur solution. Est-ce du domaine rationnel ce que je dis ?

Ou bien pratiquer une activité pour laquelle, dès la première initiation, nous avons un feeling prononcé et nous avons l'impression que nous l'avons toujours pratiquée, avec humilité et sans vantardise, et vous fait presque passer pour un menteur devant votre instructeur, à qui vous avez affirmé que c'était la première fois. Est-ce, encore une fois, rationnel ?

Le plaisir de baigner dans son élément, grâce à cette croyance en nous-mêmes, va nous permettre de nous s'impliquer davantage dans ce que nous découvrons tout en nous perfectionnant. Parfois aussi, cet élan de facilité vous donne la possibilité d'une convoitise de pouvoir, et là, une autre mécanique se met en place. Pendant ce temps, son contraire, la conscience rationnelle, munie de sa logique suspicieuse, guette. Pesant toujours le pour ou le contre d'une pensée pouvant à certains moments faire péricliter le bon fonctionnement de cet équilibre par des choix de mœurs, mais pas forcément émotionnels. En le pervertissant, du fait qu'elle pense avoir trouvé les rouages d'un système, et elle va essayer, d'en tirer avantage outrageusement. En prodiguant son contraire pour contracter l'assurance d'être couverte si cela venait éventuellement à ne pas se réaliser. Diffusant par là même la peur de tout. Elle se sent puissante, cette détractrice, au point de croire qu'elle est la maîtresse du fonctionnement universel. L'idée de se faire dépasser est toujours présente, certes. Mais remettre toujours en question des événements qui ne se sont pas déroulés comme nous le pensions, n'a pas à être pris comme des échecs. L'élément est perpétuellement en évolution, pour stimuler l'envie d'aller plus loin, ce qui lui permet de rentrer en mutation constante : l'évolution de son espèce. Nous n'étions tout simplement pas en phase avec cet élément-là, à ce moment-là ! Et nous nous étions endormis sur nos lauriers. D'où l'importance d'être constamment à l'écoute et à l'étude de son évolution.

Comme, parallèlement, pour certaines cellules de notre corps, leur rôle est de fabriquer et d'alimenter de l'énergie. Pour d'autres, de puiser dans cette énergie fournie, afin de la transformer en matière, sans cesse la renouveler pour trouver la meilleure solution et garder un équilibre évolutif. À l'intérieur de chaque cellule, des parties de vies opposées sont présentes pour créer une alchimie qui contribue malgré tout à un équilibre. Ne dit-on pas : « les opposés s'attirent ». Ce que certains appellent le « yin et le yang ». Les dominants sont gérés, dans ces cellules, par les sentiments éprouvés. Elles sont toutes autonomes, mais dépendantes toutes les unes des autres pour toujours faire évoluer la suivante. À nous de faire basculer la balance du bon côté et de choisir leur direction !

L'intelligence d'une cellule de cette même cellule se posera la même question et cela jusqu'à infiniment petit et son contraire. On peut constater tout ça, dès lors qu'on fait partie de sphères supérieures et que l'on peut observer ces manifestations de plus haut, à l'aide de l'élévation spirituelle qui nous permet de prendre conscience de nos origines : l'évolution de l'infiniment petit.

De ma vue panoramique, l'horizon était trop vaste pour que j'en sache plus sur l'infiniment grand, mais à proximité, je pouvais apercevoir tous les membres de ma famille, mes amis, des gens qui ont été de passage dans cette vie-là. Je les voyais agir comme moi, s'entretenir avec leur moi profond (petite voix intérieure, Michael), afin de trouver des réponses à des situations qui, parfois, nous dépassent, où l'issue n'est pas celle que notre intellect nous définit par sa logique. Ce moment-là se révèle à l'écoute de nos sens, pendant : « le rêve » ! Éveillés aussi, ou lorsqu'on dit que nous sommes dans un semi-sommeil mais toujours connecté par notre foi.

Une émotion particulière paraissait, au regard des gens qui avaient disparu. Je prenais conscience qu'à la perte naturelle ou accidentelle d'un proche, ou même en recevant l'information du décès d'une personne inconnue sur une planète, la transmission du sentiment de séparation que nous éprouvons pour eux est la cassure de cette synapse, dont la trace est empreinte de ses émotions, selon la cause de sa disparition. Nous restons tout de même connectés à eux, et ce que l'on discerne n'est plus que leur souvenir, comme le négatif d'une photo, car l'énergie n'est plus la même. Mais il est toujours possible de les contacter sur d'autres vibrations, mais avec cette marque qui prouve qu'ils ne sont plus des êtres matériellement vivant. D'autres lieux leur sont consacrés, préparant la suite de leur chemin d'évolution ou, pour certains, de stagnation dans l'astral (lieu où errent les âmes déchues, perdues, meurtries par la rancœur, pour certaines : le dépotoir). Cette cassure provoque toujours ce frisson qui parcourt notre âme, comme une décharge électrique à laquelle on peut rarement résister émotionnellement, et qui nous indique la séparation avec ceux-ci.

Du fait que nous sommes tous reliés entre nous, ce frisson, bon ou mauvais, est marqué dans nos mémoires, ce qui permet, entre autre, de retracer notre parcours d'existence. Ce n'est pas dans notre nature de tuer notre prochain et cela a toujours eu un prix d'ôter une précieuse vie, car en faisant ce geste, on enlève un chaînon qui contribue à notre évolution à tous, quelle que soit l'intensité de cette contribution à constituer la vie. Nous ne sommes pas ici pour juger du degré d'intensité.

On peut aussi ressentir ce frisson, lorsque le partage de sentiments de joie ou d'amour très forts entre des personnes existe sincèrement. À ce moment-là, les synapses vibrent si intensément que le courant qui y circule, nous met en émoi. Toutes les autres sphères partagent ce bonheur, et ça nous donne envie de chanter, de danser, de crier haut et fort notre bonheur. À ce moment-là, notre « moi intérieur » rentre dans une plénitude totale qui résonne dans tout l'Univers.

C'est tout simplement l'Amour. Cet amour qui est le sentiment essentiel instinctif, le fil conducteur de notre existence. Celui que nous recherchons continuellement et que nous devons entretenir, car il est l'équilibre pour la réalisation de belles et grandes histoires, de beaux et grands projets.

Pendant que je faisais ces découvertes, la sphère se transformait en un écran géant, qui était parcouru par une chaîne d'ADN, la mémoire, le témoin sensoriel de mon existence. Cette chaîne était recouverte d'un voile de blancheur variée, selon les péripéties de mes épisodes de vies, et qui, au terme de mon existence, devrait prendre la limpidité du diamant. Si je voulais comprendre pourquoi mon degré d'opacité est plus ou moins foncé, il me suffisait de visionner ce que j'ai vécu à une période de mon existence, en dirigeant mon esprit sur la période exacte voulue, pour comprendre ce qui aurait pu déroger à mon chemin de vie.

Michael continua à me montrer la magnificence des capacités de sa machine.

– Quelle maîtrise de perfectionnement ! lui dis-je ébahi de voir toute cette technologie répondre au doigt et à la pensée de son interlocuteur.

Le plus phénoménal dans cette expérience, ce n'était pas seulement le fait de visionner un film qui se déroule sur un écran, mais le ressenti émotionnel que procure la sensation de réintégrer son corps du passé, dans le moment exact que je l'ai exprimé et dans son environnement en trois dimensions.

– Nous voilà au tout début de ta création matérielle, partant du gène Amour, qui est le dénominateur commun à toutes les molécules vivantes, sur terre et ailleurs ! m'interpella Michael, tout en continuant ses manipulations.

Je m'expérimentai à revivre une vie antérieure sous la forme végétale d'un arbre. J'étais un érable géant. J'ai grandi à un flanc de montagne où, du bout de mes racines, je pouvais ressentir les vibrations de la terre qui venaient nous revigorer ma sève. Mais plus encore, l'énergie de flux constants qui émettaient d'intenses chaleurs provenant du sang de la terre. J'ai accompagné d'innombrables saisons, et les changements climatiques ont transformé aussi mon environnement, m'obligeant à accepter, certains étés meurtriers, de voir disparaître mes proches autour de moi, au fur et à mesure que des brasiers se déclaraient. Ceux avec qui, tout comme moi, lorsque le vent violent venait s'engouffrer dans le creux de leurs troncs, se servaient de ce souffle pour renvoyer des vrombissements, puis propulsaient sur leurs branches gantées d'aiguilles, cet air qui créait des sifflements et des grincements, composant ensemble, dans des graves et des aigus, des sons mélodieux qui nous faisaient danser des heures durant, prenant un instant des allures de bal de la Saint-Jean. De petits animaux venaient nicher en moi, pour avoir une certaine protection vis-à-vis de leurs prédateurs. Ces mêmes prédateurs qui affûtaient leurs griffes, et n'hésitaient pas m'uriner dessus pour marquer leur territoire. D'autres animaux aussi venaient affûter leurs bois ou se grattaient les puces contre mon écorce, tout en se rechargeant de l'énergie dont je suintais. Cette vie qui s'écoulait lentement me donnait le temps de l'apprécier. Je méditais beaucoup aussi. Ces réflexions de recueil me poussaient à ressentir profondément en moi les mystères qui nous entourent dans la vérité. En tant qu'arbre, les vibrations émises par d'autres êtres sont facilement perceptibles, et il ne peut pas y avoir duperie.

Un jour, des êtres à deux pattes, dépourvus de pelage massif, passèrent à côté de moi. Leurs vibrations me fascinaient par leur intelligence affûtée. Ils étaient accompagnés d'autres êtres à quatre pattes assez robustes pour supporter leurs charges, avec qui il y avait une certaine complicité. Ces êtres à deux pattes tenaient dans leurs mains une partie du squelette d'être appartenant à mon espèce, sur laquelle ils avaient tendu en demi-lune, une liane. À l'aide d'une autre de ces ossatures, plus droite celle-ci, l'un d'eux l'associa à la première. D'un bras tendu à l'horizontale, il tenait la demi-lune, et d'une extension sur la liane de l'autre bras vers l'arrière, il projeta cette ossature droite qui flotta un instant dans les airs, se transformant en une véritable ogive, qui alla transpercer le cœur d'un plus petit être à quatre pattes, aux dents latérales visibles à l'extérieure de sa gueule, pour le raidir presque instantanément. Au sol, des pédoncules secs manucurés par le vent étaient ramassés, puis rassemblés par terre. Puis, à l'aide de deux roches noires qu'ils frottèrent l'une contre l'autre, et à force de persistance, ils créèrent la même substance qui décima mes proches. Une fois la substance chaude maîtrisée en braise rougeoyante, ils installèrent à quelques centimètres au-dessus la proie inerte évidée et dépourvue de son pelage. Au contact de la chaleur similaire aux rayons du soleil en plein été, l'odeur de la mort disparut, laissant place à la diffusion d'un parfum de sève caramélisée, qui, aussi loin que portait mon regard, alléchait les babines d'autres êtres.

En décrivant cette scène, l'absorption du moment était tellement imprégnée que mon regard sur la vie ainsi que mon langage changèrent de degré. Wow !

Tout à coup, Michael me ressortit rapidement de cet épisode de vie. Malgré une vision de l'extérieur, je ressentais dans mon corps les souvenirs de cette longue agonie sous les flammes, craché par le volcan qui me surplombait, lui qui a pris soin de moi tout au long de mon existence en m'alimentant de son énergie, par des excès de colères qui lui sont propres, il a pu aussi m'ôter la vie dans d'atroces souffrances. De cette expérience, l'effet recherché n'était pas celles-ci, mais bien de comprendre l'importance de l'observation, de la méditation contemplative afin de percevoir les bienfaits des ressentis émotionnels.

Je trouvais cela fascinant et enrichissant, car je voyais que ma vie avait un but. Je n'étais pas là pour faire de la figuration, malgré mon immobilisme dû à ma vie de végétal, mais j'étais là pour réfracter l'énergie avec tous les composants enrichissants que ça renfermait. Cette énergie dont je regorgeais m'était fournie par la terre et ses vibrations revigorantes, et moi, je m'en servais pour alimenter mon organisme à produire, puis je la recyclais en y rajoutant de mon être, pour la redistribuer à mon tour aux êtres qui venaient chercher en moi leurs besoins énergétiques. Et chacun son tour, nous redistribuons un peu de ce qu'on nous a donné.

Le cœur en fête, je voulais encore explorer les différents épisodes. Michael me laissa pratiquer encore un instant. Je me visionnais en train d'évoluer sur d'autres planètes, sous des aspects différents, pratiquant divers métiers, mais toujours avec une même fascination pour la découverte, dans l'accomplissement des expériences de vie qu'il m'était conseillé de vivre. Je compris aussi mon attirance pour le piano et le violoncelle : ces deux instruments, je les ai fabriqués. Nous nous comprenions parfaitement. Eux communiquaient avec des notes, et moi, en leur donnant des laps de temps plus ou moins longs, je retranscrivais et j'imprégnais l'empreinte de nos discours mélodieux sur du papier. Nous ne formions qu'un. Ensemble, sur cette même vibration, nous ne composions pas des partitions, mais nous partagions des idées d'une même passion. Celle de coder l'harmonie de l'Amour à travers des sons. Comme l'a fait par la suite le code binaire avec l'ordinateur. IOOOIIIOO… Pour retransmettre à tous l'étendue de leur contenu, sans exception, au moyen d'instruments vibratoires qui nous entourent. L'intensité de celles-ci sera perçue, par rapport à l'intensité de son récepteur !

Je continuai mon ascension dans mes recherches. Il y eut des moments où ma fierté n'avait point d'éclat. De mes actes de voleur de grand chemin, mon voile se grisait, perdant ainsi l'intensité de sa blancheur. Mais cette expérience devait être vécue, ayant pour but de me rendre compte de l'importance de mes gestes, de mes actes vils que j'ai fait subir à autrui et à moi-même, qui ne furent pas sans retour de bâton dans d'autres vies.

En revanche, ce dont je suis le plus heureux, c'est de savoir qu'avec Sally, nous avons traversé plusieurs de nos épisodes de vies. Je comprends mieux cette aisance que j'ai en sa compagnie, comme des flammes jumelles que personne ne pourra désunir. Elle était toujours aussi belle. Mes yeux s'emplissaient d'émotion.

Au fur et mesure que je visionnais ces différentes étapes, à l'extérieur de ma sphère, l'empreinte d'autres personnes dans leur sphère - car certaines se sont réincarnées et d'autres sont restées stagnantes - qui sont intervenues dans le déroulement d'un épisode de vie, venaient à tour de rôle prendre de la place de la précédente, qui faisait partie d'autres épisodes. Et l'on s'envoyait des signes de la main en gratitude de nos vies passées ensemble, qui nous ont permis d'évoluer.

En regardant ce spectacle, des situations particulièrement marquantes me revenaient à l'esprit. Notamment celles de certaines manifestations qui ont eu lieu au court de voyages à l'étranger où je n'avais jamais posé les pieds dans cette vie-ci. Avec Sally, nous avions eu l'occasion de visiter des lieux sur la terre où nous nous sentions comme dans un lieu que nous avions déjà fréquenté, malgré la primeur de ce voyage. Nous avions cette impression de connaître les vibrations de ces endroits, de par leur architecture aussi, surtout les plus anciennes civilisations, mais aussi par le sentiment d'y avoir demeuré, comme si nous les avions auparavant déjà investis de nos personnes pour marquer leur histoire. Le même effet se produisit avec des personnes avec lesquelles nous ne nous étions jamais adressé la parole auparavant, mais dont nous nous sentions forte-ment attirés, et où un feeling, visiblement s'imposait de lui-même, sans que nous nous en sentions responsables. Par cet appel, nous essayions donc de rentrer en contact avec elles, en baragouinant quelques mots de leur langage, pour vérifier si elles aussi ressen-taient la même chose que nous. Malheureusement, hormis un sourire de désolation et un acharnement perdu d'avance, pour essayer de se faire comprendre, l'émotion était le seul échange que nous pouvions partager, car au grand désespoir de chacun, on ne peut pas apprendre toutes les langues de tous les pays de la terre. Alors, la barrière de la langue nous empêchant de dialoguer, nous nous contentions donc d'un autre sourire pour nous dire adieu. Je dois avouer que j'étais frustré de ne pas avoir pu approfondir plus la discussion. Parfois, même si le langage était une barrière, nos âmes devaient communi-quer, et nous sentions que quelque chose nous attirait, alors, ayant le sens de l'hospitalité, nous partagions une boisson, et bien souvent, un bon repas suivait.

Le moment où ce phénomène le plus flagrant se produisit fut lors de notre voyage de noces. Avec Sally, nous avions fait un circuit au Canada. Pourquoi le Canada ? Sally a toujours eu une attirance de cœur pour ce pays. Il faut toujours écouter son cœur, il vous dicte la voie à suivre.

Notre voyage était organisé, avec une compagnie d'autocars dont le programme était, un circuit de sept étapes dans des villes phares. Dès lors que nous arrivâmes sur le sol canadien, quelques phénomènes émotionnels se produisirent et se perpétuèrent tout au long de notre excursion. Mes mains vibraient, comme si un champ magnétique le traversait plus fortement, à cet endroit de la terre. À certains moments, il y avait des variations d'intensité. C'en était à la fois énergisant et euphorisant. Je dois avouer que cela en a agacé quelques-uns de me voir dans cet état-là, dans le bus qui nous transportait. Ils pensaient que cette attitude provenait de produits prohibés, distillés par un marché parallèle, qui me faisaient cet effet-là. Certains sont même venus me demander de leur en fournir. Quant à Sally, elle n'arrêtait pas de me dire qu'elle se sentait vraiment bien ici. Tout en découvrant ces merveilleux paysages qui défilaient le long de notre trajet, elle me lança la proposition de venir s'installer dans un coin du Canada, un jour. Elle se projetait dans la construction de notre future demeure en rondins de bois, du nombre d'enfants qui y vivraient et des chevaux qui y galoperaient.

C'était à cette période-là que je m'intéressai à l'idée que l'on pourrait avoir vécu plusieurs vies. Un approfondissement dans cette perception de prendre les choses sous cet angle de vue serait peut-être à considérer. Tout un mécanisme se mit en marche autour de ce sujet, et des hypothèses fusèrent aux dires de ma grand-mère, à propos de : « Ce n'est pas parce qu'on ne le voit pas que ça n'existe pas ». Notre âme serait si forte dans la perception de ce qui l'entoure qu'à l'émission d'une seule vibration, elle détecterait immédiatement le vrai du faux et reconnaîtrait les autres âmes qu'elle avait côtoyées au cours de vies antérieures.

L'évidence semblait prendre le pas. Je m'interrogeai et je constatai, que plus les époques passent, plus l'être humain utilise énormément d'énergie pour dissimuler sa vraie personnalité sous un champ magnétique instinctif pour se protéger. Sa confiance a tellement été ébranlée que l'exercice du camouflage est devenu une véritable institution pour se préserver de l'autre. Alors, il s'autoconditionne, avec différentes techniques, afin d'exceller dans le mensonge, les non-dits, la cupidité, les métaphores, les vices de procédure, la maîtrise du langage, l'habileté à jongler avec les lois, se laissant une porte pour contourner ces propres lois le cas échéant pour ne pas les enfreindre, et surtout passer à côté de ses profondes valeurs. Toutes ces formes de stratagème, afin que la compréhension ne soit assimilée que par une catégorie d'individus qui, bien souvent, ont été dans les mêmes instituts d'enseignement, et dont les intérêts convergent, se laissant manipuler par la peur de l'autre. Par voie de fait, laissant sur le bas-côté une autre catégorie d'individus, naïfs, crédules, croyant à la justice des hommes, ceux-là mêmes à qui ils ont confié les clés du pouvoir par obligation, et cette catégorie institutionnelle, profitant de cela, continuent à les laisser dans l'ambivalence et la méconnaissance de leur imbroglio de réformes et de lois qui ne cessent de changer pour mieux les manipuler et qui, bien souvent, arrangent leurs petites affaires. « Nul n'est censé ignorer la loi ». Quelle foutaise !

Est-ce la bonne méthode ou la bonne direction, que le monde doive toujours se cacher derrière le mensonge pour avancer ? Quel mal il y aurait à vivre dans la vérité ? Si la donne venait à changer pour cette catégorie de manipulateurs, à leur tour demeureraient-ils dans l'incompréhension du système ? Comment retrouver et regagner cette confiance ?

Si, pendant un instant, nous gardons cette monnaie d'échange qu'est l'argent que nous méritons tous, lorsqu'en retour d'un service, on perçoit une rétribution. Donc, cet argent représenterait la valeur de nos sentiments les plus purs. Serions-nous à même de les montrer davantage pour gagner plus aisément nos vies ? Et de cela, je suis persuadé que l'on en serait encore plus riche. Ou bien encore, y aurait-il les même fortunés qui gouverneraient cette planète ? Dans ce cas, j'en doute ! Malgré que, pour un pourcentage de cette catégorie, l'idée initiale débute par la valeur de ces sentiments. Que s'est-il passé entre-temps ?

Michael intervint et me positionna dans un moment bien précis pour lequel je suis venu chercher des réponses. Il me fit revivre des moments cruciaux, en mettant le doigt sur l'importance de ne pas penser à la place des autres, sur l'influence que ceci peut avoir sur l'interlocuteur et les conséquences que cela engendre. Nous avons assez à faire en pensant à nous. Il me raconta une histoire courte, qui commença comme ceci :

« Un des hivers où il faisait très froid en Provence, je devais sortir pour faire quelques courses pour le repas du midi, et je m'en allai chez l'épicier du coin. Je m'étais emmitouflé dans mon gros manteau de laine doublé, j'avais recouvert ma gorge d'une grande et chaude écharpe rouge et couvert ma tête d'un chapeau. Sur la route, je croisai un clochard allongé sur des cartons et habillé de guenilles déchirées qui ne devaient pas lui tenir bien chaud. Mais, contraint par habitude, je n'y fis pas plus attention. Je rentrai dans l'épicerie, fis mes quelques courses, puis tout en faisant cela, l'image de cet homme qui, à force de penser à lui, était passé du statut de clochard à celui d'homme, m'indifférait moins. En bonne âme que je pense être, j'avais pris de quoi le restaurer. Je payais mon dû à la charmante épicière, puis je pris le chemin du retour. Je m'arrêtai devant ce « monsieur », lui remis le paquet de nourriture, sans qu'un mot soit échangé entre nous, car au fond, il ne me demandait rien, cet homme. Puis il regarda mon écharpe, et voyant qu'il en était dépourvu, je lui donnai celle-ci, témoignant par ce geste, de ma « grande compassion ». Content de ma « bonne action », je rentrai chez moi.

Le lendemain, en feuilletant le journal, au chaud sur mon fauteuil, sur une photo en noir et blanc, où était contrastée volontairement l'écharpe rouge, pour qu'elle soit mise en évidence, je m'aperçus que l'offrande, dont l'idée de départ était d'aider, lui avait permis d'exécuter sa propre pendaison. Dans tout cela, qui a soulagé sa conscience : celui qui a fait une offrande pour se déculpabiliser de ce qu'il a sous ses yeux ou celui qui s'est soulagé de sa vie avec ce qu'il a reçu comme offrande ? La vie t'offre des choix. À toi de faire les bons. »

Puis Michael me dit :

– Nous sommes tous responsables de nos actes et nous en récoltons toujours les bonnes comme les mauvaises conséquences.

Et il continua :

– Es-tu prêt à affronter tes peurs du passé ? Celles-là mêmes qui t'ont empêché d'avancer, et qui t'ont fait rentrer dans cet état de léthargie, manquant de courage pour les affronter ?

Je dois avouer que cette manière de me faire réagir était arrivée à ses fins.

Révolté, bien sûr, contre moi-même, je lui répondis qu'il pouvait enclencher le processus. Il me regarda, et pour la première fois, n'hésitant pas un instant, je pris sa place comme chef d'orchestre. Je pressentais, par une impulsion de volonté, que c'était le moment de me prendre en main, de réagir et d'extérioriser tout ce que je ressentais au fond de moi et qui, paradoxalement, m'empêcherait de vivre si ça ne sortait pas. J'en ressentais le besoin car garder tout cela me faisait mal au niveau de la gorge, comme des strangulations qui m'asphyxiaient et donnaient l'effet d'une bombe à retardement.

CHAPITRE 15

MA PLACE ENTRE DEUX MONDES

D'un mouvement hésitant, j'imitai Michael, lorsque d'un revers de la main, il balayait l'écran pour faire apparaître le livre de ma vie. La corrélation entre le geste et la profondeur de mes propres pensées n'était pas tout à fait dans une synchronisation parfaite. Elle était interférée par le déséquilibre des règles d'un monde moral et social échappant à la critique et celui du règne de la grâce : la cité de Dieu qui nous habite tous. Des points cruciaux devaient être encore à éclaircir en moi. Des amalgames sur la part d'importance que je dois octroyer à la partie intelligible de la raison aveugle suprasensible de mon être. Devait-elle être occultée au détriment de l'influence de la connaissance intellectuelle basée sur l'expérience évolutive de l'homme souvent peu représentative des règles de l'art pour cette dernière ? Ou vice et versa, me sentirais-je piégé, si mon choix devait être porté sur la radicalité extrémiste d'un bord ou de l'autre, dans le regorgement d'un endoctrinement ? Ou encore, devrais-je modérer mes pensées, pour former un tout, dans l'intérêt de l'équilibre de ma personne ? Où est ma place dans toute cette confusion, malgré que dans mon cœur, j'ai déjà trouvé une partie, le chemin du cœur du monde ?

Michael, conscient de la confusion qui régnait en moi, mettait en œuvre par mon libre arbitre une stratégie me conscientisant à la refonte de mes sensibilités vibratoires, pour que j'en accepte leur existence. Son but était de m'emmener à équilibrer les places respectives du « moi matériel » associé au « moi spirituel » pour former un tout, afin de m'insérer respectueusement dans notre société. De me faire admettre tel que je suis en son sein, comme être à part entière, non pas marginal, mais comme un être qui a acquis, au cours de la longue évolution de son âme dans des vies antérieures, des niveaux de connaissances et de conscience dans l'intégralité de sa personnalité et obtenu l'assentiment pour exploiter les parties trop longtemps spoliées de ses aptitudes supranormales qui lui permettront d'évoluer davantage dans le sens de son ascension. Mais pour cela, il fallait que j'en ressente le sens !

– Sers-toi de ton instinct ancestral que tu as si longtemps refoulé. Concentre-toi sur une action à la fois, ressens, visualise et projette sa réalisation dans ses moindres détails. Ensuite, méthodiquement, tu passes à l'étape suivante, et ainsi de suite ! Dans la confusion, rien n'est bon. Une chose à la fois. Écoute bien ce que je vais te dire : « Les questions que tu te poses et qui viendront se révéler d'elles-mêmes à toi sont les réponses, les solutions que tu gardes au fond de toi et qui font partie de ton mécanisme d'évolution à des moments précis de ta vie, mais à qui tu ne donnes pas le temps ni la chance d'écouter pour en intégrer le sens » me répéta deux fois Michael, pour que je lui confirme la compréhension de cette révélation, tout en décomposant visuellement chaque action pour que je puisse la reproduire parfaitement.

– Pourrais-tu approfondir ? Je ne saisis pas bien Michael.

– Le mécanisme physiologique, biologique de ton corps a une évolution de base dans le temps d'une vie terrestre qui lui est accordé pour se développer. Arrivé à son apogée, il va tranquillement décliner pour s'éteindre, te faisant arriver aux portes d'une autre étape de ton évolution. Il est un véhicule avec ce mécanisme naturel de fonctionnement programmé qui lui permet de s'accroître, et que l'on t'a confié de ta naissance jusqu'à ta mort, et dont tu es le seul responsable pour son entretien. Son carburant premier est l'Amour. Il contient les vibrations chargées de nos connaissances ancestrales acquises par la compréhension de nos observations et les actes qui en découlèrent, au fil des vies antérieures qui, selon notre niveau d'ascension céleste, vont donner l'accréditation à l'ouverture de parties inusitées de ses fonctionnalités pour continuer d'avancer dans notre progression initiale. Toujours avec ces signaux que l'on doit décoder. Nous sommes tous des scientifiques malgré nous, car la science c'est la compréhension et l'admission de nos observations. Son carburant second est fonctionnel et organique qui nous permet de le développer par des nutriments. Mais nous fonctionnons avec un autre combustible, d'une programmation qui lui indique ce qui est bon ou pas pour lui, et qui nous le fait savoir par la sensibilité de ses manifestations parfois progressives, parfois spontanées. Si nous ne prêtons pas attention à ces premiers signaux, lui va s'assurer d'augmenter l'intensité de ses appels pour déclencher des urgences me dit-il, sous l'esquisse d'un ravissement.

– Pourquoi l'admission, Michael ?

– Que fait ton corps lorsqu'il est atteint d'une fracture, ou d'une coupure ? D'instinct, son premier réflexe est de former un contingent d'agents actifs pour nettoyer et colmater l'incident, tout en analysant la situation qui détermine les causes et de prendre les précautions nécessaires qui forgent l'instinct en système d'alarme, lorsque la présence d'incidents similaires se fera ressentir plus tard. C'est cela qu'on appelle l'expérience instinctive qui s'applique dans toutes les situations et engendre ou évite par la sagesse certaines guerres pour la survie de l'espèce. Il faut « admettre » que ça fait partie du processus de pérennité de la vie. Car le but est de protéger cette précieuse « vie », pas de la détruire ou la sacrifier à n'importe quel prix. Si possible, il faut la rendre la plus paisible et confortable possible, pour déployer toute sa créativité qui est le fruit de son évolution.

Me voyant batailler dans mes manipulations, il sourit et dit :

– Ce n'est pas une véritable sinécure l'apprentissage, car il faut répéter maintes et maintes fois le geste pour intégrer correctement l'exercice demandé. Aborde-le sous différentes approches, sous différents angles et tu t'apercevras qu'il n'existe pas qu'une seule vérité. Ces mêmes vérités peuvent être évolutives, voire même à l'inverse des premières vérités que l'on pensait irrévocables. C'est un passage obligé pour maîtriser chaque sujet dans chaque domaine ! continua-t-il à dire ! Surtout pour un garçon comme toi, qui pratiques comme gymnastique intellectuelle le questionnement sur tout. Et finit par tourner en rond, comme un chien fou qui essaie d'attraper sa queue et n'aboutit à rien ; sauf à obtenir un bon mal de tête. Un objectif à la fois, et le plus important, quand tu te sens convaincu au plus profond de ton être de la réussite d'un ressentiment, n'attends pas que Jean, Pierre, Paul ou Jacques te dise de le faire ou pas ! Ils ne savent pas à ta place comment toi, tu perçois la chose ! Écoute-toi ! Fais-toi confiance !

Après quelques essais ratés, graduellement, la pensée s'affinait avec le geste. Je réussis à comprendre les sentiments interrogatifs de certains actes de ma vie, visualisés sur l'écran et les balayai d'un revers de la main, pour en lever la couche d'incompréhension. Au bout d'un moment, heureux d'accomplir avec réussite ces exercices demandés, je dressai fièrement le doigt du vainqueur vers le ciel. J'accentuai ce geste par un clin d'œil décalé en direction de Michael, pour signaler l'assimilation parfaite de l'opération à effectuer, avec un sourire jubilatoire. Soudain, un grondement dans l'air se fit entendre.

– HO ! Il n'aime pas être montré du doigt, là-haut !

Je ravisai donc mon index sur l'écran, penaud, me servant de celui-ci comme d'un zoom de caméra qui reproduisait cinémato-sensoriellement mes pensées, en laissant apparaître instantanément le déroulement synchronisé de l'histoire. J'exposai ouvertement à Michael tous les ressentis émotionnels qui émanaient de mon être à propos de mon expérience vécue.

Je fis apparaître la planète terre sur l'écran, puis je la dédoublai en parfaite dichotomie, pour créer le parallèle entre ce que je percevais matériellement avec mes yeux de ce que je ressentais avec mon cœur.

Je représentai concrètement à l'identique l'emphytéose avec ses nus-propriétaires, plus clairement la terre mère et ceux à qui elle permet de tirer tous avantages le temps du bail : ses emphytéotes et usufruitiers (toutes les cellules vivantes qui la composent sans exception, de l'infiniment petit à l'infiniment grand), avec qui elle a signé un contrat à durée indéterminée, car le temps est une notion qui ne se limite qu'à lui-même. Je commençai par faire le tour du propriétaire, en énumérant les différentes répartitions des propriétés allouées, avec ses mers et ses océans, ses continents, puis ses reliefs négatifs et positifs me donnant comme point de repère le niveau de la mer point zéro et ses rivières. J'installai la climatisation selon les latitudes et les saisons, sa machinerie pour la gestion des températures, insufflées par les différentes circulations thermohalines et les différents courants thermohalins, du nom de Gulf Stream, le plus souvent cité, en y reliant les cycles lunaires, influençant les marées. Puis j'incorporai ce qui fut érigé par la concentration des différents organismes vivants qui la peuplent : ses forêts terrestres et aquatiques, ses plaines, ses prairies, ses champs cultivés, puis ses structures routières, ses habitats, ses monuments, les énergies pour leur fonctionnement, érigé par l'être humain qui se distingua de ces colocataires en formant des villes et des villages dans des architectures, non plus trouvées à la guise de l'érosion du temps sur la matière, comme ont continué à le faire d'autres communautés, appelées plus communément espèces animales, mais en déterminant des infrastructures routières terrestres, ferroviaires, maritimes, aériennes et les différents moyens de transport qui les empruntent, en les rendant plus confortables à gérer. Pour leur fonctionnement, j'ajoutai des zones industrielles composées d'usines, de fabriques, d'entrepôts, de bureaux, et bien sûr, la concentration d'organismes vivants qui la peuplent selon les pôles d'attraction économiques et commerciaux, ainsi que la gestion administrative aux fragmentations d'espaces terrestres et maritimes, qui se sont définies par des guerres acharnées au fil des siècles. Bref, tous les actifs matérialisés qui la composent pour son fonctionnement. Certes, tout ce contexte était représenté matériellement. À y regarder de plus près, quelle que soit la partie des infinies opposées que l'on observait, de nombreuses similitudes étaient à noter. Les bases de leur conception qui englobent la matérialisation de l'espèce, son mode de fonctionnement pour survivre, sont sur la même analogie d'une relation conflictuelle ou amicale pour le protectorat de leurs biens et l'avancée technologique de leur race, contraignant l'espèce animale à muter génétiquement son organisme pour survivre et s'adapter aux changements survenus au fil de leur évolution, sous peine d'extinction, ce que fit aussi une branche du singe en mutant en homo-erectus, qui est en grande partie à l'origine de toutes ces transformations.

Sachant qu'il y aura un terme à l'emphytéose et qu'elle pourra être renouvelable si le propriétaire l'accepte, ou qu'il soit contraint par des causes de forces majeures, de cesser toute activité, comme stipuler dans les ententes mutuelles de leurs accords. Certaines conditions font lois, comme : ne pas compromettre sous aucune manière, l'existence des êtres vivants, quelque soit l'espèce, en rendant impropre leur lieu de vie. D'entretenir les organes vitaux naturels qui servent au bon fonctionnement de sa santé pour maintenir un équilibre planétaire. Sur ces deux premiers points, il pourrait y avoir rupture de contrat immédiat, et il pourrait être même exigés des dommages et intérêts s'il n'y avait pas de réparations de faites très rapidement. À charge d'y ériger des constructions respectueuses de son environnement, de créer des ouvrages artistiques dans tous les domaines reflétant les inspirations du moment dans des espaces intérieurs et extérieurs au milieu de coins de nature urbaine ou rurale, qui augmentent la valeur d'une façon durable.

Lorsque j'apposai la main à certains endroits du globe sensoriel, la population dégageait une intense surcharge électrique dans le champ gazeux à l'intérieur duquel elle évoluait, plus communément appelé l'âme de la terre, l'atmosphère. Tout cela était provoqué par la concentration, l'accumulation de cette énergie de souffrance psychologique, qui contribuait à se matérialiser, en ce que l'on qualifierait de catastrophes naturelles, au-dessus de ces lieux. Ces phénomènes que les scientifiques décriraient de phénomènes naturels, suivant toutes les logiques terrestres, qu'engendre la succession des frottements d'ions, de plaques tectoniques, de réchauffement climatique, de masse d'air chaud confrontée à une masse d'air froid, etc. Ils ne font qu'énumérer très intelligemment des observations, mais ne définissent pas la provenance initiale de ces manifestations. Des tremblements de terre, des tsunamis, des tornades ou des ouragans, des inondations, se déclenchaient, selon l'intensité de l'émission de cette psychokinésie collective. Notre interaction avec mère Nature est si étroitement liée, qu'elle nous les retranscrit à sa manière, comme notre corps le fait, avec ses émotions propres, en déclenchant son fonctionnement immunitaire, ses propres cellules qui, une fois saturées, se manifestent physiquement par des signes à une autre échelle. La terre, nous la rendons malade, comme à un fumeur à qui on a délibérément fait croire que les molécules contenues dans le poison qu'il inhalait, n'étaient pas nocives, vantés par des mérites que seules les méthodes de marketing savent manipuler, et aujourd'hui la communauté est contrainte de soigner les maladies que cela a engendrées. Mais comme nous, à son échelle, elle a assez de ressources d'énergie, pour remédier à son rétablissement, et nous allons le sentir passer. Je ressentais dans les êtres vivants un stress palpable qui provoquait tous ces phénomènes. De multiples interrogations, à propos d'actes qu'ils font par obligation et non pas par dévotion à leur vie. Émergeant de cette non-écoute de soi, je les entendais se trouver dans des situations, croyant qu'ils ne les avaient pas demandées, car inconsciemment dictées par leurs craintes. Je pouvais percevoir aussi, cachées sous l'amas de ces peurs et de ces craintes, et parfois de manque de foi, toutes leurs émotions si pures et si belles qui voulaient s'émanciper, si on leur accordait l'attention et la confiance qui leur sont dues. Ces émotions étaient si concentrées, préservées, dans leurs écrins intérieurs, que j'avais l'impression que ces gens s'interdisaient d'afficher toutes ces beautés extraordinaires qu'ils les personnalisaient, les dissimulant jusqu'alors à tort, mais pas comme un trésor. Trésor, si fragile, qui ne devrait pas être montré, se disent-ils, par peur d'affronter des lendemains trop noirs si ça venait à être dérobé. Alors qu'elle est là, toute leur vraie richesse, et personne ne peut leur voler ces valeurs, car elles leur sont propres. Ils vont, l'épargnant à outrance. S'empêtrant dans la fatalité, ignorant que le sentiment d'avoir inachevé son œuvre à l'heure du bilan sera bien là, présent, munissant son hôte d'une charge négative laissée en héritage au futur. Je sens bien que cette extraordinaire beauté n'est pas une épargne d'argent que l'on va transmettre à ses héritiers pour faciliter leur début de vie. Non, je vois cette beauté se transformer en une véritable crise économique pour son épargnant et sa descendance. Dans tout ça, il y aura bien transmission de capital d'héritage avec intérêts, mais pas celui que l'on croit : celui qui s'effectue par la transmission de ses gènes.

Comme on peut l'observer sur l'écran, toutes ces formes de vie existant sur terre ou ailleurs, qui ont survécu et ont su muter, se sont adaptées à leur environnement au court de leur évolution dans le temps, et ont permis d'accroître aussi l'instinct originel. Cet instinct, gravé dans l'ADN, garde la trace de chacune de ses mémoires évolutives, puis selon la destination du point d'évolution de cette âme, la terre ou ailleurs dans les galaxies, se redéfinit par rapport au génome correspondant de l'espèce intégrée, qui nous est retransmis par les gènes des nouveaux géniteurs. D'où l'importance d'améliorer le sort du lieu matériel d'où nous avons évolué, pour qu'à chaque passage, nous vivons une vie de plus en plus épanouissante, jusqu'à arriver un jour à trouver un Éden, dans tous les mondes visités. Les grands conquérants à l'égocentrisme démesuré qui défilent depuis des siècles ont bien compris ce phénomène. Ils envahissent de nouveaux territoires, ils neutralisent des populations en les terrorisant par la force, puis, avec le temps, contaminent leur esprit de leur propagande, et bien sûr, disséminent leur ADN dans des jeunes filles au corps fertile, le plus souvent sans leur accord, pour perpétuer leur idéologie. Infliger des peurs, ceci afin de bloquer l'épanouissement personnel de chacun, notre chemin de vie. Une fois accompli, on évolue dans le sens qui arrange leur propre évolution personnelle, ne tenant pas compte des conséquences pour le futur de chacun. Cette même description aurait pu être adaptée sur le schéma où un virus violent viendrait menacer la stabilité de notre système vital corporel, et que malgré la puissance de nos globules blancs, nous subissions une défaite. Après une épreuve comme celle-ci, pour ceux qui en réchappent, paradoxalement, les rend plus forts jusqu'à provoquer dans leur organisme le processus de mutagènes d'autodéfense dominant, car cette expérience a stimulé la créativité chimique de leur organisme à ne plus subir cela, en contrant cette réalité vécue, afin d'anéantir ce virus. Encore une fois, l'équilibre biologique serait programmé ainsi pour nous faire évoluer. Le mal et le bien, seraient existants pour nous faire réagir et évoluer.

Selon les lignées plus ou moins dominantes dans ce monde qui imposaient leurs lois, certaines étaient totalement contre la liberté d'expression, sachant ce qu'engendreraient de telles inepties qui dérogeraient à leur pouvoir. Car pour ces pouvoirs qui s'y sont hasardés, tout en mettant des garde-fous dans l'enseignement d'un savoir édulcoré ou doctrinal pour les garder sous leur joug, et cela c'est confirmé à certains moments de l'Histoire, en se faisant rattraper tout de même par l'habileté créatrice de l'intellect affûté de leurs serviteurs, généré par une débordante révolte émotionnelle, les renversant de leur pouvoir. D'autres pouvoirs toléraient leur expression pour leur distraction personnelle, mais il ne fallait pas aller trop loin sur les ricanements qui affecteraient la Cour.

Donc, ces manipulateurs ayant atrophié et chargé les mémoires émotionnelles de leurs congénères, ceux-là vont léguer à leur descendance des valises plus ou moins lourdes de créativité non extériorisée qui devaient servir à leur équilibre de vie du moment.

Gouvernant et commandant, nous laissaient nous acquitter de nos propres missions de vie, pour gratifier à notre futur la liberté de s'acquitter des leurs en toute tranquillité ! Et le futur futuriste auquel on aspirait se serait sûrement réalisé.

En effet, si l'investissement qui devait être consacré à la vraie réalisation de sa vie, et non pas confié à d'autres, qui le font à notre place, à l'image de ces financiers qui nous imposent des placements à des taux des plus ridicules, pour qu'eux puissent le travailler à leur guise et en vivre très généreusement. Parfois, je me demande si ces freins à l'économie générale ne seraient pas des stratagèmes organisés par ces puissances gouvernementales, à l'image de tous ces conquérants qui monopolisent nos vies, en nous demandant d'épargner pour mieux nous tenir en laisse, et nous empêcher de nous mouvoir à notre guise, tirant sur celle-ci, avec leurs stratégies de persuasion, en agissant sur des peurs d'un avenir morose.

Pendant ce temps, ayant plus de liberté, eux spéculent à outrance, font d'énormes bénéfices, et nous n'en récoltons qu'une infime partie.

Cette situation illustre le cas, pour chacun de nous, lorsque nous ne prenons pas à bras-le-corps, la responsabilité de gérer nous-mêmes nos vies. Ne gardent-ils pas ce climat d'insécurité pour mieux nous manipuler ?

À ce moment-là, je superposai les deux mondes parallèles pour essayer d'en constituer un seul, afin de rééquilibrer le cours du temps, mais l'écart de synchronisation était trop grand, aussi bien technologiquement, que dans l'évolution spirituelle. Cette défaillance technologique était due au fait qu'un monde avait réussi à concilier les deux, ce qui avait pour effet d'avancer dans le temps plus harmonieusement, et l'autre, dont les habitants étaient bien plus accrochés aux valeurs matérielles d'avarice qu'à celles de l'émancipation céleste, plafonnait dans l'illusion de ces croyances. Une répulsion se fit instantanément et créa des étincelles électriques, comme le ferait un disjoncteur pour protéger le circuit intégral, puis ces deux mondes se séparèrent à nouveau. Malgré tout, certaines personnes plus à l'écoute de leurs émotions avaient retrouvé leur double céleste dans ce laps de temps, ce qui leur donnait le privilège de vivre un partage médiumnique et de découvrir leur avenir. Selon la fibre émotionnelle de ces personnes, en découlèrent des témoignages futuristes, dans des livres, des films, et une industrie technologique de pointe se mit à investir sur des appareils révolutionnaires. La majorité des personnes n'y comprenaient rien, mais elles restaient tout de même curieuses de ces témoignages. Il y aura certes, d'autres tentatives, mais je ferai en sorte que nous y soyons mieux préparés la prochaine fois, promis-je à Michael.

Sur cette note d'espoir, je continuais ma réflexion précédente qui n'allait pas plaire à Michael :

– En revanche, si un de ses membres considère, par facilité, que vivre perpétuellement aux crochets d'une société lui sera profitable, celui-là aura du mal à justifier de son passage sur terre. C'est ça, Michael ?

– Qui t'a permis de juger toutes ces situations, hein ? me répondit-il. Tu es en train de faire comme ces piliers de comptoir qui déblatèrent sur tout, sans avoir tous les éléments pour juger d'une situation ! Tu as peut-être raison sur certains points, mais, encore une fois, qui t'a permis de juger ? On ne te demande qu'une chose, c'est d'accomplir ta propre vie !

– Mais pourquoi me prends-tu de si haut ? lui dis-je, fâché. Ne sommes-nous pas dans le même camp ? En t'écoutant me parler, je m'interroge et je me dis : « Sommes-nous les marionnettes de Dieu ? »

Michael me répondit sans perdre une seconde :

– Non ! Tu fais partie du plan divin, toi comme tous, et à tous les niveaux !

Je mis un court instant avant d'assimiler cette phrase. Soudain, une joie monta du fond de mes entrailles et vint me couper le souffle.

– Mais attends une minute! Si nous ne sommes pas des marionnettes et si je comprends bien, se pourrait-il que toutes les épreuves que nous traversons ne soient pas le fait du hasard ou des coïncidences de la vie? Elles sont consciemment présentes pour nous tester, pour juger nos réactions, face à des événements endurés!

– Pourquoi étayes-tu une telle hypothèse, Benito!

– Dieu peut faire le bien et punir le mal, ça se sont des notions qu'on nous a inculquées! On est d'accord! S'il avait voulu faire une planète où seul le bien ou seul le mal régnerait avec toute sa puissance, il aurait exaucé ses vœux! Alors, pour quel autre motif, sur la planète terre où ailleurs, Dieu nous fait vivre de telles expériences? Ou bien alors, il n'existerait pas de Dieu! Et ainsi, les théories sur l'évolution des espèces que Darwin nous avançait seraient fondées! La mutation et l'évolution des espèces seraient bien dues à l'acclimatation de leur environnement, et non pas à l'esprit créateur d'un Dieu. Mais les sentiments, alors? Le sentiment de l'Amour, est-ce aussi quelque chose de mécanique, de mutagène? Jusqu'à présent, et je ne pense pas que se soit pour demain non plus, aucun scientifique digne de ce nom sur terre n'a su créer une cellule vivante et lui donner vie avec une programmation déterminant ses fonctionnalités. Même s'il y arrivait, aurait-il pu intégrer notre essence, le sentiment de l'Amour, dans cette cellule vivante?

– Qui veux-tu convaincre? me dit Michael avec un sourire en coin.

– Dis-moi, Michael, tous ces gens qui périssent, alors?

– Seulement de nos alliés, nous nous souviendrons! m'affirma-t-il.

– Je suis ta mémoire ADN, le recueil de ton existence, des théâtres de tes vies, celui que voient les personnes extra-lucides lorsque tu vas croiser leur chemin, quand tu leur ouvres ton cœur. Au moment où elles explorent ton passé, elles ne peuvent pas se tromper, car à l'image d'un ordinateur, je leur retrace toutes tes expériences de vies qui y sont gravées, puis stockées. Quant à ton avenir, celui qui t'est conseillé de suivre, tu as le choix de l'écouter ou pas. Lorsque tu as un plan pour construire une œuvre, si tu suis ce plan, tout te sourit, lorsque tu le feins, rien ne va bien ! Eh bien, c'est un peu pareil, sauf que tu uses de ton propre jugement qui déterminera de ta compréhension, si tu le réalises à la perfection ou pas !

– Mais apparemment je n'en suis pas à ma première vie, O.K. ? lui dis-je.

– Tu repars toujours à zéro, et l'espèce existante dans laquelle tu vas évoluer, par leur ADN, va t'initialiser dans le niveau d'évolution qu'elle a atteint au moment où tu nais !

– Tu vois, Michael, j'ai toujours ressenti que tout était lié et que nous formions un tout : la nature, les êtres vivants, les éléments, la planète et une force puissante autour de nous. Mais ce qui me tracasse un peu, c'est de ne pas voir la vraie corrélation qu'il pourrait avoir entre eux.

– Un jour, ces deux mondes s'uniront, et là, tu trouveras toutes les références liées à ton âme, celles qui correspondent à ta personnalité, à tes vibrations les plus pures. Elles se montreront sous le jour d'un parcours à l'évolution parfaite, accompagnée d'êtres extraordinaires, comme cette magnifique âme qui est celle de Sally. Vous allez partager d'innombrables épisodes de nouvelles existences ensemble, à tel point que vos bulles cosmiques s'emboîteront l'une dans l'autre en parfaite symbiose, tout en respectant vos parcours personnels d'évolution. Tu vas aimer la contempler allongée sur un tapis de pétales de roses rouges et blanches jonchant le sol.

– Reine parmi les reines, nul besoin de diadème pour être à mes yeux une reine.

– Tu vois, Benito, quand tu auras accordé toutes tes vibrations avec tous les éléments qui forment ta personnalité, en les acceptant, et que tu auras réuni tes deux mondes, c'est comme tel que tu te sentiras, dans la plénitude de tes émotions. Tu as encore bien des épreuves à surmonter, mais ta détermination t'aidera à passer outre, car il ne s'agit plus que de toi, mais de toute ton espèce. Alors, raccroche-toi à ton trésor personnel et apprends aux autres comment se servir du leur.

À ces mots, l'émotion s'empara de moi. Une musique d'ambiance prenait des allures de thérapie médicale, en sollicitant l'harmonie du piano et du violoncelle, qui continuèrent à jouer dans des variations de rythmes diverses, dans le seul but de synchroniser en moi, la résonance vibratoire en désaccord avec mon âme. Je me laissai emporter par ces rythmes fous, et se dessinaient tout autour de moi des paysages où j'ai adoré vivre en compagnie de Sally, comme des lieux montagneux, riches en vertigineux dénivelés, en végétations luxuriantes, animés par une faune, marine, terrienne et aérienne. Riches aussi en lacs où nous adorions naviguer. Ces lacs étaient alimentés par des cours d'eau qui, selon le trajet emprunté, se transformaient en de véritables parcours d'attractions, au grand bonheur des aficionados en quête de sensations fortes.

Wow! Je pris un moment de répit, car toute cette émotion épuisait mon énergie.

Toujours dans ma sphère, sur mon horizon à trois cent soixante degrés, une grande et droite bande blanche formait une boucle, le livre de mon existence. Chaque tome était la révélation d'une vie. Je feuilletais chacun d'eux en une pensée, et elle me transportait immédiatement vers ce que je voulais savoir. Chaque épisode de mon existence se déchiffrait à travers de longs ou de courts métrages, selon la durée de mes vies. J'ai enfilé des costumes de formes et de consistances différentes, d'être dans plusieurs endroits de la planète, mais pas seulement, dans des planètes autres aussi. J'ai endossé la fourrure, la plume, l'écaille du monde animal, à plusieurs niveaux sur la chaîne alimentaire. J'ai évolué dans le monde végétal, aussi bien terrestre que marin. En tant qu'être humain, au masculin comme au féminin, dans des expériences diverses, des deux côtés de la barrière, et j'ai été aussi bien voleur que travaillant pour la justice, pauvre que riche, chef d'entreprise qu'ouvrier, malade que médecin, marchand que fabricant, explorateur que bibliothécaire, politicien que véreux. Ah non, ce dernier est un pléonasme !

Cette merveilleuse technologie devant laquelle je me trouvais me permettait d'analyser avec recul toutes mes vies antérieures. Elle me fit prendre conscience, à ce moment-là, que j'avais sous mes yeux la réelle signification du Saint-Graal. Le témoignage d'une métaphore symbolisant les vertus que l'on octroie à la coupe matérielle qui a servi lors du mythique partage de la cène, comparable à l'évolution de notre vie. Celle-là même qui avait recueilli le sang du Christ le jour de sa crucifixion, par l'entremise de Joseph d'Arimathie, dont une légende prétend, par ce fait, lui conférer des pouvoirs de vie éternelle, et anima des croisades qui lui furent consacrées pour s'approprier ces mérites. La légende dit aussi que, ce Saint-Graal ne se rendrait visible seulement qu'aux personnes dotées d'un cœur pur. L'adage dit : « De par l'aveugle nous verrons ; de par le mendiant, nous nous enrichirons, de par le naïf, nous apprendrons ». En transposition à la prise de conscience : de par l'écoute de nos sens, la vie sera perçue autrement ; de par notre propre trésor intérieur, la richesse deviendra lumière ; de par l'ouverture de notre cœur, la beauté du monde se révélera à nous. Afin d'atteindre la vie éternelle.

J'ai plusieurs constats à faire sur toute ma vie à l'échelle universelle. Qu'il soit bon ou mauvais, chaque nouvel épisode de vie qui la constitue a contribué, comme chacun de nous, à l'évolution de nombreuses espèces, dans différentes cellules qui composent la galaxie. Ma foi en la vie et en des valeurs vertueuses a souvent été mise au cœur d'actes à accomplir, pour tester mon niveau d'avancement, parfois atteint, parfois frustré. Mais ce dont je prenais surtout conscience était que le véhicule de l'Amour, m'a toujours transporté pour me réaliser. Au fil des expériences, je prenais conscience de l'importance de ce phénomène, et mon environnement prenait les couleurs qui nous assuraient, la pérennité de notre espèce. Et ce n'est pas rien !

Dans cet environnement, je côtoyais des êtres d'origine humaine, animale, végétale et minérale. À leur contact, réciproquement, nous nous sommes permis une ascension mutuelle, dans des moments de vies partagés. De ma vision d'humain, certains de ces moments me paraissaient cruciaux pour atteindre un but carriériste à tout prix. Parfois même à en négliger mon entourage, et au bout du compte, leur prépondérance n'était que le reflet d'une société qui se mire dans un miroir déformant, ne voyant que la succession de celui-ci à l'infini, sans en voir le but. D'autres moments, au contraire, me paraissaient plus anodins, plus légers, comme un câlin, une embrassade, un toucher, une simple discussion, la réflexion devant un livre ou une toile, et ils se sont avérés capitaux pour mes sens originaux. Juger l'importance des priorités d'une vie relève plus des sentiments, que des effets matériels qu'il en découle.

J'observais la trajectoire de tous ces chemins de vies. Sans exception, toutes les étapes auront été importantes pour le développement de mon âme. Je ressentais que plus l'intensité d'une peur s'installait, à une période donnée, plus l'image devenait floue et plus le chemin pour atteindre la lumière était long. Sans omettre les difficultés qui venaient s'y grever, avec leur lot d'obstacles qui s'amassait.

Je me trouvais toujours au beau milieu de la pièce sphérique, et en tournant sur moi-même, je pouvais voir ma vie actuelle défiler sous mes yeux. De ma conception, sur la table de la cuisine, où par le rideau ajouré, des rayons de soleil tamisés laissaient transparaître la suite charnelle des événements. Encore la présence de cet astre mystérieux accentuant l'importance de la scène par sa luminosité, qui venait rendre ma mère unique sous ce projecteur. Elle était seulement vêtue de sa courte chemise de nuit en coton blanc, laissant apparaître les courbes généreuses de son corps. Une douce musique de Puccini flottait dans l'air, ne faisant qu'enjoliver l'atmosphère. Ma mère, les cheveux rassemblés en un chignon improvisé, laissait tomber sur son doux visage quelques mèches qui la rendaient, aux yeux de mon père, très attirante. Dans la cuisine, elle préparait une pâte, dont les particules de farine se soulevaient dans les airs à chaque geste vigoureux qu'elle donnait pour la pétrir. Du coin de l'œil, de son regard de braise, elle observait mon père qui, au-dessus du fourneau, humait et se délectait les papilles d'une bonne odeur de sauce tomate à l'origan. Mutuellement, ils se surveillaient, pour surprendre le regard illustré de l'autre et déclencher un sourire d'amoureux qui, instinctivement, en découlait. N'écoutant que ses sens, mon père répondit à l'appel et vint l'encercler de ses gros bras musclés. Il retira délicatement la pâte des mains de ma mère, tout en se frottant adroitement à elle, et tout en lui mordillant l'oreille, il lui susurra dans un mélange franco-italien :

– Hum ! Tou sente bon, mia chérie !

Et ma mère de lui répliquer.

– Gracie, mio amore ! Ma, il mé semblé que c'est lo parfum de l'Amore que tou respiré !

Et sur cette note olfactive, me voilà en gestation dans le ventre de ma mère. Cette image était claire et limpide, car il fallait que je naisse dans de bonnes conditions. Il fallait que mes cellules soient remplies de sentiments en étant : « un bébé de l'Amore » !

Dans cette sphère, quelque chose de bizarre apparaissait en parallèle de ma vie. Plusieurs choix m'étaient proposés, afin que je les réalise. Différents personnages allèrent aussi les croiser et les influencer. À certains moments, je me suis laissé guider, et j'ai bien fait car leurs bons conseils ont contribué à m'aider dans mes quêtes. À d'autres moments, croyant leurs intentions bonnes, je me suis laissé influencer de trop, et je me suis fait léser. Mais les moments où je me suis le plus épanoui, c'était lorsque j'étais vraiment en harmonie avec moi-même. Lorsque j'étais sur mon chemin de vie, à ressentir les choix que je devais faire, ou pas, pour mon équilibre. Mon entourage était propice à cette évolution. Rempli de convictions qui me permettaient d'avancer, cela me rendait heureux de l'avoir accompli. Dans ce film qui défilait devant moi, les images étaient limpides, palpables, marquées d'une forte intensité vibratoire, et tout mon entourage en était aussi imprégné de bonheur.

Je remarquais que lorsque nous sommes quelqu'un de positif et de constructif, même ne rien faire, ou le croit-on, car notre corps et notre esprit émettent toujours des vibrations, permet de recharger les accus certes, mais plus encore, propage autour de soi cette positivité. Et ce même effet, à l'inverse, se manifeste aussi lorsqu'on est négatif.

– Bon, avec tout ça, où veux-tu arriver ? me demanda Michael.

– Je veux te dire que depuis tout petit, dans cette vie-ci, je m'intéresse à tout ce qu'il se passe autour de moi et qu'il y a matière à progresser technologiquement sans nécessairement polluer la planète, tout en se servant des atouts naturels qui nous sont offerts, en intégrant nos lieux de vie sans la dénaturer. Et que ce que je pense depuis tout petit, tout le monde s'en fout ! Sauf ce Christophe !

– Ah ! On y vient au traumatisme de ta vie ! Et étrangement, tout ce que tout le monde ne voyait pas, ton rival, lui, le voyait ! souleva Michael.

– Que veux-tu dire, Michael ?

Il prit une voix solennelle et dit :

– Tout ce que tu vis, Benito, je le vis avec toi, tu te rappelles, je te l'ai déjà dit. Depuis la création de ta première cellule, je sais tout ce que tu me racontes dans les moindres détails ! Mais j'ai besoin que tu te rendes compte de toi-même par les effets et les conséquences, bénéfiques ou non, que chaque pensée, chaque acte accompli ou délaissé que tu devais vivre au cours de tes chemins de vies, est guidé par ton ressenti et que toutes les fois où un projet a avorté, c'est provoqué lorsque tu ne t'es pas écouté émotionnellement. Et que malgré tout, des manifestations extérieures, t'ont contraint à te raviser de tes décisions.

– Laisse-moi comprendre ! Veux-tu dire qu'il est l'opposé qui contribue à me dépasser pour faire évoluer ma vie, comme moi je le fais pour la sienne ? Que nous sommes l'équilibre du Yin et du Yang à nous deux ? Et que nous le voulions ou pas, nous sommes liés tous les deux ensemble pour l'éternité ? Plutôt corsé, mon Yang !

– Tu as ton opposé en brillance et en énergie en face de toi ! me dit-il, l'air satisfait d'un accomplissement. Remémore-toi et libère-toi de ce qu'il s'est passé avec Christophe dans cette vie-ci.

– Tu le sais mieux que moi, pourquoi veux-tu que je te le raconte, et puis nous pouvons le visionner n'est-ce pas ? lui dis-je ironiquement !

– Non ! Pour accepter et te libérer de tes peurs, il faut que tu fasses l'effort personnellement de ranimer tes cellules mémoires, pour les purifier en prenant conscience de ses actes ! Tout simplement ! me rappela-t-il.

J'entamai le récit que j'avais dissimulé depuis des années dans un coin de ma tête, pensant que le cacher m'aiderait à l'oublier. Mais de temps à autre cela ressurgissait sans crier gare. Et la peur, qui est un sentiment de survie, de nouveau s'emparait de moi. Je comprenais à présent pourquoi, lorsque j'avais revis Christophe dans un épisode de mon coma, où Michael me soulignait quant à la mauvaise pitié que j'avais pour cet être. Puis je lui racontais comment, dans mes souvenirs de jeunesse, je me percevais.

Enfant, je souffrais de troubles de la personnalité. Ça, c'est la rubrique générique dans laquelle me classaient les médecins, et schizo-parano-dépressif, ça, c'était mon étiquette qui voulait en dire long à mon sujet, avec ces trois courts attributs. Donc, ces troubles occasionnaient de l'incompréhension morale dans mes discours, d'humain à humain. En fait, mes pensées, mes idées, et le monde qui évoluait autour de moi, ne correspondaient pas aux critères conventionnels de l'ensemble de la population. Lorsque je voulais exposer un point de vue à ce sujet, pour les personnes qui se trouvaient en face de moi, le discours que je leur tenais était incompréhensible et surtout irréel, malgré les preuves matérielles que je leur apportais, avec le temps. On est déstabilisé, lorsqu'on ne maîtrise pas la matière alléguée par un enfant de six ans. Même mes parents, avaient l'air gêné, lorsque, fier, j'abordais des sujets qu'eux ne cernaient pas, sur le décodage des vibrations qui nous entourent. Particulièrement lorsque je leur parlais de leurs grands-parents qui vibraient autour d'eux et qui me racontaient des anecdotes sur leur prime jeunesse, dans leur pays d'origine, que je ne connaissais pas et que je détaillais parfaitement. Il n'y avait que mes grands-parents qui m'écoutaient sans sourcillés dans mes soi-disant divagations. Quelques années après, il y eut Sally, que j'avais rencontrée dans le même hôpital que celui dans lequel mes parents m'avaient envoyé pour me faire soigner. Elle croyait en ce que je disais, car elle aussi correspondait à mon étiquette. Mais en grandissant, avec les médicaments, et aussi la peur de l'inconnu, elle n'a jamais essayé de rouvrir les portes de cette partie mystique qui l'habite, malgré qu'elle ait eu le choix de le faire. En contrepartie de cette possibilité, elle a toujours conservé de très forts ressentis envers l'émotion des personnes qu'elle croise. Avec le temps, et par l'obligation d'une forte médicamentation, moi aussi je me suis renfermé sur moi-même, affublé par les moqueries. J'avais tout de même, gardé ces portes ouvertes par une connexion avec l'au-delà dans mon être. Malgré les consultations chez des spécialistes de la psyché, que mes parents me pousser à voir, j'étais hésitant à pénétrer dans la vie conventionnelle qu'ils me proposaient. Il faut avouer aussi que j'étais dans les premiers à prendre une batterie expérimentale de nouveaux cocktails médicamenteux, appelés psychotropes, antidépresseurs, qui m'abrutissaient et me faisaient planer à certains moments. Heureusement pour Sally, ceux qu'elle a ingérés quelques années après, étaient plus au point et mieux dosés que les miens. Ce qui a amenuisé l'effet des dégâts dans ses parties cérébrales. C'est à peu près à cette période que tu es apparu dans ma vie, Michael, ainsi que J.P. et Christophe également.

J.-P., Christophe et moi composions une bande de copains qui avaient grandi dans le même quartier. Nous étions tous les trois sportifs, et avions le goût de la compétition. Lorsqu'il y avait des épreuves de force, la finale opposait toujours Christophe et J.P., car ils avaient quasiment les mêmes gabarits de lutteur. Quant à moi, je prenais ma revanche dans des épreuves de course d'endurance, avec mes jambes de gazelle et ma rapidité à m'enfuir dès lors qu'un problème se présentait à moi.

J.P., initiale pour Jean-Pierre, est mon courageux et vertueux ami de toujours. Nous avions fait les quatre cents coups ensemble. Nous étions sur des vibrations de créations complémentaires, dans différents domaines. Lui penchait plutôt pour la musique, la poésie et la chanson. Fidèles et irréprochables en amitié, l'un envers l'autre, nous nous sommes toujours épaulés dans de nombreuses situations de joies comme de peine. Lorsqu'une discorde venait à se produire, toujours contre cette brute de Christophe, que ce soit lui ou moi, on prenait toujours la défense de l'autre.

Christophe, en grandissant, devenait ce genre de type malin, calculateur, entourloupeur, qui flairait toujours la petite magouille qui l'inciterait à en faire le moins pour en récolter le plus. La famille dans laquelle il évoluait, avait cette même mentalité.

Quant à moi, le penchant de mes rêveries se portait plutôt sur la création de nouvelles technologies, dans l'espoir de contribuer à l'amélioration de l'évolution humaine. J'avais toujours des idées qui me traversaient la tête, lorsqu'une situation délicate se présentait à moi, dans des domaines qui m'étaient complètement inconnus. La curiosité animait toujours mes passions.

Depuis le premier jour de notre rencontre, au jardin public, Christophe entretenait une certaine jalousie à l'égard de ma créativité.

Durant une après midi, pour nous occuper, une maman avait soumis l'idée d'organiser dans le bac à sable la reconstitution d'un château médiéval, à l'aide de bric et de broc. Moi, j'avais décidé de reconstituer le château d'If, car une semaine avant, au cours d'une sortie pédagogique avec l'école, nous l'avions visité, et des détails précis, restaient fraîchement dans ma mémoire. Quand j'eus fini mon travail, tous les enfants s'étaient amassés autour de celui-ci, me félicitant sur l'originalité de sa réalisation. À ce moment-là, je vis en retrait un garçon qui avait réalisé quelque chose de bien, mais n'attisait pas le même intérêt. Cet enfant interpellait ses camarades pour qu'ils viennent admirer son œuvre, mais l'attraction restait sur ma création. Tout à coup, un ballon transperça la foule et balaya, telle une tornade, mon ouvrage. Sa mère intervint, tout en déclinant son identité : Christophe Dufour, puis le réprimanda devant nous tous, sur le geste qu'il venait d'exécuter. Lui, nous dévisagea tous, ne laissant rien transparaître de sa sournoiserie, vint vers moi et s'excusa. Il s'agenouilla et se mit à reconstruire le château détruit. Je regardai sa mère et l'avisai que ce geste n'avait pas été commis intentionnellement. Puis je m'assis à ses côtés et l'accompagnai dans sa malice, immergée par un silence de méfiance palpable. Le regard hagard, j'observais tous ses faits et gestes, tout en surenchérissant sur lui, testant jusqu'où il était capable d'innover. À cet instant, une relation insolite s'était installée entre nous. Je voyais clair dans la fourberie de son jeu, et lui n'était pas dupe sur la compréhension de ce qui était en train de s'immiscer entre nous. Une rivalité psychologique d'esprit combatif s'était mise en route. Je ne compte pas le nombre de fois où il m'a détruit d'autres réalisations de ce genre, ou bien qu'il me les a subtilisées. Cette compétition permanente nous a emmenés à certaines situations où, après l'usure d'une contribution à aiguiser notre mental, pour être toujours plus fin l'un que l'autre, les nerfs mis à fleur de peau, nous en arrivions aux poings. Mais je dois avouer qu'il avait du talent, aussi bien, mentalement que physiquement et là, J.-P. intervenait rapidement pour nous séparer.

Je me souviens, lorsque nous étions en terminale, par paire, tout au long de l'année, les élèves de la section science avaient un projet à réaliser sur le thème de l'avenir technologique et des inventions que nous, futurs scientifiques, nous souhaiterions réaliser pour le bien de l'humanité. À l'occasion, un concours était organisé. Le premier lot était une bourse universitaire remise par l'académie scolaire et sponsorisée par une grosse entreprise privée de la région, qui suivait la scolarité de ces élèves, pour recruter les meilleurs de ses futurs collaborateurs. Elle était spécialisée dans le développement de nouvelles technologies portant sur les sciences, dans de nombreux domaines, mais orientée surtout dans le médical. Bien sûr, là, j'étais dans mon élément. Je m'étais aussi, bien sûr, associé pour l'occasion avec J.P. pour réaliser ce projet. Christophe, lui s'était associé avec une autre brute de son espèce. Au cours de l'année, ne le voyant pas organiser son travail pour le rendre en temps et en heure, je demandais à Christophe qu'il me révèle au moins l'idée initiale de son projet. Et il me répondait toujours la même chose :

– Il va être le même que le tien mais en mieux.

J.-P. et moi sentions bien que Christophe était en train de manigancer un de ses tours puants.

Toute au long de l'année, nos moments de relâche scolaire étaient consacrés à l'élaboration du projet. La veille du concours, alors que nous avions finalisé notre réalisation et ajustions les derniers détails, Christophe et sa brute, munis d'une batte de base-ball, vinrent nous rendre une visite au garage. Tout en faisant claquer celle-ci dans le creux de sa main, Christophe regardait dehors Sally, qui veillait sur les enfants en bas âge de ma sœur, dans le jardin public en face de chez mes parents.

– Tu vois, petit génie, me dit-il avec sa manière arrogante d'aller droit au but, je vais être direct : si tu ne me donnes pas ton projet pour que je gagne le concours… eh bien, ta Sally, elle est de plus en plus mignonne, n'est-ce pas…

À ces paroles, je ne pus me contenir, interrompant sa phrase par un crochet du droit en pleine bouche. Ce coup lui ouvrit la lèvre et le fit saigner.

– Essaie de toucher à ma Sally, et je te fais manger la poussière ! le menaçai-je.

Tout en s'essuyant sa bouche d'un revers de la main, il fit un signe de la tête à son sbire, d'immobiliser J.P. Il ferma la porte du garage derrière lui, puis toujours muni de sa batte, il m'infligea une sévère correction. J'eus le temps d'esquiver quelques coups, mais l'un d'eux me fut fatal. Après m'avoir désarçonné, il lâcha sa batte et prit plaisir à cogner avec ses poings. Je tenais difficilement sur mes jambes cotonneuses. J'étais abasourdi par ses rafales de coups, qui venaient me percuter pour m'endolorir la face et le corps. Par réflexe, j'arrivai heureusement à saisir son corps pour raccourcir la course de ses impacts. Son sbire était tellement excité par le spectacle qui se déroulait devant ses yeux qu'il relâcha un peu son attention de son prisonnier. J.-P. saisit l'occasion pour glisser de ses bras et s'emparer de la batte qui avait atterri à leurs pieds durant le combat. Il administra à son tortionnaire un coup dans le genou, ce qui divisa sa hauteur par deux. Ensuite, J.-P. menaça Christophe d'arrêter de s'acharner sur moi, sinon, il n'hésiterait pas à lui exploser la tête. Christophe recula.

J.-P. accouru vers moi. Le corps meurtri, à bout de souffle, je criai à Christophe :

– Tu ne touches pas à ma Sally !

Christophe récupéra sa batte des mains de J.P., feignit de lui mettre un coup pour tester sa réaction, et voyant qu'il était prêt à lui bondir dessus, il se mit à rire.

Tout en essuyant le sang qui coulait de sa bouche, jaugeant de la longueur de sa batte, il en macula celle-ci en nous avertissent que si nous n'obéissions pas, il se servirait de celle-ci comme d'un objet sexuel en pointant Sally du bout de sa batte, qui se trouvait derrière la porte et dont on entendait les rires partagés avec les enfants. Il simula des gestes obscènes.

Voyant la manière dont Christophe m'avait malmené, et qu'il allait probablement exécuter sa menace, les poings fermés, J.-P. préféra expliquer le fonctionnement de notre invention, puis ordonna à son sbire de prendre le projet et de se barrer vite fait.

– Je t'avais bien dit que j'aurais le même projet que le tien ! dit Christophe sur un ton satirique.

Et ils partirent, l'un en ricanant et l'autre en boitant.

L'âme en peine, je m'excusai auprès de J.P. de cette situation, mais J.P. n'aurait jamais voulu que quiconque fasse de mal à la petite amie de son meilleur ami, et surtout à la fille dont il avait aussi secrètement le béguin.

Tous les jeudis soir, il y avait entraînement de judo. Malheureusement, ma condition physique ne me permit pas d'y assister. J.-P., lui avait besoin d'exprimer sa colère. Tous deux, nous étions bien considérés par notre coach, qui était aussi l'oncle de J.P. Avec les années, des liens s'étaient bâtis entre nous.

Ce soir-là, Christophe, surnommé la planchette japonaise au club, était si préoccupé par le fonctionnement de sa nouvelle acquisition qu'il ne s'était pas présenté à ce même cours. J'avais fait promettre à J.P. de ne rien dire à propos de cet incident, mais J.P. en avait gros sur le cœur. Au début du cours, le coach lui demanda pourquoi je n'étais pas là. J.-P. lui répondit que j'avais fait une mauvaise chute à vélo, c'était aussi l'excuse que j'avais donnée à tout mon entourage, pour ne pas les inquiéter. Puis, durant la pratique, J.-P. vit en ses adversaires d'entraînement la face de Christophe sur qui il voulait passer ses nerfs. Le coach, voyant cela, le maîtrisa, puis le prit à part dans le vestiaire. J.-P. craqua, culpabilisant d'avoir été dans l'impossibilité d'aider son ami. Malgré l'entente qui était faite de ne rien dire, il expliqua à notre coach la menace qui pesait sur nos épaules. Notre coach connaissant bien le protagoniste de ces menaces et savait aussi qu'il serait bien capable de les mettre à exécution. Le seul souci était qu'il ne pouvait pas prouver que le projet appartenait bien à J.P. et à moi, car nous avions gardé cela top secret. Il serra J.P. dans ses bras et lui dit de ne pas s'inquiéter, qu'il allait prendre les choses en main.

Le lendemain, dans les coulisses du concours, juste avant la présentation, Christophe vint, affolé, à notre rencontre.

– J'ai fait tout ce que tu m'as expliqué de faire et ça ne fonctionne pas ! Minus, qu'est-ce que vous ne m'avez pas dit ? Hein ?

– J'ai omis de te dire quelque chose sur son fonctionnement ? Non, je ne pense pas ! dit J.P. ironiquement fâché.

– Ne vous foutez pas de ma gueule ! nous menaça Christophe.

Il tira une petite partie du rideau et montra discrètement du doigt son sbire qui s'était posté juste derrière Sally, pour mettre à exécution son plan, le cas échéant.

Ce que Christophe n'avait pas vu, en revanche, de l'autre côté de la salle, c'était le professeur de judo accompagné de quelques complices, qui étaient là pour parer à d'éventuelles représailles.

Au micro, ils annoncèrent le début du concours. La professeure de sciences nous interpella, étonnée de voir dans un premier temps ma figure boursouflée et dans un second temps, sur la table, un précédent projet à demi fini que j'avais récupéré et rafistolé pour ne pas venir les mains vide.

– Benito et Jean-Pierre ! Est-ce là votre projet dont vous me réserviez la surprise ? Vous me décevez tous les deux ! On en reparlera plus tard avec madame la proviseure !

Les yeux baissés, ne pouvant rien dire à ce sujet, nous serrions douloureusement les dents de colère.

– Prenez exemple sur Dufour ! Il me surprend, lui ! dit-elle, étonnée qu'un si beau projet soit entre ses mains.

Interrogative devant cette situation, elle grommela des « humm !!! » d'incompréhension.

– Eh ! Vous deux ! Allez vous asseoir !

Puis elle se retourna et interpella tous les participants pour leur expliquer la procédure de présentation à suivre devant le jury à propos de leur projet ; en élaborant leur utilité, et bien sûr, démontrer que cela fonctionne.

Ce qui faisait que Christophe ne pouvait pas avoir l'explication finale pour la démonstration du projet. Mais c'était mal le connaître de croire qu'il en resterait là.

Pendant que les concurrents défilaient, l'entraîneur de judo, suivi de ses amis, encercla le sbire de Christophe, et lui susurra quelque chose à l'oreille.

À ces mots, qui devaient être de nature musclée, on le vit s'asseoir, peu fier d'être dans cette fâcheuse posture. Une fois celui-ci maîtrisé, le coach eut un entretien avec la professeure de sciences. Mais la discussion eut l'air d'être vaine, à voir repartir le coach furieux de ne pas avoir abouti à faire admettre à l'enseignante qu'il y avait tricherie de la part de Christophe.

Ce fut notre tour. Mes difficultés à articuler avec une bouche totalement endolorie me contraignirent à laisser improviser J.P. sur l'explication du semi-projet. Peu fier de cette situation, le voyant batailler, j'interrompis J.P. qui s'embourbait dans ses explications, dont la seule richesse résidait dans le cafouillage, et je renversai à terre le semi-projet, pour écourter cette mascarade.

Vint le tour de Dufour. Il s'avança sur la scène, jeta un œil sur son sbire, et à sa grande surprise, vit que son entraîneur de judo portait son bras musclé sur les épaules de celui-ci. Malgré cette intimidation, un rictus sarcastique qu'il affichait à son habitude pour montrer la maîtrise de la situation vint, narquois, s'afficher tout de même sur son visage. Il ne se laissait pas facilement démonter, avec sa verve innée de beau parleur et de provocateur qu'il était. Et le voilà emmenant le public avec lui dans l'exposition de ses théories, avec un excellent enchaînement dans la suite de ses idées. Il emballa son auditoire en mettant le concept dans d'autres perspectives que, même nous, nous n'avions pas pensé à l'introduire en le créant. Ce qui fit réagir positivement son public. Avec sa belle gueule et sa verve, il s'était vendu à son public qui était devenu fan. Le concept était passé au second plan. Nous nous regardions avec J.P., effarés de voir avec quelle facilité il réussissait à capter leur attention. Hormis quelques maladresses répétées, des gestes un peu hésitants, l'exécution fut aussi une réelle réussite. Des ovations lui furent faites. J'observai le jury et l'enseignante qui, après cette démonstration de force, se tourna en direction du coach pour lui faire comprendre, avec des gestes de la main tout en haussant les épaules, qu'après un tel show, elle avait des doutes quant à ses accusations, tout en continuant d'applaudir. Du haut de la scène, tout en saluant son public qui l'ovationnait, Christophe nous toisait de son arrogance. Je me tournai vers le coach qui, par un haussement d'épaules de désolation, me fit sentir son impuissance face à l'engouement que Christophe avait provoqué auprès de son auditoire, grâce à son charisme. En revanche, le coach fixa Christophe, secouant la tête de gauche à droite, lui montrant son désappointement. Tout en le regardant droit dans les yeux, il lui fit comprendre, qu'il lui gardait un chien de sa chienne en réserve.

Pendant que le jury délibérait, Christophe jubilait de sa future victoire, tout en remarquant que la situation n'était plus vraiment à son avantage, et qu'à un moment donné, il allait falloir sortir. Il essaya de s'échapper discrètement par l'arrière des coulisses, mais connaissant l'individu, les amis de l'entraîneur de judo s'étaient postés aux issues de secours, anticipant une fuite à l'anglaise. Distinguant sa position comme délicate, à l'appel de son nom pour la première place, il se ravisa sur la scène, savoura sa récompense, puis se fit raccompagner par des membres du jury, prétextant qu'après une telle représentation, il était épuisé et incapable de rentrer chez lui avec son vélo.

Quelques jours plus tard, le coach usa des mêmes méthodes que lui, et Christophe fut victime d'un déplorable accident de vélo. Sur le constat de police, il était mentionné que, bizarrement, dans sa chute, M. Dufour entraîna son acolyte, et que quelques fractures étaient à déplorer, mais leur vie n'était pas en danger, et que les vélos étaient restés intacts.

Ai-je omis de préciser que le coach était dans les brigades spéciales d'interventions?

Depuis ce jour, après être passé aux aveux auprès de la commission scolaire suivie du conseil de discipline, et avoir encouru des travaux d'intérêt général après leurs convalescences, Christophe et son sbire ne nous ont plus ennuyés d'un moment. L'été qui suivit, ses parents avaient divorcé et son père avait déménagé. J'avais entendu dire qu'il s'était installé du côté de Marseille, et Christophe devait le voir une fin de semaine sur deux.

J.-P. et moi avions reçu des excuses de la part de l'Éducation nationale et du sponsor. Malheureusement pour nous, même si les honneurs nous avaient été rendus, le projet valait pour la moitié des points et l'argumentation pour l'autre. Alors, la bourse avait été reversée au deuxième gagnant. Il faut le reconnaître, que je n'aurais jamais vendu le concept aussi bien que Christophe avait su si brillamment l'exposer.

Ce même été, le dosage de mes médicaments avait encore augmenté.

À la suite de cette douloureuse expérience, je ne croyais plus en rien. Je continuais à avoir des idées, mais elles restaient imprimées dans ma tête. J.-P. m'encourageait à les faire sortir de là, à débattre avec lui sur de futurs projets. Mais j'avais la peur au ventre.

– Je ne serai pas toujours protégé par le coach! lui dis-je! Combien de Christophe, vais-je encore rencontrer sur ma route? Quels moyens de chantage vais-je subir ou feront-ils subir à mes proches pour m'atteindre?

Je ne peux pas me permettre de faire courir des risques à quiconque de mon entourage, ils sont trop précieux à mes yeux. Je préfère être frustré toute ma vie, ne pas réaliser mes idées, que de faire souffrir mon entourage, me répétais-je, face à Michael.

Il acquiesça à mon sentiment. Mais se battant, il m'interrogea, en me demandant si ce sont les méchants qui doivent toujours gagner. Il m'encouragea à passer outre et me demanda d'analyser la situation en rajoutant:

– Christophe, n'a-t-il pas contribué à ce que tu te dépasses, dans ta quête à faire mieux que lui dans ton projet?

Et continua-t-il à dire:

– Lorsque tu concoctais ton projet, ce n'était pas pour l'écraser et lui montrer que sur ce plan-là, c'est toi qui le dominais ! Ton égo n'est pas intervenu à ce moment-là ? Et quand tu le voyais parader sur scène, avec cette aisance, cette élocution enjouée qui faisait réagir la salle, n'étais-tu pas envieux de cette part de toi qui reste enfouie au plus profond de ton être par privation de jouir de la vie, en imaginant toujours de belles choses que tu aimerais faire au lieu de les faire ? Aujourd'hui, combien de gens vas-tu priver de tes contributions à l'évolution de ton espèce à cause de ton égocentrisme ? Vivotant, en attendant, caché, que ta vie s'écoule sans rien avoir réalisé de celle-ci, à part entretenir ta fierté ébranlée. Souviens-toi de tes cellules éponges. En faisant cela, tu ne fais que retarder une bombe qui est en toi et prête à exploser ! Ça pourrait être pire la prochaine fois ! Tu repousses seulement l'échéance ! Il va falloir que tu remontes en selle, et de nouveau, ressentir le plaisir que tu prenais à vivre et à imaginer un futur futuriste. Je t'ai vu, devant ton bureau, repenser à tous ces bons moments que tu passais devant une feuille de papier en arborant tes idées ! Lâche prise ! Laisse ta personnalité s'exprimer !

– Mais ma famille, alors ! Dois-je avoir peur pour eux ?

– Rappelle-toi ! On prend soin des nôtres, ne t'inquiète pas ! Il est temps pour toi de te révéler maintenant ! me dit Michael !

À ces paroles, j'étais sur la route pour comprendre que, malgré l'adversité que je devrais rencontrer sur mon chemin de vie, je devais prendre ces épreuves comme des défis à surmonter, et que par le témoignage de ces faits, cela me poussait à créer de nouvelles idées pour contrer, ce qui pour moi était des incohérences de la vie. Mais elles sont là pour appuyer mon regard sur la progression de mon existence.

Je réalisai aussi que je faisais partie du plan divin de Dieu.

Je pris le chemin de retour pour retrouver les miens matériels. Au passage, je m'arrêtai dans ma chambre d'ado. Sur le coin de mon bureau, une pile de nouveaux projets m'attendait, étincelante. Je les empoignai, et ils se transformèrent en une nuée de particules qui pénétrèrent mes cellules pour les cultiver. Puis je réempruntai le couloir, et sur les photos accrochées au mur, les visages souriaient de nouveau, s'ornant de belles médailles de champions.

J'ouvris les yeux, et je vis Sally et Jamie endormies, me tenant la main de part et d'autre du lit.

– Eh! Salut! dis-je tout doucement pour ne pas les brusquer.

– Eh! Salut! me répondit Jamie tout en secouant délicatement sa mère. Papa est réveillé! Papa est réveillé!

– Oh! Salut mon chéri! Je croyais que tu ne reviendrais plus à toi!

– Je m'excuse de vous avoir abandonnées! Je reprends ma vie en main, maintenant.

En disant cela, mon ventre fit un grognement.

Mais vous n'avez pas faim, vous? Car moi, j'ai une envie de pizza et d'une part de forêt noire!

– Moi aussi! s'écria Jamie. Au péppéroni!

– De quoi? La pizza ou la forêt noire?

CHAPITRE 16

DE RETOUR PARMI LES MIENS

Je signai les derniers formulaires de sortie que m'apporta Noëlle, pendant que Sally et Jamie finissaient de rassembler mes affaires devant la porte.

– Ça y est, tout est prêt papa ! On peut y aller maintenant ! me dit Jamie avec un large sourire.

Une excitation l'animait et la faisait trépigner. Sûrement la joie de vivre enfin une vraie vie de famille. Je ne pouvais que l'encourager à garder cet enthousiasme.

– Allez ! J'ai passé trop de temps ici à ruminer ! Il faut le rattraper, et vivre !

Sally reprit mes paroles et dit :

– Nous avons passé trop de temps, veux-tu dire !

– Excuse-moi ! Il s'agit bien de nous ! Et je ne vous remercierai jamais assez d'être restées à mes côtés. Vous n'aviez aucune notion du temps que prendrait cette convalescence, mais vous avez tout de même cru en mon retour parmi vous. Pourquoi n'avez-vous pas abandonné ? J'aurai pu vivre dans cet état végétatif jusqu'à ce que mort s'ensuive ! C'est vrai, non ?

– Mais je t'aime, Benito !

– Moi aussi papa, je t'aime !

– Tu sais chéri, malgré le temps qui passe, j'aurais pu me lasser de cette situation, mais tous les jours, je te sentais si présent à mes côtés qu'il m'était impossible de penser à une autre personne que toi. À certains moments, j'avais cette forte impression d'avoir de réelles conversations avec toi. Parfois même, des personnes se retournaient vers moi pour savoir si c'était à elles que leur étaient adressées mes paroles, bien souvent d'amour. Et là, je réalisais que je discutais avec moi-même. Puis je priais, en demandant à la Vierge Marie et à sa mère sainte Anne de me faire retrouver la raison, car je commençais à devenir folle. Je dois t'avouer que dans mes prières, une petite voix me demandait de tenir bon ! Et j'ai eu raison de l'écouter.

À ce moment-là, elle fixa Jamie, et je décelai, par l'intensité de leurs regards, qu'une forte complicité les liait par un secret sous-jacent. Je les observai toutes les deux, puis je détournai mon regard pour saluer les anges terrestres qui avaient veillé sur moi, le temps de ma convalescence.

– Au revoir, mesdames les infirmières ailées ! Et merci pour votre dévouement ! Je pense, leurs dis-je railleusement, que durant toutes ces années, vous n'avez pas eu à vous plaindre de mon comportement, sauf peut-être les dernières semaines où j'étais réveillé, n'est-ce pas ?

– Au revoir, monsieur Delcielo. Ne vous inquiétez pas à propos de votre comportement. Nous serions tout aussi déboussolés, si nous étions passées par une épreuve comme celle que vous avez endurée pour retrouver vos repères, et celles où, heureusement, vous étiez dans le coma ! À ce propos, n'oubliez pas vos rendez-vous de la semaine prochaine avec le psychologue et le kiné. Je pense que le médecin va aussi diminuer les doses de vos médicaments, enchaîna Noëlle.

– Que s'est-il passé pendant mon coma ? Je ne comprends pas bien, dis-je en regardant l'assemblée qui se trouvait devant moi. Je déteste qu'on me laisse patauger dans le doute.

– Rien ! Rien ! Je t'expliquerai plus tard, mon chéri ! Tout va bien, maintenant. Tout ça, c'est derrière nous. Tu es là, avec nous, et c'est ça qui compte.

Françoise, l'infirmière en chef, consciente que les propos de Noëlle m'interpellaient, s'empressa de s'adresser à chacun de nous trois, pour essayer de dissiper cette confusion. Elle commença par Jamie :

– Tu reviens nous voir quand tu veux avec ton papa ! O.K. Jamie ? Maintenant, tu n'as plus de raisons de faire de bêtises, ton papa est là, hein ?

Elle l'embrassa, puis se tourna vers moi :

– Benito, toute l'équipe est heureuse pour vous et votre famille que vous soyez enfin rétabli et que vous ayez retrouvé les vôtres. Pour nous, infirmières, les longues convalescences qui ont comme finalité la joie de réunir à nouveau une famille nous font garder espoir et justifient ce pourquoi nous pratiquons ce métier avec dévotion ! Et je peux vous dire que certains jours, on baisse un peu les bras. Mais lorsque nous sommes en face d'une situation telle que celle-ci, ce sont tous les efforts que nous faisons au quotidien qui sont récompensés. Tout va aller mieux, maintenant, Benito, finit-elle par me dire.

– Continuez à leur parler, à vos patients ! Je peux vous assurer qu'ils vous entendent et que vous aussi, inconsciemment, vous les entendez ! Votre douce voix les réconforte. Merci pour ça ! Par contre, si j'ai un petit conseil à vous donner, le nouveau beau médecin, ne fabulez pas dessus, il est gay !

Elles s'observèrent, étonnées. Je vis, dans le regard de certaines, qu'un désappointement apparut. Enfin, Françoise se tourna vers Sally et lui dit :

– Quant à toi, oh Sally ! Courageuse Sally ! Je voulais te dire que je t'admire. Beaucoup auraient lâché à ta place, rajouta-elle, la voix émue et les yeux embrumés.

Tout en lui serrant fortement la main, d'un geste de compassion, Sally s'adressa au groupe d'infirmières qui était posté devant l'accueil et leur dit, la gorge serrée d'émotion :

– C'est grâce à vous toutes, les filles, à votre aide et à votre bienveillance que nous avons gardé espoir. Même si, à un certain moment, les lendemains auraient pu être compromis. Mais vous m'avez fait confiance, et vous avez fait en sorte qu'il puisse y en avoir d'autres ! Pour cela merci ! Vous avez fait du très bon travail !

Tour à tour, avec chacune des infirmières, sans omettre aucune d'entre elles, car tout au long de ces neuf longues années, elles avaient rempli un rôle prépondérant aux yeux de Sally, des accolades et des remerciements de respect suivirent à répétition !

Je trouvais que le discours de Sally était bien codé et bien héroïque à propos de lendemains qui auraient pu être compromis, en s'adressant à toutes ces infirmières. Certes, elles méritent toutes notre gratitude. Mais là, il me semblait qu'elle parlait plus à une escouade d'agents secrets qui auraient mené une opération à bien, qu'aux anges en blouses blanches postées devant moi. Le mot « bizarre » résonna dans ma tête.

– Allez ! On y va, maintenant ! insista d'impatience Jamie.

Sally alla chercher la voiture au stationnement, et nous partîmes.

Sur la route, en regardant le paysage défiler devant nous, j'interrogeai Sally sur la destination que nous prenions.

– Nous ne rentrons pas à la maison, chérie ?

– Non, pas tout de suite. Tes parents m'ont appelée hier soir et m'ont demandé que, dès ta sortie de l'hôpital, nous allions les voir chez eux.

– Bon ! O.K. !

J'entendais derrière mon siège des gloussements étouffés. Je compris que Jamie devait être au courant du déroulement des événements de la journée.

Arrivés devant leur propriété, au-dessus du portail, une grande banderole était installée, qui me souhaitait la bienvenue. Là, tout au long de l'allée qui nous menait devant le jardin, mes proches me souriaient, le regard rempli de compassion. Jamie s'empressa de descendre de la voiture et se jeta dans les bras de ses grands-parents.

Ensemble ils me souhaitèrent la bienvenue. L'émotion remontait en moi. Il traversait dans mon esprit les sentiments que j'avais partagés avec chacun d'entre eux, lorsque les boîtes cadeaux s'ouvrirent d'elles-mêmes, délivrant leur émotion à mon égard, la nuit, juste avant la déflagration.

Ma sœur se précipita dans mes bras, précédée de ses deux grands garçons. Impatients, mes parents vinrent prendre le relais. Durant la soirée, ému, je remerciai chacun des invités d'être ce qu'il est. Je les remerciai aussi pour les entretiens que nous avions eus ensemble lors de leur visite à mon chevet. Certains, sceptiques, me regardaient avec suspicion, pensant qu'ils s'adressaient seulement à un corps inerte, et qu'à l'instant où je leur parlais, j'étais toujours un peu déstabilisé. À ce moment-là, je les reportais aux paroles dont ils m'avaient entretenu. Leur visage changeait littéralement d'expression, passant d'une attitude magnanime à une attitude grave. Les masques tombaient. Pour ne pas les laisser dans leur torpeur, je les rassurais en leur parlant des bons côtés dont ils étaient investis, et le sourire réapparaissait sur leur visage.

D'autres, qui avaient une fibre plus proche de leurs émotions, me certifiaient qu'ils avaient souvent ressenti ma présence à leurs côtés, et qu'ils n'hésitaient pas à se confier à moi, lorsque le moment était propice. Puis un phénomène bizarre se produisait, quand la nuit qui suivait ce conciliabule, dans leurs rêves, une ou des solution(s) pour laquelle (ou lesquelles) ils m'avaient entretenu leur apparaissait. Je les remerciai pour la confiance qu'ils me portaient, bien que nous ayons conversé de certaines choses, mais les réponses qu'ils percevaient étaient renfermées en eux et délivrées en grande partie par un travail en binôme avec leurs guides spirituels, leurs anges gardiens. Sans doute qu'à cette période, dans leur esprit, j'avais pris leur icône. Ces mêmes guides qui sont leurs aïeuls, ancêtres de plus longue date, souhaitant pour le moment ne pas se réincarner, faisant partie de leur lignée d'ADN. À ces mots, je les sentais réconfortés qu'il s'agisse des membres de leur caste directe qui les guident. À ce sujet, j'aime à leur préciser que nous sommes tous liés les uns aux autres par de nombreux croisement, effectués durant des siècles, et aussi uni par un gène commun. Mais il est vrai qu'il est plus rassurant de savoir que grand-pa ou grand-ma ou une autre personne connue est à ses côtés au lieu d'un étranger. Je les voyais à cet instant, repensant aux personnes disparues chères à leur cœur. Il faut savoir que si on est admis en ces lieux d'Amour universel, même si on pensait que telle ou telle personne n'était pas digne à nos yeux d'être forcément exemplaire de son vivant, car une fois de plus, ce n'est pas à nous de porter un jugement qu'il sera, s'il le désire, guide à son tour et d'autant plus performant, ayant pris conscience de sa position. Pourquoi, allons-nous dire ? Pour la simple raison, qu'après sa mort, il sera en possession de tous ces sens, son trésor originel, accumulés le long de ces expériences de vies passées. Là-haut, c'est notre âme pure, déchargée de futiles fardeaux humains, que l'on retrouve, pour redevenir « lumière d'argent ». Donc, une fois considéré comme guide, il suivra son protégé, de sa naissance jusqu'à sa mort, en suivant le protocole d'une hiérarchie céleste.

Baignant dans cette atmosphère, je ressentais la même ampleur d'effluves d'amour que je percevais dans « le cœur du monde », et je trouvais ça plutôt agréable.

Dehors, seul dans le jardin, je retrouvai J.P. qui m'annonça qu'il devait partir en tournée et que je risquais de ne pas le voir pendant un long moment. J'étais heureux pour lui que sa tournée marche bien. Il me demanda d'embrasser Jamie et Sally pour moi, et de ne pas oublier Michael. À ce moment-là, Sally m'interpella de loin en m'adressant un signe de la main pour me demander avec qui je parlais. Lorsque je me retournai sur J.P. pour continuer notre conversation, il avait disparu comme par enchantement.

La soirée se termina pour nous un peu plus tôt que pour le reste des invités, car j'éprouvais un peu de fatigue et beaucoup d'interrogations. D'un grand signe de la main, empruntant la gestuelle originale de mon défunt parrain, nous leur fîmes comprendre que nous les aimions et les remerciâmes tous de leur présence.

Sur le chemin du retour, pendant que Jamie dormait sur la banquette arrière de l'auto avec un joli sourire qui illuminait tout son visage, comme à mon habitude, je posai ma main sur la cuisse de Sally qui conduisait. Je lui contai quelques récits qui m'avaient été rapportés tout au long de la soirée, sans parler de J.P. À mes dires, je vis une inquiétude s'afficher sur son visage. S'attendant à entendre une révélation qui m'aurait été délicatement confiée à son sujet.

– C'est sexuel ? Lui demandai-je sèchement.

– De quoi parles-tu, Benito ?

– Tes craintes, à propos de maîtriser certaines paroles et toutes ces phrases avec ces sous-entendus, ces codes, lorsque tu t'adressais aux infirmières. Ou bien lorsque tu évitais certaines conversations avec les invités. Si tu as eu des aventures avec d'autres hommes, je le comprendrai, tu sais Sally. Tu es une très belle femme, et neuf ans, c'est long. Maintenant, mes sous-entendus portaient sur la pratique d'activité sexuelle.

À ces mots, elle se mit à rire. Paraissant soulagée que mes doutes reposent seulement sur la question sexe, et pas autre chose ! J'appréhendais tout de même la réponse. Sally s'assura que Jamie était bien plongée dans son sommeil pour me révéler :

– Oui, mon amour, j'ai eu des relations sexuelles, mais c'était juste pour l'hygiène ! Mon amour, ne t'inquiète pas, tu es si précieux à mes yeux que je n'aurais jamais pu te faire ça, dans l'amour ! Et ton « rival sexuel », je te le présente ce soir. Tes origines latines ressortent on dirait ! Ça me plaît !

Ces paroles alourdirent mes épaules d'un fardeau d'angoisse. J'avais donc bel et bien un « rival sexuel », mais je retins mes fausses émotions, qui devaient comprendre ces années d'absence. Tout en m'annonçant cela, elle fit une manœuvre pour garer le véhicule dans la cour, devant chez nous. Elle me fixa et me dit que mes petites crises machistes lui manquaient un peu. Elle m'empoigna par le col et m'embrassa avec fougue, en me proposant de continuer cette conversation dans un lieu plus approprié. Mais avant, je voulus charger sur mon dos la petite fille aux paupières lourdes pour l'emmener dans sa chambre, mais la force me manqua un peu. Donc, je me contentai, dans son demi-sommeil, de l'accompagner, marchant à côté d'elle, jusqu'à son lit. Sally m'observait, surprise de voir avec quelle exactitude je m'orientais dans la maison rénovée, indifférent aux modifications que la maison avait subies depuis mon départ en urgence à l'hôpital. Je bordai Jamie, lui déposai un baiser sur le front en priant ses anges de la protéger et éteignis sa lampe de chevet. Suspicieux, j'entrouvris notre chambre, croyant surprendre mon « rival sexuel » allongé dans notre lit. La chambre était vide de toute animosité faisant référence à ces pensées. Le cœur plus léger, j'allai donc aider Sally qui sortait mes affaires du coffre de la voiture. Je me dirigeai ensuite à la salle de bains pour me rafraîchir dans cette grande bouche italienne, lorsque Sally m'emboîta le pas. Nous nous retrouvâmes ensemble sous le jet d'eau fraîche. Le geste maladroit et hésitant comme au premier jour de notre rencontre, elle commença à me caresser la peau nerveusement.

– Hé ! Sally ! C'est toujours moi ! lui dis-je d'une voix rassurante.

– Je sais, mais ça fait tellement longtemps que nous ne nous sommes pas trouvés nus et réveillés ensemble !

– Tu fais référence aux moments où tu abusais de mon corps lors de ces fameux massages dans mon coma ?

Cette pensée la fit sourire. Moi, j'avais l'impression qu'il n'y avait eu aucune interruption à nos relations amoureuses.

– Ne t'inquiète pas, ça s'est toujours bien passé entre nous. Laissons-nous aller !

Main dans la main, nous prîmes la direction de la chambre. Je restai immobile devant elle un petit moment pour l'admirer, s'allonger sur le lit, ses cheveux blonds coupés court coiffés en arrière, vêtue d'une sortie-de-bain en soie de Chine blanche brodée d'or fin, à demi ouverte sur son corps encore suintant. Elle me demanda, gênée, de l'accompagner sous les draps, visiblement empreints de fantasmes. Elle tenait, à ce moment-là, à enlever tout soupçon quant à ses infidélités, juste pour l'hygiène, en me présentant « Benito bis » son godemiché à piles dernier criiii. Je souris, honteusement, tout en ressentant ce fardeau d'angoisse qui se volatilisa de mes épaules. Je le remerciai tout de même d'avoir pris part au contentement hygiénique de ma femme, mais que maintenant j'étais là pour assumer mon rôle d'amoureux transi. Sally souleva qu'à l'occasion, il pourra quand même s'immiscer dans nos ébats. Mais pour l'heure, tout en le rangeant, elle me demanda de lui faire toujours confiance, ce que je lui promis immédiatement, tout en m'excusant. J'admirai sa plastique. Sally n'a jamais négligé d'entretenir physiquement son corps, car une de ses philosophies dans la vie est que respecter son corps, c'est respecter sa personne. Ce qui ne me laisse pas indifférent, lorsque je dessine du bout de mes doigts ses courbes harmonieuses dotées de muscles fermes. Au croisement de nos regards chargés de tendresse, sa poitrine se saisie et fit dresser sur sa peau son léger duvet que je provoquais d'un frisson de souffle. Les secousses électriques remplirent tout son corps. Elle sourit et m'avoua qu'elle reconnaissait ce frisson les soirs de grande solitude. Gênée, arborant ce visage solennel qui marquait cet instant rempli d'érotisme, je lui demandai de fermer les yeux, et de petites larmes se mirent à couler le long de ses tempes, extraites par ce moment d'intensité. Je poursuivis en gérant une respiration ventrale, d'une série croissante d'inspirations et d'expirations successives, pour stimuler le sens originel de son corps. Une fois atteint leur apogée, je lui demandai de replonger dans les fantasmes auxquels elle s'adonnait, lorsqu'il lui semblait que je n'étais pas à ses côtés. Elle réinvestit la vibration exacte qui lui rendait ce moment vrai. Nonobstant la lumière d'ambiance tamisée, je la vis rougir.

– Il te semblait que, parce que ce sont des pensées, des rêves, des souhaits, ou des fantasmes, nous ne les vivons pas, parce qu'ils sont dans notre esprit. Eh bien, tu te trompes ! Ce que nous voyons dans les images qui défilent dans notre esprit, ce sont des instants que nous vivons, mais sur d'autres vibrations et qui sont tout aussi réelles, dans d'autres dimensions, qui appartiennent à la vision d'un autre monde. La preuve en est que les sentiments qui s'en dégagent font réagir nos émotions combinées à notre corps et provoquent des réactions en fonction des ressentis, mauvais ou bons, dont on veut qu'ils s'expriment et engendrent cette plénitude dans notre être, qui nous fait garder espoir qu'ils se matérialisent dans les faits réels. C'est l'intensité de tes valeurs qui vont faire qu'ils existent. Tu es prête pour les explorer.

Je lui assurai aussi que nous étions tous constitués de ces mêmes fibres, et que le besoin d'assouvir ces envies de plaisir qui viennent du fond de nos entrailles est la valeur de la flamme qui anime notre être, encore une fois bonne ou mauvaise. Dans notre cas, c'est l'appel de l'Amour à vivre l'instant présent. L'instinct de partager et de se trouver au même moment sur une vibration identique, que l'on va exhorter chacun au fond de soi par interaction, pour faire vibrer notre corps charnel à l'unisson, en une identique résonance, par nos parties actives et émotionnelles, afin d'aboutir à l'exact interstice, et enfin atteindre le nirvana ensemble. À ce moment-là, l'un pour l'autre, nous vibrerons de mille feux, en ayant provoqué positivement une cause commune. Deux silex qui, en frottant, ont déclenché l'étincelle qui, à son tour, a déclenché la flamme de leur rencontre sur leur Amour.

Remplis d'excitation, nous glissâmes dans une gestuelle lascivement et voluptueusement érotique, jusqu'à en arrive dans la limite extrême. À ce moment, le désir remplaçait l'entendement, et ensemble nous rentrâmes dans un ballet nuptial et recherchâmes tendrement à atteindre l'exactitude, dans ce même interstice du plaisir. « Wow!!! » Fîmes-nous ensemble, tout en haletant, d'un souffle saccadé. Par cette puissante émotion, nos corps étaient complètement vidés de toute énergie. Et nos faces étaient marquées par ce bonheur béat de triomphe.

Moi qui croyais, étant plus jeune, que l'acte d'Amour était seulement une course à grand galop, équipé d'une artillerie lourde dont la puissance de feu nous rendait les maîtres, par cette virilité toute masculine. Aujourd'hui, je comprenais qu'il n'en était autrement de tous ces préjugés, car toute la puissance de feu se trouvait dans le respect mutuel et la recherche de nos émotions.

Au petit matin, allongé dans la renaissance de notre gloriette d'amour, j'ôtai délicatement son bras qui enveloppait mon buste, - elle se servait de celui-ci, tel un système d'alarme, à supposer que j'aie réellement envie de m'échapper de cette si longue abnégation de notre idylle amoureuse. Que le déshonneur s'abatte sur moi si une telle pensée venait à traverser mon esprit. Après ma réussite à déjouer la vigilance du déclenchement des sirènes, en remplaçant mon corps par mon oreiller, je descendis à la cuisine avant tout le monde, pour leur préparer une petite surprise. J'investis physiquement les lieux. Un petit moment fila pendant que je préparais le petit déjeuner, où je me sentis observé, mais feignis de m'en apercevoir.

– Comment sais-tu où se trouvent tous les ustensiles pour cuisiner ? me demanda Sally. J'ai fait refaire la cuisine il y a deux ans.

– Ah ! le minuteur du système d'alarme s'est déclenché trop tôt ! Je sais, c'est tout ! lui dis-je, non étonné. Voilà, c'est prêt ! Ton thé à la menthe sans sucre et tes tartines toastées cinq minutes, une beurre et confiture de mûres et l'autre chocolat à tartiner. Par contre, je suis gêné, je ne sais pas ce que prend Jamie. Tu veux me le dire s'il te plaît ?

Sally resta surprise. S'assit, me regardant effectuer cette tâche, tout en me montrant du doigt le placard correspondant à ma demande et me dit :

– Ça fait du bien d'avoir un homme à la maison qui prend soin de moi.

Je la regardai fixement et lui dis que c'était bien naturel et que c'était un juste retour des choses. Je rajoutai en la déshabillant du regard tout en sourcillant d'une manière symbolisant le macho dans toute sa splendeur, avec un accent italien, qu'après la nuit que nous venions de passer, mes occupations ne s'arrêteraient pas uniquement à la préparation du petit déjeuner. Capito mia amore ? Elle se mit à rougir de nouveau. Je la serrai fort dans mes bras, en lui répétant que je ne les laisserais plus jamais toutes seules, malgré qu'elles se soient bien débrouillées toutes ces années sans moi. Mon cœur était rempli de joie. Tout en contemplant le salon attenant à la cuisine, un coup de folie s'empara de moi lorsque mon regard s'arrêta sur le lecteur CD. J'installai un compact disque que nous avions gardé du jour où on célébra notre union de mariage. Je pris Sally par la main et l'invitai à danser. Nos rires et les heurts contre le mobilier, dus aux gestes généreux d'une danse effrénée, causèrent un vacarme qui fit descendre à son tour Jamie. Nous lui proposâmes de s'introduire dans la danse, et ensemble, nous nous laissâmes envahir par la musique en faisant des mouvements à la guise de nos envies. N'importe quoi, en somme !

Un moment passa, et je regardai par la fenêtre. La journée s'annonçait particulièrement bien ensoleillée. Je leur proposai de profiter du beau temps en allant se promener du côté des calanques de Cassis. Cela faisait bien longtemps que je n'avais pas revu ce lieu. Je n'ai pas eu besoin de les implorer bien longtemps. À l'unisson, j'avais leur accord, et en vingt minutes, tout le monde était prêt.

Arrivés à Cassis, nous empruntâmes le sentier pédestre qui nous mena surplomber l'une des criques les plus féeriques de la région.

Enclavés dans la roche blanche, des abris naturels se sont formés par des ères d'érosion à quelques endroits et à d'autres par l'humain pour des besoins commerciaux, notamment l'exportation, dont on retrouvera une preuve à New-York et qui sert de socle à la statue de la Liberté.

Là, un somptueux abri s'exposait sous nos yeux, empreint d'odeurs variées de sève caramélisée par le soleil, mélangées à l'air saturé d'iode. Dans ce site doublement protégé, par sa classification à l'Unesco comme faisant partie du patrimoine à protéger et par ses gigantesques falaises aux verticalités abruptes qui le préservent du vent et qui empêchent la violence des vagues d'y pénétrer, une belle journée s'annonçait. L'eau était d'une telle clarté que les poissons qui y avaient trouvé refuge étaient une proie facile pour leurs prédateurs qui les guettaient : les pêcheurs du dimanche. Des voiliers avaient jeté l'ancre à l'embouchure de la crique. Sur les flancs, étaient parsemés des pins parasols aux puissantes racines qui se cramponnaient aux parois vertigineuses, aux différentes aspérités qui se présentaient à elles. Nous profitâmes de l'un d'entre eux pour nous en servir, comme son nom l'indique, de parasol. Nous nous installâmes donc sur les rochers sous son ombrage. Sally, tout en admirant le paysage, compara la blancheur de la roche à celle de ma peau, et tout en se moquant, n'hésita pas à me badigeonner de crème solaire. Jamie me présenta son dos pour que je fasse de même. Quand elle se retourna pour lui en appliquer sur le torse, le soleil joua de son reflet sur le médaillon qu'elle portait autour du cou. Bien sûr, cela m'éblouit. Je pris un autre angle de vue pour ne pas réitérer une seconde fois la même expérience, et je vis, inscrit sur celui-ci, au recto et au verso : oolpdtve/lpyeiacqlac

– Quelle est cette inscription ? C'est du russe ?

Elles se regardèrent toutes les deux et se mirent à pouffer de rire. Jamie s'empressa de m'en donner l'explication :

– Mais NON ! Ça veut dire : « Ose ouvrir la porte de ta vie et le paradis y est ici à celui qui l'a compris. »

Surpris, car apparemment, tout ce que j'ai vécu ces neuf années n'était, encore une fois, que le fruit de mon imagination, je demandai à Sally d'où venait cette inscription. Elle me regarda, un peu gênée, et m'expliqua certains phénomènes qui s'étaient produits avec Jamie pendant mon absence et me dit :

– Sache que ta fille a pris beaucoup de nos gènes, et il s'avère qu'elle a hérité de ceux qui nous ont été occultés, lorsque nous étions jeunes tous les deux à l'hôpital expérimental, sur notre hypersensibilité à ressentir le monde autrement que les autres personnes. Aidé en grande majorité par les médicaments, les psychotropes, dont tu avais été un peu le cobaye pour leur mise au point. Tu t'en souviens, Benito ? Et moi, j'ai eu de la chance par rapport à toi, car grâce à toi, le dosage des molécules était moins harassant. Voyant ce qu'ils t'avaient fait subir, moi, j'avais fermé les portes de cette partie de moi, mais toi, tu leur démontrais qu'ils n'arriveraient pas à atteindre ta personnalité avec des doses de plus en plus puissantes, jusqu'à ce moment où tu avais déconnecté de la réalité. Tes parents s'étaient mordus les doigts de t'avoir confié à ces docteurs Frankenstein.

Dans ma tête ça n'a fait qu'un tour. La petite Jamie blonde et Michael, étaient les parties refoulées, qui faisaient partie de nos deux personnalités, et qui nous ont été subtilisées, par ignorance, de nos êtres en voie de développement. Mais pourquoi ? Et je laissai continuer Sally.

– Tu sais, Jamie souffre d'empathie. Parfois, elle reste absente un instant devant des personnes, puis elle se met à leur donner des conseils qui lui viennent d'images dans sa tête, de voix qu'elle entend ou de sensations qu'elle ressent à travers son corps, qui lui donnent des indications sur la localisation de douleurs émises par ces personnes. Le plus souvent, cela porte sur la santé de ces gens. Elle leur donne des conseils à suivre, comme pour tes parents. Ton père n'a pas osé te dire que le déclic de sa remise en question concernant sa santé, il le doit à Jamie. Parfois encore, elle les oriente à faire de meilleurs choix dans le chemin de leur vie. Souvent je l'observe. Elle s'installe devant l'ordinateur qu'il a fallu changer pour Noël, car l'ancien n'était plus assez puissant pour son extension de jeu en ligne. Au fait, ce sont tes parents qui ont absolument tenu à lui payer son abonnement. Elle peut rester des heures durant complètement ailleurs, le regard figé sur l'écran et ses mains pianotant sur le clavier à vive allure. Puis lorsque je m'approche d'elle, elle reprend connaissance et continue à jouer à son jeu normalement.

Elle me dit qu'avec son binôme de jeu, qui a comme pseudo « Archangel », ils gagnent souvent ensemble. Il me semble aussi que c'est leur phrase secrète de ralliement, la correspondance des lettres inscrites sur sa plaque.

Pendant que nous parlions avec Sally, Jamie en profita pour se rapprocher du bord de l'eau. Soudain, un nuage gris se forma au-dessus de nos têtes, et je ne sais pas pourquoi, une pression musculaire se fit sentir dans mon dos, comme pour m'avertir qu'un danger imminent survenait. Tout à coup, on entendit crier Jamie. Je me levai et je vis qu'elle avait glissé sur un rocher et qu'elle s'était cogné la tête, ce qui provoqua un léger saignement. Je plongeai et la remontai prestement jusqu'aux serviettes, pendant que Sally, tout en m'accompagnant, s'occupait d'arrêter l'hémorragie, amplifiée par l'écoulement de l'eau. Un moment passa, et le sang cessa de couler. Plus de peur que de mal. Le nuage était encore là, au-dessus de nous, et des vibrations autour de cette situation me faisaient encore sentir des douleurs dans le dos. Jamie se mit à maugréer des insanités et répétait toujours après celles-ci : « C'est ta faute ! C'est ta faute ! »

– Cesse de parler comme ça, Jamie ! Ton père n'y est pour rien ! cria Sally.

Je fis signe à Sally de se calmer et lui dis :

– Ce n'est pas Jamie qui parle !

– Qu'est ce que tu me racontes ? Tu vois bien que c'est elle !

Je lui fis de nouveau signe de se calmer et de me laisser faire. J'insistai pour que Jamie me regarde dans les yeux.

– Jamie, regarde-moi ! Jamie, regarde-moi !

À ce moment, j'orientai son visage face à moi, et par le biais de son regard forcé qui voulait éviter le mien, je me sentis tout de même glisser dans le miroir de ses yeux, qui était intoxiqué par une âme meurtrie.

C'était l'âme d'un enfant qui avait provoqué l'accident de Jamie. Il avait détecté chez elle cette fameuse hypersensibilité. En créant une plaie dans le corps de Jamie, il créa aussi une fuite d'énergie dans son champ de protection personnelle qui l'affaiblit, ce qui forme un vortex, ainsi il investit plus aisément l'énergie de Jamie et perturbe son âme.

Je fixai cette âme perdue et je lui expliquai que sa place n'était pas dans le corps de ma fille. Je ressentais des vibrations de rage qui émanaient d'elle. Je la regardai fixement et glissai à mon tour dans le miroir de ses yeux, l'obligeant à revivre ses derniers instants sur terre, afin qu'elle prenne conscience qu'elle n'en faisait plus partie. Mais également afin d'arrêter ces cycles d'accidents qu'elle provoquait chaque année, que je voyais défiler dans ses vibrations. Je parvins à capter son émotion, puis je glissai avec elle dans la mémoire cellulaire de son traumatisme.

Cette âme me dit que son prénom est Laurent. Je regardai cet enfant apeuré. Attachée à l'extrémité de son bras, une peluche se balançait. Ses parents avaient trouvé un système d'attache solide pour que sa peluche reste constamment avec lui, car bien souvent, il avait la fameuse tendance de l'oublier là où il la déposait. Je vis aussi, dès lors que Laurent essayait d'apposer son regard sur sa peluche, qu'elle se transformait à ses yeux, en un véritable monstre. Je réussis à le calmer en lui décrochant la cause, pour laquelle il était resté tout ce temps en ces lieux. Puis il me raconta le drame tragique qu'il avait enduré.

À l'endroit où nous nous trouvions, il observait depuis le rocher des poissons aux reflets argentés, pendant que ses parents portaient bien plus d'attention aux démêlés orageux d'histoires qu'il y avait entre eux que sur leur progéniture. Les poissons étaient si proches qu'il lui semblait pouvoir les attraper d'un simple jet de la main. Il s'allongea sur le ventre et jouait au plongeur avec sa peluche accrochée au bras, qu'il immergea à maintes reprises dans l'eau. Au fur et à mesure de ses plongées, elle se gorgeait d'eau et s'alourdissait davantage. Il lui suffit d'un peu plus d'élan pour que le buste de la peluche vienne se coincer dans une fente sous le rocher sur lequel il se trouvait, l'entraînant dans sa course, en submergeant la totalité de sa tête et l'empêchant de remonter à la surface. À court d'air et pris de panique, le regard fixé sur sa peluche qui, sous l'effet de l'eau, se déformait, et par sa faute, l'empêchait de remonter à la surface, laissa graver dans sa mémoire des images des plus affreuses. Puis il se leva, se sentant libéré, et vit ses parents étreindre son corps, après l'avoir défait de son piège, en pleurant et criant sur sa dépouille, se reprochant mutuellement, que « C'est de ta faute s'il est mort ». Il me raconta qu'il vit une lumière blanche, mais culpabilisant de voir ses parents se quereller à cause de lui, le croyait-il, il n'avait pas eu le courage de les laisser, et il s'accrocha au cou de son père. De retour sur Marseille, après que les services funéraires inhumèrent le corps innocent de cet enfant victime de négligence, ses parents, désorientés par cet accident tragique, longèrent la côte qui surplombait la mer, l'esprit empli de scénarios pour retrouver leur fils. Au point culminant de celle-ci, l'amertume l'emportant sur la raison, ils décidèrent de ne plus suivre la route. Ils s'observèrent une dernière fois, et ensemble, d'un coup de volant, ils modifièrent la trajectoire et franchirent la falaise à pic.

Brusquement, une lumière blanche apparut, et Michael en sortit.

– Félicitations ! Ton apprentissage se révèle profitable ! me dit-il.

– Merci ! Mais je dois encore pénétrer ses cellules mémoires pour retrouver ses parents…

Il ne me laissa pas finir ma phrase et dit :

– Seulement quand eux se manifesteront, comme l'a fait involontairement Laurent ! C'est à eux de prendre la décision de sortir de leur tourment ! Pas à toi.

Michael se tourna vers Laurent et lui tendit une peluche lumineuse où était inscrit son prénom. Laurent eut un moment d'hésitation. La peluche se mit à lui parler, et ses mots suffirent à le réconforter, puis il s'en empara et la blottit contre son cœur. Il prit ensuite la main de Michael, et ils partirent ensemble dans la lumière où l'attendaient ses aïeuls.

— Hé, Benito, ça va ? me demanda Sally en voyant des larmes couler le long de mes joues.

— Oui ! Oui ! Tout va bien, maintenant. Mais combien de temps suis-je parti ???

— Quelques secondes, mais ton regard était assez impressionnant !

— Comment va Jamie ?

— Elle vient de s'endormir. Elle a l'air d'aller mieux, maintenant. me dit-elle, déterminant sa température par un baiser sur le front et en détaillant la couleur rosée de son teint.

Pendant que j'expliquais le pourquoi de cette situation, le nuage au-dessus de nous, s'était dissipé, et j'en fis la remarque à Sally, en lui précisant l'interconnexion qui existe entre la nature et nous.

— Tu vois que je ne rêvais pas, pendant mon coma !

— Je voudrais que tu m'éclaircisses sur quelques points, Benito !

— Oui, bien sûr ! Lesquels ?

— La façon dont-il est entré en Jamie ?

Je lui fournis ma vision :

— La chute fut provoquée par Laurent, et en tombant, Jamie a eu très peur. Cette peur, comme tout ce qui est excessivement négatif dans l'émotionnel, est l'énergie de ces âmes perdues. Au plus tu vas avoir peur, tu vas douter, dans une situation, au plus tu vas les attirer et leur fournir leur alimentation à travers ton corps. Tu sais, c'est là que tous ces proverbes vont ressurgir à la surface : quand je broie du noir, je me sens fatigué, épuisé ! Je me suis levé du mauvais pied. Tout va de travers… Car ces âmes perdues dévient ton énergie pour en faire la leur, en t'investissant de leurs âmes perturbées, et elles perturbent la tienne et te détournent de ton chemin de vie. Et au plus tu rumines, tu broies du noir, donc tu les alimentes, plus nombreuses elles vont être, et plus fatigué et perturbé tu seras.

Autre chose, les objets qui sont liés à ces âmes perdues au cours de leur vie sont imprégnés de leur énergie, et il suffit de posséder un de ces objets leur ayant appartenu, pour que ta vie puisse changer. Et crois-moi, ce n'est pas forcément en bien ! C'est pour cela que dans certains endroits, les proches du défunt brûlent toutes ses affaires personnelles. Pour qu'elles retournent à l'Univers et qu'elles se déchargent de cette négativité ou compensent de leur positivité.

Sally me regardait avec des yeux tout écarquillés.

– Mais qui es-tu, Benito ?

– Je suis moi ! Accepte-moi comme je suis ! Moi, maintenant, je le fais ! N'en déplaise aux sceptiques ! Ces neuf années m'ont fait prendre conscience de mes vraies valeurs, celles qui m'habitent et que toi tu n'as pas voulu assumer. Maintenant, continuai-je, il faut que je me nettoie de cette expérience dans la mer.

Je lui souris, tout en m'équipant de mon masque, de mon tuba et de mes palmes, puis je piquai une tête pour admirer le fond marin et faire une purification. Mon entrée dans l'eau réveilla Jamie. De me voir batifoler dans cette eau claire, elles eurent le goût de m'y rejoindre.

À ma première remontée, j'aperçus cette fameuse peluche, restée là depuis toutes ces années. C'est vrai qu'avec le temps, elle était devenue moche. Je demandai à Sally de me donner un sac de plastique, et j'y introduisis discrètement celle-ci. Puis je lui demandai de la dissimuler aux yeux de Jamie.

L'après-midi passa, avec de nombreux va-et-vient, de la surface à certains récifs qui se trouvaient, à quelques mètres sous nos pieds. Après un moment de plaisir, la fatigue finit par se faire sentir. Nous nous assîmes, enroulés dans nos serviettes, et nous scrutâmes ces coques blanches qui cherchaient à regonfler leurs voiles, repartant les unes après les autres, pour de nouvelles destinations. Soudain Jamie m'interpella et dit :

– C'est Michael, à l'arrière du bateau ! C'est Michael !

À demi-profil, il remonta la grand-voile, nous fit un signe de la main, puis s'évanouit dans les couleurs du soleil couchant.

– Comment connais-tu Michael ? Je crois qu'on a à parler tous les deux, jeune fille ! Mais pour l'heure, nous avons du chemin à rebrousser avant que la nuit ne tombe.

Sally rajouta :

– Eh ! Vous m'oubliez ! Je crois que l'on a une sérieuse conversation à avoir tous les trois ! En insistant sur le « trois ». Mais vous allez me dire, enfin, qui est ce fameux « Michael ».

Tout en marchant en direction de la voiture, Jamie nous révéla que « Michael » et « Archangel » était une seule et même âme. Et elle nous raconta des anecdotes à propos de leur complicité.

Arrivé à la maison, il était l'heure du souper, et Sally nous proposa de faire un barbecue sur la terrasse. Tout naturellement, je m'occupai du feu pendant que les filles prenaient leur douche. À la fin du repas, nous étions tous exténués par cette belle et émotionnelle journée mouvementée. Je leur proposai, pour clore la soirée, d'envoyer un message au ciel. Elles me regardèrent, intriguées, mais avec ce que nous vécûmes aujourd'hui, l'étonnement n'apparaissait qu'à moitié sur leur visage.

– Que faut-il faire ? me demanda Jamie.

– Sur un papier, vous allez écrire un souhait, une pensée, un remerciement, peu importe, quelque chose que vous portez dans votre cœur, que vous voulez exprimer ou que vous voulez obtenir. Vous n'en dites pas mot et vous remerciez trois fois à la fin de celle-ci. Ensuite, l'envoi s'affranchira par l'intermédiaire du feu. La distribution elle, se fera par l'entremise du vent qui dissipera ces pensées et les adressera à leurs destinataires. Bien souvent, en retour de courrier, le ciel fait des miracles.

Jamie ramena un bloc-notes, et chacun de nous inscrivit ses vœux. Par procuration, je commençai par formuler une lettre à la place de Laurent, pour qu'il retrouve ses parents rapidement, dans l'harmonie. Ensuite, je destinai une pensée à Laurent, en lui souhaitant qu'il retrouve la paix et le réconfort dans son âme. Que je ne connaissais pas les raisons de son accident et que peut être avait-il fait subir une telle atrocité à autrui dans une autre vie ? Un retour à l'équilibre céleste ? Mais que cela ne m'appartenait pas. Je lui souhaitais que dans sa prochaine vie, il puisse, tout d'abord, l'accomplir pleinement, dans un climat plus sain, pour mieux s'épanouir. Merci! Merci! Merci! J'insérai ensuite le papier dans la peluche, puis je ranimai le feu et la jetai dans son antre. De forts crépitements m'informèrent que le colis était bien affranchi.

– Jamie, as-tu vu la même chose que moi?

– Oui, bien sûr, les farfadets!

Sally ne pouvant pas voir ce phénomène, elle nous demanda de lui décrire la scène. Ce que Jamie s'empressa de faire, en les mimant dans une gestuelle des plus burlesques. Nous nous mîmes à rire comme des gamins.

Vint le tour de Jamie. Dès lors que la flamme investit le papier, un éclatement survint.

– Wow! Il était des plus sincères celui-ci! dis-je, tout en riant. Et je l'en remerciai.

Puis Sally, de sa grâce des plus féminines, posa à son tour ses vœux sur la bûche, et petit à petit, ils se consumèrent sans un bruit. Nous la regardâmes, intrigués.

– Oh! s'écria-t-elle. J'ai oublié!…

Elle s'empressa de les récupérer. Éteignit sommairement le papier et inscrivit trois petits mots. Puis, à leur entrée dans les flammes, une poignée de crépitements se fit aussi entendre.

– À toi, papa!

Le témoin de l'envoi se fit aussi entendre, et l'affranchissement fut réussi. Nous restâmes là un petit moment, tous plongés dans nos songes, nous remémorant notre première journée mouvementée, mais néanmoins agréable, en famille. Je formulais le vœu que celles qui nous attendent le soient davantage!

Les premières semaines, le téléphone ne cessait pas de sonner tous les jours. Je rassurais tous mes proches, que mon état de santé allait de mieux en mieux, mais que j'avais besoin de repos. Je les informais qu'ils ne devaient pas m'en vouloir pour mon manque de disponibilité la semaine. Ce qu'ils comprenaient parfaitement. En revanche, les fins de semaine, pas d'excuse, des repas gargan-tuesques nous attendaient chez les uns et chez les autres.

Les jours passaient, la vie reprenait son cours. Nous apprenions à vivre tous les trois ensemble. Le matin, Sally laissait Jamie à l'école, comme elle l'avait toujours fait, puis partait travailler à la boutique. En temps de midi, Sally venait me rejoindre à la maison. Je lui mijo-tais de bons petits plats, puis bien souvent, nous prenions le dessert au lit, et elle repartait travailler le sourire aux lèvres. Du retard à rattraper ? Certainement ! Au début, ces exercices me fatiguaient beaucoup physiquement, et je m'organisais souvent une sieste répa-ratrice !

En fin d'après-midi, c'est moi qui allais chercher Jamie à l'école. Les mercredis, je l'accompagnais à ses cours de danse. Je la trouvais plutôt douée, mais son poids lui faisait un peu défaut, et je m'étais fait un point d'honneur à trouver une solution pour l'aider. Je lais-sais germer l'idée. Sur le chemin qui nous menait à la maison, nous jouions à « Monsieur et Madame ont un fils ou fille. Comment s'ap-pelle-t-il ou elle ? ». Et je commençai :

— Monsieur et Madame « Vœux » ont une fille, comment s'ap-pelle-t-elle ?

— Je ne sais pas ! me répondit Jamie.

— Sally

— Pourquoi ?

— Parce que « Salive ».

— Berque ! C'est répugnant ! Maman ne va pas aimer si on lui dit ça !

— Ça, c'est sûr ! Alors, on ne va pas lui dire, O.K. ? On va garder ça pour nous !

À son tour, et ne trouvant pas de nom commun à affilier à un autre nom commun pour que la somme des deux forment un prénom et que ça finisse en une franche rigolade, elle me sortit son fameux « Jamie-Son ». Au fur et à mesure que le temps passait, une certaine complicité s'installait entre nous deux. Je prenais à cœur mon nouveau rôle de père, comme je l'avais fait pour « Michael » et pour « Jamie blonde » indirectement. Je m'intéressais à ses devoirs, mais elle avait appris à gérer cela toute seule et se débrouillait fort bien. De temps à autre, une fois les devoirs scolaires terminés - c'était la règle instaurée avec sa mère -, nous avions le droit de jouer sur son jeu en ligne, sur l'ordinateur. Je m'étais équipé, moi aussi, d'un ordinateur, et Jamie m'avait aidé à créer un personnage que je faisais évoluer, sur ses conseils, dans telle ou telle dimension. Mais bien souvent c'était-elle qui reprenait les commandes.

Tout en la regardant jouer, je me demandais pourquoi j'arrivais à discerner les vibrations de tout le monde, et pas celle de ma propre fille. Soudain, j'entendis les rires de Jamie dans ma tête.

– Papa ! Papa ! Tu joues ?

Je regardais ses lèvres, mais aucune articulation buccale n'accompagnait ses mots. Puis je compris.

– Tu m'entends lorsque je pense, Jamie ?

Elle me regarda, et après son oui, qu'elle me fit par un signe de la tête, nous avons entamé une conversation télépathique.

– Oui papa ! Tu es comme moi ! Tu le vois bien, nous sommes sur les mêmes vibrations, mais à l'inverse de toi, je peux communiquer avec le monde qu'il y a au-dessus. Je peux les voir aussi, car je suis une âme plus ancienne et plus expérimentée !

– Mais alors, pourquoi je n'ai pas vu que tu étais ma fille et que tu vivais avec maman ?

Et elle aborda le sujet « Michael » :

La première fois que j'ai vu Michael, j'avais quatre ans. Je voyais bien qu'il n'était pas comme nous tous. Il sortait d'un beau nuage argenté très étincelant. Je dois avouer que lorsqu'il m'est apparu, il m'a fait sursauter. Puis, à son contact, il m'a rassurée sur ses intentions à mon égard. Il m'a entretenue de ce qu'il se passait autour de nous, comme il l'a fait pour toi. Il m'a accompagnée dans d'autres sphères pour me faire découvrir ce qu'il existe autour de nous. Les conditions pour lesquelles il m'autorisait à rester avec toi dans ton coma étaient de ne rien dévoiler de tout ça à quiconque. Je peux te dire que j'ai bien failli craquer à certains moments pour réconforter maman. Moi aussi, il testait ma fidélité envers lui !

Elle me remémora ensuite les instants où j'ai dû la consoler, et lorsqu'elle me disait que son père ne venait pas la voir, parce qu'il était trop fatigué.

– Mais comment il a fait, alors, pour que je ne m'aperçoive de rien ?

– Comme tu as toujours voulu un fils et une fille, la part qui est de toi en lui avec laquelle tu devais te réconcilier, il transposa donc en vibrations d'affiliation direct sur Michael, et comme maman avait refoulé son don, et que je suis aussi affiliée à elle, j'étais « Jamie blonde ». Il a fait une dérivation, comme l'aurait fait un électricien, car l'énergie qui nous sert à nous mouvoir dans l'espace, sur les différentes vibrations, est d'origine électromagnétique. Il a ensuite fait en sorte que sa part à lui et moi soyons très proches, pour que toi, le sachant heureux de cette amourette, tu te rapproches de moi, puis il me fit passer à tes yeux pour la fille des Delaporta, nos voisins.

– Mais pourquoi tout ce stratagème ? Je croyais qu'il n'y avait pas de mensonges là-haut ?

– Ce n'est pas un mensonge, il t'a tout simplement mis sur une autre vibration. Celle de ta reconstruction !

– Elle me demanda de regarder l'écran de son ordinateur :

– Tu vois, papa, ces personnages, nous les avons créés, organisés, nous leur avons attribué des points forts, qui sont leurs atouts. Eux, on leur attribue d'office, car ils sont virtuels, nous c'est les épreuves de nos vies passées qui font que nous en sommes pourvus. Mais comme nul n'est parfait, ils ont des lacunes, comme nous, qui sont leurs points faibles et qui, en évoluant dans le jeu, vont être comblées. Nous leur avons construit un environnement où ils évoluent, et par rapport à cela, nous adaptons des initiatives à prendre pour qu'ils accomplissent leur mission. De mon ordinateur, je peux les faire avancer avec la souris ou le clavier, et toi, de ton ordinateur, tu peux aussi les voir avancer et interagir, comme s'il y avait un fil qui nous garde connectés. Mais attention, c'est facile, parce qu'on ne leur demande pas de ressentir quoi que ce soit, à eux.

– Eh bien, autour de nous, c'est un peu la même chose. Te souviens-tu des cellules qui composent tes cellules et qui se posent la même question à l'infini à propos d'observer le petit et comprendre plus ou moins leur fonctionnement, mais de ne rien admettre de l'infiniment grand dans lequel il évolue par sa méconnaissance. On en est là ! Sauf que les observés ne sont pas numériques et contrôlables, mais sensoriels et munis du choix, du libre arbitre. Les messages sont envoyés puis captés par des ondes vibratoires électrosensorielles. Celles-ci vont être traduites par le néocortex, et par le cœur, puis envoyées ensuite au cerveau et seront jugées par ce libre arbitre pour les mettre en pratique ou pas. Le jugement de chaque individu, selon son niveau vibratoire, déterminera l'importance de la valeur de cette écoute.

– Tu sais les premiers homos sapiens, ceux dont le cerveau s'est développé après une mutation morphologique des muscles de la mâchoire qui leur a permis de développer le volume de leur boîte crânienne et accroître, par là même, leurs capacités intellectuelles. Et bien, à partir de cette mutation, ils se sont différenciés des autres espèces vivantes en développant un nouveau mode de civilisation jusqu'à celui que nous connaissons maintenant. Quand j'y pense ! Il est tout de même curieux que l'homme n'ait pas eu à concurrencer une autre espèce qui aurait pu, à la même période, bénéficier d'un développement similaire et se procréer massivement en s'acclimatant dans différents territoires, afin de partager aussi le règne. Ce qui encore plus bizarre à cette époque, c'est de voir dans ma vision, des va-et-vient entre le ciel et la terre, d'objets volants. Passons, il y a sûrement une raison à ça ! Mais je pense qu'un espoir était fondé pour qu'une seule espèce ait l'honneur d'être les mains et de partager la pensée du Créateur, déléguant à ses anges d'entreprendre le dur travail de nous souffler les instructions ancrés dans notre antre, qui doivent être délivrés par notre foi, afin de matérialiser son œuvre, sûrement! Mais étant ce qu'ils sont, cela leur confère le titre de plus grands prédateurs terrestres en devenant les hommes que nous sommes maintenant, flattant leur égocentrisme, à croire qu'ils régissent ce monde par leur propre intelligence.

– Donc, jusqu'au moment où ils développèrent le langage des mots provenant de leur intellect, qui leur permet de structurer des pensées, et par ce fait, de communiquer oralement, dans différents dialectes, ils se servaient jadis de leurs sens. Ils n'étaient réceptifs qu'à ce qui leur était insufflé. Ils étaient plus à l'écoute de leur environnement. C'était leur moyen de navigation dans l'espace-temps, de leur fonctionnalité. Ils se laissaient guider notamment par cette force céleste.

– Le temps passait, et l'utilisation intellectuelle s'accentuait et facilitait les conversations avec son interlocuteur, qui rendait une compréhension de la pensée plus exacte. La fusion de cette force céleste associée au développement de cette communication orale leur permit d'échanger des idées, d'évoluer plus rapidement, et de cette facilité, la construction d'une société et la transmission de techniques se multiplièrent plus aisément. Mais certains êtres étaient intellectuellement plus doués dans la manipulation orale, et ils s'aperçurent que détenir un tel pouvoir était une grande richesse. Ce faisant, ils se laissèrent pervertir par leurs pensées emplies de domination. Voulant s'approprier cette force, ils dissuadèrent leurs semblables d'écouter leurs sens, afin de garder pour eux cette puissance. Ils condamnèrent même les personnes plus sensibles à cette réception d'écoute, les jugeant d'être au service du mal, de pratiquer la sorcellerie. Pour dissuader le peuple de ne plus écouter les messages reçus, ils les châtiaient, ou les brûlaient sur la place publique pour marquer « la conscience collective ». Atrophiant la foi, privilégiant la seule pensée qui doit être pratiquée, la pensée consciente rationnelle au détriment du contact du don originel d'écoute de ses sens, afin de mieux les manipuler.

– Il est étrange que dans certaines civilisations, ces personnes dotées de ce don soient vénérées et considérées. En revanche, dans d'autres civilisations « plus développées », connaissant le pouvoir d'une telle puissance et la vérité qui pourrait s'en dégager, elles ont enterrés cette idéologie, la faisant passer pour fantasque ! Je ne crois que ce que je vois ! Saint Thomas qui se repentit, une fois passé de l'autre côté du miroir. Ça m'arrange de penser ainsi, je n'ai pas besoin de me justifier à chaque fois que je reçois des messages divins.

– Après ces années de méfaits, étant atrophiés du don d'écoute, les manipulés sont devenus bien souvent prévisibles, déambulant au gré des sons de cloches administrés par les forces dirigeantes intellectuelles terrestres. Malgré les heurts contre les murs, les crises sociales, économiques, culturelles et religieuses, ils s'évertuent à croire qu'ils dominent le monde. Des tracés prédéterminés leur sont octroyés, mais ils trouvent quand même le moyen de prendre des chemins de traverse qui les ralentissent ou bien qui les mettent hors circuit, car ils ne font pas confiance aux messages perçus. Certains surprennent à réaliser leur vie de façon parfaite, en comblant, non pas leur ego, mais l'amour qui les stimule à vivre. Quitte à heurter parfois l'opinion. Ils restent une minorité, ils sont bien souvent pris pour exemple, car leur action éveille parfois les sens originaux de la foule qui les admire. Ils sont jalousés, ils sont épiés, comme dans l'histoire du grand huit. Et si, par malheur, ils venaient à se tromper dans leur choix, dû à la pression qui pèse sur leurs épaules, à ce moment-là, ils sont châtiés sur les journaux publics et reçoivent les critiques les plus sanglantes. Anéantissant tout le travail accompli pendant des années, en un seul jour.

– Wow ! Je suis impressionné par toute la connaissance qui t'habite et la dextérité avec laquelle tu t'exprimes, Jamie !

— Tu serais surpris, papa, de connaître toutes les qualités insoupçonnées dont chaque individu en ce monde regorge. Mais on ne prend plus le temps de les approfondir, elles nous redoreraient le blason, tu sais !

— Tiens, en parlant de connaissance qui habite quelqu'un. Il me semble que tu m'as fait prendre des notes pour l'écriture d'un livre et d'idées à créer pour pallier un « futur futuriste », pour qu'à ton prochain passage sur terre, tu ne sois plus témoin d'aberrations humaines qui pourraient être comblées par des inventions utiles ! Malgré qu'après chaque époque prospère, un lot d'apogée dans l'illogisme vient s'immiscer dans le décor, pour continuer à nous pousser à évoluer. N'est-ce pas papa ?

Elle se leva et alla chercher son ancien ordinateur. Elle le mit sous tension et dirigea le curseur sur le dossier « le cœur du monde », lien « le futur futuriste ». Des sujets étaient à développer. Les fameuses graines que Michael venait nous semer, comme pour nous faire réfléchir sur des points cruciaux qui nous concernent.

— Hé ! C'est quoi, toutes ces énigmes ? J'ai l'impression d'être en face du grand maître Yoda ou encore à essayer de déchiffrer Leonardo da Vinci. Je sais que j'ai manqué une bonne période de mes vibrations de vie terrestre, mais cessez de me laisser dans l'ombre de tous ces doutes !

Elle se mit à sourire et replongea dans son jeu en me soutenant qu'elle ne pouvait pas m'en dire plus.

— Et j'oubliais, papa, si tu es en panne d'inspiration, tu peux toujours te servir de la méditation pour te retrouver dans « le cœur du monde », il est toujours ouvert, à toute heure du jour et de la nuit, sept sur sept, si tu veux ! souligna-t-elle.

Auparavant, c'était Michael qui me sermonnait, maintenant c'est Jamie. Il me semblait que mon apprentissage de vie ne se terminerait jamais.

Avec tout ça, l'heure passait, et je n'avais rien préparé pour le souper. À ce moment-là, Sally entra :

– Surprise !

– Wow ! dit Jamie émerveillée ! Maman, t'es super-belle avec ta nouvelle coupe de cheveux !

– C'est vrai que ça te va bien, ce rajout !

– C'est sûr ! Ça vous plaît ! Je n'avais encore jamais osé, mais j'ai toujours aimé les cheveux longs, et depuis que tu m'en as parlé à l'hôpital, ça me trotte dans la tête !

Elle était radieuse. Je sentais en elle ce besoin de vouloir me séduire. Après ces années de coma, notre amour nous poussait à nous reconquérir.

– Allez ! Ce soir je sors mes deux princesses ! Comme je n'ai rien préparé, on va au restaurant !

Pendant que nous attendions notre commande, tout en la dévisageant, je fis part à Sally de l'expérience que j'avais partagée avec Jamie cet après-midi. Elle n'en revenait pas, elle non plus, et questionna Jamie à ce sujet. Elle confirma qu'elle avait deux extraterrestres à la maison, mais qu'elle devait s'y faire, et qu'elle ne se sentait pas prête à franchir le pas.

Sally avait une autre surprise à nous communiquer. Celle de partir en voyage au Canada cet été, c'est-à-dire dans un mois ! Sa proposition fut acclamée par les cris aigus de joie de Jamie. Sally avait organisé ce séjour avec une agence de voyages, et nous n'avions qu'à nous laisser guider. Je m'adressai à Jamie et lui dis :

– Attends-toi à recevoir de vibrantes secousses dans ce pays !

Et Sally entama les souvenirs de notre voyage de noces et les phénomènes qui s'y étaient produits.

Je profitai de ce mois de battement pour organiser dans les grandes lignes mon travail sur l'écriture de mon livre et le développement des idées de mon « futur futuriste ». La musique remplissait son rôle dans la stimulation de mon imaginaire. À la lecture des textes que j'avais dictés à Jamie pendant mon coma, je m'aperçus qu'un enchevêtrement combinatoire se formait entre le roman que je devais écrire et les idées que je devais développer, en organisant un concept révolutionnaire à mes yeux. L'engouement était si fort que, dès lors, inspiré dans l'écriture d'une idée, je ne me rendais plus compte dès heures qui passaient. L'obligation de programmer l'ordinateur pour m'avertir des pauses que je devais prendre, afin de préparer à manger ou bien d'aller chercher Jamie à l'école ou faire du sport, était devenu impérative. Ma vie était rythmée, et j'avançais efficacement de cette manière-ci. Mes princesses m'observaient et voyaient que je prenais du plaisir dans ce à quoi je m'adonnais. Enfin, surtout Sally, qui m'avait vu m'obstiner dans des emplois qui ne me correspondaient pas vraiment.

Un jour, alors que je promenais dans mes pensées dans le bureau que Sally m'avait aménagé, puis décoré dans l'alcôve attenante à notre chambre, j'entendis dans le grenier des bruits singuliers. Je m'équipai d'une lampe-torche et je m'empressai de monter en ce lieu pour connaître la cause de ce vacarme. J'écartai les caisses dans l'espoir de dérouter un habitant clandestin, lorsqu'à mon tour, je me fis surprendre par une couleuvre qui dégustait son repas et m'indiqua de la laisser tranquille avec ses respirations haletantes. La singularité de cette rencontre me fis sursauter et trébucher sur une boîte en carton que j'explosai, en tombant dessus de tout mon poids. À ce bruit, le protagoniste de cet incident prit la fuite, et je me hâtai pour obstruer l'issue par laquelle il sortit de ce lieu. Je vérifiai ensuite qu'un de ses congénères ne restait pas dans les parages. Une fois la zone contrôlée, je reformai la boîte de carton sur laquelle j'avais atterri, et en le réaménageant inopinément, je tombai sur le symbole de « l'homme de Vitruve » qu'arborait, jadis, le mur de ma chambre d'adolescent puis celui de mon premier appartement. Pourquoi Sally l'avait-elle entreposé ici, alors qu'elle savait que c'était un cadeau de mon parrain et que j'y tiens énormément ?

Je le descendis et l'accrochai au-dessus de mon bureau. Tout en l'admirant je dis :

– Mon cher Leonardo da Vinci, quel heureux plaisir de te revoir ! J'ai une surprise pour toi ! Je pense avoir trouvé la profondeur de ton message.

Il revint à ma mémoire le jour où je fis l'acquisition de mon nouvel ordinateur, et je ne sais pas pourquoi, le vendeur me demanda de choisir un logiciel qu'il m'offrait gracieusement pour l'achat de l'imprimante couleur. Sur le choix de logiciels proposés apparut le dessin « l'homme de Vitruve ». C'était sûrement un de ces signes célestes. J'initialisai donc le modèle du dessin à l'aide du scanner, puis l'image apparut sur l'écran. Grâce aux applications du logiciel, je scindai ensuite le carré avec son contenu, même opération avec le cercle et son contenu également, tout en faisant pivoter l'image à trois cent soixante degrés. J'avais l'impression de réitérer une opération que j'avais déjà faite avec deux mondes. Et à ce moment-là, tout était plus clair dans mon esprit. Dans le premier, je voyais l'homme dans tout son rationalisme, s'imposant par la rigidité carrée de ces lois matérielles qu'il s'infligeait, pour se protéger de lui-même en croyant narcissiquement qu'il peut contrôler son environnement, bloquant ainsi sa spiritualité, sa créativité, son épanouissement personnel, au risque de se crucifier car doté d'une intelligence bornée qui rend son cœur aveugle.

Et dans le second, je voyais Michael dans sa sphère, représentant l'ange gardien de chacun, qui veille constamment sur nous. Nous demandant d'arrondir les angles et de laisser croître cette même créativité, pour notre rédemption et notre salut. Des ailes apparurent dans son dos et libérèrent de la poussière d'étoiles. Des larmes de joie animèrent mes vibrations.

Plongé dans ma découverte, je ne m'étais pas aperçu que deux personnes chères à mon cœur m'observaient dans mon dos, mes deux ailes. Jamie se mit à applaudir, et puis se jeta sur moi, me félicitant de ma trouvaille.

– Maman, c'est lui, Michael, l'ange gardien de papa ! Oui maman, c'est lui ! Et qu'est-ce qu'il est beau !

Vous savez! leur dis-je, ma grand-mère avait raison de dire : « Ce n'est pas parce qu'on ne voit pas que ça n'existe pas ! » C'est de cela aussi que Leonardo voulait nous témoigner, à travers sa magie bien à lui.

À ce moment-là, Sally prit sa tête entre ses mains et se mit à pleurer. Tout en gémissant, elle répétait :

– Ça ne va pas recommencer! Non! Ça ne va pas recommencer!

Jamie, furieuse, lui dit :

C'est son chemin de vie, maman! C'est écrit dans ses cellules et elles se manifestent pour leur réalisation! Quoi que tu fasses, il devra s'acquitter de sa mission! Quiconque entravera son accomplissement en paiera un lourd tribut, à l'image du docteur! Maman, ne t'inquiète pas! Tout va bien se passer.

Je me levai de ma chaise, pris de colère, je les sommai de me dire ce qu'il se passait et qu'est-ce qu'il y a encore eu avec ce docteur ?

CHAPITRE 17

ENFIN UNE ÉCLAIRCIE DANS LE CIEL

Durant la période qui précédait l'arrêt total de l'absorption de mes médicaments, les cellules de mon corps éliminaient graduellement les molécules chimiques qui les intoxiquaient, et parallèlement, coïncidait à cette manifestation mes retrouvailles avec « l'homme de Vitruve ». Devais-je y voir encore un fait du hasard? Depuis lors, une autre alchimie débuta et éveilla mon esprit. Des scènes de courses-poursuites; d'un accident de voiture avec un chauffeur et moi à son bord; de Christophe se réjouissant de cette situation; d'images kaléidoscopiques de Leonardo da Vinci et de Sally hurlant; du médecin craignant pour le sort de sa famille; d'ordinateur décodant un programme; de J.P. composant des airs rythmés, aux percussions rugissantes, tambour battant, le tout accompagné de voix vociférant des appels de colère qui venaient me hanter. Ces paroles ne cessaient pas de fustiger dans ma tête. Mes parents, remplis de regrets, se tenant la tête entre les mains, priant le Seigneur de les pardonner, et que tout cela revienne à la normale. Succédant à cela, un flash vient m'éblouir. Dans ce dédale d'informations sous-jacent, le déchiffrage de son contenu était encore altéré par l'effet résiduel des remèdes. Une parenté à une succession d'énigmes demandait indubitablement à être élucidée, au même titre que les mystères de Leonardo, pour la rédemption de mon âme. Le retentissement d'un klaxon interrompit ma réflexion. Je me penchai par la fenêtre et j'aperçus mes parents dans une somptueuse voiture noire.

– Vous tombez bien vous ! Je voulais vous voir aussi ! me dis-je à demi-voix !

À peine mirent-ils un pied dans la maison que je m'empressai de rassembler tout ce beau monde dans le salon, pour les questionner sur la situation. À mon humble avis, s'ils faisaient partie de mes songes, un lien les unissait certainement. La confusion psychologique dans laquelle je demeurais ne devait pas être ignorée une fois de plus, car à terme, cette situation se transformerait rapidement en un convertisseur à venin. Il fallait crever l'abcès.

– Si je vous ai réunis tous les quatre, c'est pour que vous m'aidiez à élucider les images qui cognent dans ma tête. Que s'est-il passé ces dernières années ? Pourquoi me revient-il à l'esprit des flashs sur un accident de voiture où je suis conduit par un chauffeur ? Qu'est-ce qui te fait si peur, Sally, lorsque tu vois « l'homme de Vitruve » ? Je ne suis pas dupe, je sais qu'il se trame quelque chose, mais je n'arrive pas en avoir le contrôle.

Mes parents observaient les gestes nerveux de Sally et attendaient une manifestation de sa part ! Mais il n'en fut rien. Ils respectèrent son silence et se tournèrent vers moi :

– De quoi te rappelles-tu exactement, Benito ? Que disent les paroles de ta chanson ? Essaie de t'en rappeler. Elles vont peut-être nous mettre sur une piste.

– Eh bien, ça faisait comme ceci :

Et je fredonnai l'air en accentuant sur les percussions rythmées, mais je n'arrivais pas à atteindre le lien entre la mélodie et les paroles. Mon père sortit de sa poche son appareil GPS, un cellulaire, un ordinateur de poche, un appareil qui contrôle son taux de glycémie électroniquement, son nouveau portefeuille, son traducteur de voyage. Il me semblait voir un couteau suisse exhiber ses fonctionnalités. Tout en faisant cela, il nous fit partager sa mésaventure intervenue lors de son passage à l'aéroport lorsqu'il s'est aperçu, malheureusement trop tard pour le départ de son vol, qu'il avait oublié son passeport dans son autre portefeuille. Sans compter, l'accumulation de troubles qui vinrent se greffer les uns après les autres, résultant de cette malheureuse omission. Et là, il énuméra les difficultés à obtenir un nouveau vol pour la Chine. Pour un homme d'un certain âge, l'accumulation de tous ces événements, sous l'effet du stress, est plus difficile à gérer. À ce moment-là, son rythme cardiaque s'emballa et mit à contribution son pacemaker pour gérer cet afflux de sang, en donnant des impulsions électriques pour stimuler les fibres musculaires cardiaques. Ce qui malheureusement, n'empêcha pas de lui provoquer un malaise à la sortie de l'aéroport et aucun système d'appareil pour prévenir de ces manifestations internes corps. Cerise sur le gâteau, après l'obtention d'une place dans le vol suivant, au moment d'embarquer, il fut obligé de passer aux détecteurs de métaux par la police des frontières, au risque de dérégler la programmation de l'appareil, car sa carte de porteur de stimulateur cardiaque était restée dans son ancien portefeuilles. Puis, rendu à Beijing, l'interprète qui devait l'attendre la veille à l'aéroport pour l'accompagner la durée du voyage n'était plus présente sur les lieux à son arrivée. Lui qui ne baragouine que des mots essentiels en anglais et rien en chinois, avec son traducteur archaïque, il était vraiment dans une mauvaise posture. Enfin, après le récit de toutes ses péripéties, il sortit de sa dernière poche ses cartes de crédit et son MP3. Jamie l'observait s'interrogeant sur l'utilité d'une seule de ces applications parmi cette multitude de d'appareils différents transportés, pour lui soumettre :

– Ne crois-tu pas, papi, que tout ce fourbi pourrait être réuni en un seul appareil, en te déchargeant de leur poids et libérer l'ensemble de tes poches ?

Il lui sourit et feignit la question, car il était habitué à collectionner tous ces petits gadgets, tout en manipulant ce dernier pour le connecter au système audio de la maison par Wireless network. Il surfa sur sa discographie, hésita un instant tout en regardant dans la direction de Sally, qui acquiesça d'un « oui » de la tête, et en un instant, débuta dans nos oreilles, cette musique délivreuse de messages.

— Ça faisait comme ceci ? me demanda-t-il, à l'écoute de cette musique.

— Exactement ! Comment sais-tu que j'entends cette musique dans ma tête ?

— Tu l'as composé pour protéger ton concept ! Le concept « futur futuriste », mais je n'en sais pas plus, car les codes, c'est toi qui les détiens, pour nous protéger tous, m'avais-tu dit à l'époque.

Tout cela me rendait perplexe.

— C'est J.P. qui l'avait composé.

— Qui est J.P. ? me demanda Sally.

— Eh bien, voyons, Jean-Pierre et Christophe, on a grandi ensemble.

— Je me souviens que tu as parlé de ces deux jeunes hommes, mais tu ne nous les avais jamais amenés à la maison.

Là, j'étais encore plus confus. Malgré tout, par un signe de la main, je fis comprendre à tous que j'avais besoin de concentration. À l'écoute des battements de tambour qui retentissaient au rythme de mon cœur et la suggestion soumise à mon père par Jamie, l'association de ces deux électrons opposés vibratoires eut l'effet d'un détonateur dans mon esprit. Ils décodèrent spontanément les idées de mon projet « futur futuriste » qui venait se télécharger dans mes pensées. Je repris mes esprits qui se laissaient distraire par tout ce qu'ils captent, inconsciemment. Je luttais pour qu'un débordement intempestif, engendré par toutes les informations que je recevais, n'entame pas une analyse automatique, dès lors qu'elles me captivaient. Je me forçai à exécuter une chose à la fois, comme me sermonnait à maintes reprises Michael.

— Dans la confusion, rien n'est bon ! Une chose à la fois, et les réponses à tes questions viendront se succéder d'elles-mêmes, me répétais-je. Je me concentrai sur la musique. Soudain, je me sentis envahir par une vibration qui stimulait mes cellules, provenant du plus profond de mon être. Sous les effets d'accroissements intensifs, l'activation de mes souvenirs se mit en émoi et déclencha un branlement de litanie qui se fit entendre.

Réminiscence de nos sens !
Délestons-nous de nos chapes de plomb qui brident notre ascension,
Cessons de farder nos émotions, la vérité n'en sera que plus féconde. Usurpé par vanité, le royaume des cieux, à genoux, demandons pardon ! Ou chaque jour, plus profond dans les abysses, nous nous précipiterons.
Du sacro-saint argent, unique dieu à rassembler autant d'adoration, Accordant et réunissant, en son sein tous les peuples, en une insolite religion,
Confondant le but suprême de toutes convictions,
Détournant pour cela du regard notre Dieu aimant.
Dirigeants, commandants ! Prenez garde à vos décisions !
Car les jours de foudre, d'ici peu sur vous, s'abattront,
Seulement de nos alliés, nous nous souviendrons.
Ardents défenseurs de la foi, en proie de supposition,
De leur dévotion, nous leur accorderons l'évolution.
Peuples du monde, dressons-nous tous à l'unisson,
Créons, fondons, le chemin de la rémission,
Debout, nous vaincrons, sur la tyrannie, l'oppression.
Sur vos pinacles, tremblez, et demandez l'absolution,
Car, au jour du réveil, nous commuterons !
Dans l'antre de tes sens, est inscrite la voie de ta mission,
Réminiscence, de ton flacon, libère l'effluve de ta raison,
Céleste est l'élévation, telle est la voix de la rédemption.
Ou de notre civilisation, nous serons témoins de sa perdition !

Au terme de cette litanie, leur regard restait suspendu à l'interrogation fondamentale de notre existence. Le retentissement des percussions qui s'amplifiait, nous laissait flotter dans cette atmosphère requérant un autre niveau de compréhension. Je continuai à leur commenter les scènes qui défilaient perpétuellement dans mon esprit. Ils respiraient mes paroles, en oxygénant leur cerveau, sous le regard espiègle de Jamie qui me faisait de continuels « oui » de la tête.

– Mais tout cela est bien confus aussi pour moi. Je recommence à retomber dans le doute ! Alors pour l'amour de Dieu, explique-moi, ce qu'il se passe !

Ils se dévisagèrent tous les trois. Sally, se sentant responsable, fondit en larmes et se confondit en excuses. Elle avoua qu'elle avait peur que tout recommence. Elle s'accablait d'être fautive de cette situation et d'être à l'initiative de toute cette affaire, m'ayant poussé à développer mon concept. Elle avait espoir que toute la durée de mon coma, m'aiderait à oublier tout ce qui s'était passé pendant cette période. C'était sous-estimer la capacité mémorielle interne de mes cellules éponges. Alors, pour ne rien éveiller en moi de ce qui venait de l'extérieur, l'espérait-elle, elle avait pris le rôle d'un attaché de presse, pour gérer finement les discussions par des coups de manchettes, évinçant discrètement mes interlocuteurs.

Enfin, elle céda et se mit à révéler toute l'histoire. Elle se confondait de nouveau en excuses. De par son émotion, les rétrospectives sur les faits étaient désorganisées et la cohérence ne tenait qu'une logique aléatoire. Constatant cela, Jamie vint à son secours pour restituer quelques anecdotes, puis mon père les interrompit, voulant apporter aussi au moulin, de son eau. Mais certains faits se contredisaient et n'abreuvaient que davantage ma confusion. Je stoppai tout le monde, dans l'amalgame de ce chambardement. Je les fis se taire.

Une fois le silence atteint, je changeai de stratégie. Cette musique avait entamé le déclenchement de mon processus de guérison, et il fallait le mener à son terme. Je demandai à chacun d'entre eux la permission de glisser dans le miroir de leurs yeux. Je commençai par mon père. Au début il fut surpris par ce que je lui annonçais. Je m'en tenais à n'ouvrir que les portes qui m'apporteraient le témoignage d'une éclaircie à ma situation. En navigant dans le labyrinthe de ses belles émotions, je m'apercevais que mon père avait une âme si pure et remplie de bonté à l'égard de son prochain que cela me rendait fier d'être lié affectivement à lui. Mais je m'apercevais aussi que toute cette bonté affective l'empêchait parfois de se focaliser sur ses propres intérêts. « Charité bien ordonnée commence par soi-même » dit un vieil adage. Je décelais chez lui que l'art ne se limitait pas qu'à écouter de la musique et qu'il aurait pu développer des activités artistiques, pour l'aider à s'épanouir dans sa mission de vie. Des rancœurs persistaient, et certaines souffrances qu'il gardait au fond de lui désorganisaient son chemin de vie et le ralentissaient. Il était de bien entendu que j'aurais plus tard une conversation à ce propos-ci avec lui. Ensuite, poussé par une force, j'étais orienté malgré moi dans une autre facette qui était une volonté de sa part. Son âme profita de cet instant pour me témoigner le plaisir d'avoir partagé avec lui des heureuses parties de vies communes à travers des activités qui nous réunissaient tous les deux, mais pas assez à son goût, ni au mien d'ailleurs, en raison de la dureté de son travail de maçon qui lui prenait beaucoup de temps et d'énergie. Chose que mon père, par pudeur ne m'aurait jamais avouée. Moi aussi je t'Aime, Pa !

Ah ! Quelle tristesse que l'être humain ne s'accroche pas plus à ce plaisir de partager de vrais moments d'émotion et se les réserve égoïstement dans un coin de son cœur. Je continuai à parcourir son antre, et hormis le présage d'une belle fin de vie amoureuse avec ma mère, mais malheureusement des complications médicales qui les sépareront, je n'eus pas d'autres informations que des bribes d'actions me concernant, m'informant des faits dans lesquels il était présent, à propos de mes recherches. Ému parce que je venais de voir, je refermai la porte du miroir de ses yeux et m'empressai de l'embrasser.

Après cette expérience, je ne voulais pas connaître le sort qui était réservé aux personnes importantes de ma vie.

De ce constat, je tentais donc de me faire une autoapplication en glissant dans le miroir de mes yeux. Je me positionnai devant le miroir de ma salle de bains, mais rien n'y fit. Il était tellement chargé d'émotion que je ne pus m'y concentrer, car il me renvoyait toutes les empreintes d'images qu'à son tour lui aussi capturait, pour me les transmettre les soirs où Sally pleurait silencieusement, pensant à cette situation qu'elle vivait tout en se démaquillant face à lui.

Comme j'en avais pris l'habitude lorsque je cherche la solution à un problème, je me retranchai dans l'isolement. C'était devenu un réflexe ; ma méthode de méditation. Je les laissai donc tous les quatre dans le tohu-bohu de leurs souvenirs, et je pris la direction de mon bureau. Une fois installé à celui-ci, je contemplai chaque objet qui ornait ces murs. Tout en faisant cela, je me remémorai le corridor qui me conduisait dans le cœur du monde. Une image en entraînant une autre, elles me firent reprendre la discussion que j'eus avec Michael à propos de sa capacité à détenir tous les événements de ma vie. Là, je disposais peut-être des réponses à toutes ces manifestations qui s'insurgeaient malgré moi dans mon esprit, afin de solutionner cette ambiguïté latente avant qu'elle ne se transforme en maladie. Je m'aperçus que grâce à la conscientisation de ce phénomène, un déclenchement instinctif de mon système de protection sensorielle s'activait sans rémission pour ne pas être affecté par ces symptômes, comme la programmation d'un anti-virus interne à mon corps. Wow ! Je m'étonnais moi-même de voir une telle rapidité dans son exécution de mise en alerte.

Je commençai par prendre une grande série d'inspiration pour rentrer en méditation. À peine eus-je le temps de prendre la dernière inspiration pour me déconnecter de mon environnement terrestre que pour la première fois, Michael apparut dans ma chambre, assis sur mon lit.

– Tu vois Benito, chaque questionnement qui porte sur ton existence est la preuve de l'importance que tu portes à ta vie. Alors est venu le moment pour toi de connaître toute la vérité sur la période de ton absence sur terre, le temps de ton apprentissage en ma compagnie dans le cœur du monde. Viens glisser dans ton ADN à travers moi.

À cette invitation, je le fixai dans les yeux et je me sentis happé dans cette bande blanche : le livre de ma vie. Pour ce faire, je ne m'étais pas réinvesti seulement dans ma personne, mais aussi dans l'âme des intervenants pour comprendre les vraies raisons qui les ont poussés à agir de la sorte et jauger du degré de leur implication dans cette affaire. Mais pour aborder ce moment, je commençais mon observation à travers les yeux d'un oiseau pouvant, de plus haut, admirer les contrées de ma Provence natale. Michael m'accompagna.

La rétrospective de mon histoire débuta juste après l'incident survenu avec Christophe dans le garage où, par son acquisition douteuse, je m'étais juré de ne plus rien inventer pour éviter des problèmes à mes proches. En fait, une nouvelle molécule dans mon traitement m'avait été additionnée, et j'ai fait une crise de démence. Dans ces moments-là, mes démons reprennent le pas sur mon équilibre psychique. Pendant cette crise, avec ma batte de base-ball, j'avais tout cassé dans le garage, même le projet de fin d'année, et je m'étais même infligé une automutilation.

Nous survolions donc la colline située derrière la maison de mes parents où, enfants, nous venions jouer. Nous nous posâmes sur une branche. Sous celle-ci, adossés à l'arbre étaient assis deux amoureux qui se bécotaient, du moins qui s'embrassaient, leurs visages dissimulés par la délectation de leurs baisers. L'un d'entre eux se sentit observé, leva la tête et dit :

– Regarde, mon chéri, nous sommes veillés par des anges.

– Ah oui ! Fais gaffe, il va peut-être te chier dessus ! Il est passé où, le mien, lorsque j'en ai eu besoin ?

Surpris par ces paroles et pensant que nous étions démasqués, je regardai Michael d'un air étonné, et il me dit :

– Lorsqu'on est amoureux, la vie se présente à nos yeux plus féérique pour certains, et pour d'autres, il suffit qu'ils traversent une épreuve pour que toute la magie de l'univers soit remise en considération : « Mais qu'est-ce que j'ai fait au Bon Dieu pour mériter ça ? » Tu connais cette impression, n'est-ce pas ? dit-il le sourire au bec.

– Oh oui ! Pour l'Amour, je mourrais de chagrin si, après avoir connu ce sentiment, je devais en être privé ! Le désir d'être habité de cet effluve remplit toute ma vie. Je ne parle pas seulement de l'Amour que je porte à Sally ou à mes proches, mais aussi de l'Amour des activités que je pratique où je prends du plaisir, sans compter l'équilibre que ça apporte à mes sens lorsque je les entreprends. Ça aussi, c'est de l'Amour, n'est-ce pas ?

– C'est l'Amour de soi.

– Pour la déception, j'ai haï cette impression ! J'aurais préféré éviter connaître cela. Ça me perturbe, me rend irritable et non productif.

– L'Amour, la Haine sont deux sentiments opposés, mais cela reste un sentiment d'Amour ! Si dans ton existence tu viens à connaître ce sentiment de Haine, c'est que l'état d'Amour dans lequel tu es originellement, a été ébranlé. Par la maîtrise de ce sentiment de haine, dans la lucidité, pour faire face et résoudre la cause qui a provoqué cette situation, te sera plus aisée à atteindre et te permettra de stabiliser à nouveau ton être ! Ou alors ça te glisse dessus, et on appelle cela l'indifférence. Pour pouvoir haïr, il faut avoir connu l'Amour ! Dieu est Amour et n'est indifférent à rien ! Pour qu'il y ait un équilibre dans l'univers, il faut qu'il y ait une balance, n'est-ce pas ? Le choix t'est donné entre l'indifférence, qui fait que la vie que l'on accorde n'a aucune importance pour ton cœur, mais que tu es là, fataliste, et tu n'attends qu'une chose : c'est qu'elle se termine. Ou bien, tu as le royaume de Dieu, régissant la création par ses règles d'équilibre qui fera que créer le mal, donné à toi ou à autrui, te sera rendu au centuple ; créer l'Amour, donné à toi et à autrui, te sera rendu au centuple ; créer l'indifférence, donnée à toi ou à autrui, te sera rendu aussi au centuple. Il ne s'agit pas seulement d'une dualité entre le bien et le mal, mais un effet de réciprocité, d'intensité dans l'acte.

– Cela voudrait-il dire que dans une autre vie, j'aurais fait du mal à Christophe, et dans cette vie-ci, j'ai répondu de mes crimes, en réveillant mes démons pour l'équilibre céleste ?

– Voyons les choses autrement. Avec J.P. tu t'es toujours bien entendu ?

– Oui ! Car je sais que J.P. est une très bonne personne. Il dégage la pureté dans ses émotions, la douceur, l'intelligence du cœur, la positivité à tous égards. Son but est de construire, de s'impliquer dans sa vie pour avancer. D'être bon.

– Je vois que tu as un profond respect pour lui !

– Oui ! Je l'admire.

– Et Christophe, comment le ressens-tu ?

– Lui, je le déteste. Il provoque en moi le dégoût, la perfidie, le mensonge, l'arrogance, la mesquinerie, la fainéantise, le mépris d'autrui.

– Eh bien ! Eh bien ! Quelle déferlante d'adjectifs que tu rejettes mais qui t'habites tout de même !

– Que veux-tu dire Michael ?

– Si je te disais que ce trio qui représente J.P., Christophe et toi est une seule et même personne, qui s'est disséquée méthodiquement au moment de la prise de ces médicaments expérimentaux, qui auraient décuplé la vision de chacune de ces trois facettes qui te constitue, ce don en voie de développement pour le pousser à l'extrême, dans chaque situation qui s'était présentée à toi. Malgré toute la bonté qui règne en toi et que tu vénères, car tu sais que c'est la seule voie pour être en harmonie avec toi-même, tu t'es tout de même laissé influencer par ces pulsions qui t'habitent, car elles sont gardées dans tes cellules de tes vies antérieures et resurgissent à la moindre occasion, la moindre contrariété, lorsque tu ne lâches pas prise. Nous allons revivre ensemble ce que toi, tu percevais de ta vie, toujours sous l'influence des médicaments, puis tu demanderas à ta mère qu'elle ouvre et se délivre à son tour des secrets qu'elle garde en elle, et qu'elle te parle aussi des dons refoulés de ton grand-père.

À cette description de ma personnalité, la dureté de retrouver le Yang qui me pousse à réagir ressurgit, et le seul fait d'observer la profondeur de son regard me renvoya l'intensité de la réponse.

Curieusement, sur la branche, je crus reconnaître ce rire expansif. Je regardai à deux fois et je pris conscience que c'était le couple que je formais avec Sally que nous observions. Mon visage portait encore le stigmate de mon autoaltercation. De cela, je me faisais consoler par ses doux baisers. Pris de curiosité, le moi plus jeune que j'observai, daigna enfin nous lorgner. À la croisée de nos regards, je me fis aspirer dans la souffrance de mes sentiments passés, en glissant dans le miroir de mes yeux.

Une fois à l'intérieur de ceux-ci, je constatai que ce différend déstabilisa mon antre et peignait de sa noirceur la totalité de l'atmosphère qui y régnait. J'étais dans la phase de : « créer le mal, donné à toi ou à autrui, te sera rendu au centuple ». Dans son centre, mon cœur, plus que mon corps physique, saignait d'injustice. Une rage criait « Vengeance ! » ; animée par mon ego amplifié en ces circonstances. Armé d'un couteau, mes prédominantes origines siciliennes s'émancipaient. Je voulais que justice soit rendue, supprimant de la surface de la terre, ce répugnant individu. La question était : « Mènerai-je jusqu'au bout l'interprétation de cette image ? » Je ne pense pas, j'ai bien trop de respect pour la vie. Tout en me faisant cette réflexion, une question me vint à l'esprit : Si sa présence est marquante dans mon être, c'est qu'un traumatisme de nature néfaste au bon déroulement de ma vie, l'a fait naître ? Que sa création avait un but malgré tout, celle de me préserver avant tout, mais aussi de susciter des réactions à certaines situations ! Ça peut sembler paradoxal mais sa symbolique négative rendait service à l'équilibre de ma personne pour que nous interagissions réciproquement, donnant ainsi un perpétuel mouvement me permettant de progresser. À cet instant, je me rendais compte que les soi-disant problèmes ponctués dans ma vie, je me les étais créés moi-même, car la vie me demandait d'avancer pour accomplir mes quêtes et je m'y refusais par la non croyance en mes propres valeurs. Ce qui en soi, était un bien fait si j'en prenais conscience ou mon anéantissement si je l'ignorais. Ce qui contribuait aussi à évaluer la passivité ou l'activisme de mes actes à l'égard de la vie, face à eux, déterminant ainsi la force ou la faiblesse de mon caractère. Et je trouvais en ces termes, ma réconciliation avec Christophe, avec moi-même.

Mais ce qui était sûr, c'est que ce méfait, pour la compréhension de ce mécanisme, chambardait considérablement dans sa conception, tout le monde féérique que je construisais pour une vie meilleure, qui venait, à cet instant précis, de s'effondrer comme un château de cartes. Dévastée par cette partie tyrannique qui est en moi, qui voulait assouvir ses pulsions de jalousie, sa fainéantise, et son incapacité à vouloir faire les choses par lui-même. Ou encore, à en croire Michael, une vengeance, dont Christophe lui-même ne soupçonnerait pas l'origine, mais qui, par les règles de l'équilibre céleste, s'accomplirait maintenant. Éteignant en moi, par cause de méconnaissance, tout espoir de développer mes idées, la crainte que par ma faute, ce que j'avais enduré, ne soit réitéré sur d'autres personnes que j'aime, infligé par d'autres individus de son espèce. Voici les répercussions d'un méfait infligé de ma part à autrui autrefois, qui ressurgissaient dans cette vie présente.

L'été qui suivit, les parents de Christophe divorcèrent. Il partit avec sa mère et ses deux frères vivre à Marseille. L'éloignement avec cet individu atténua l'ampleur de cette histoire, mais la douleur restait viscérale. Malgré cela, la douceur dotée du pragmatisme de Sally me remit dans les faits d'une réalité, en me démontrant que l'exécution de mes idées macabres m'aurait contraint à vivre une vie enfermée derrière des barreaux. Passant à côté de beaux moments avec elle et nos futurs enfants. Tout cela pour une vengeance ! Don Diègue disait : « Et mourir sans vengeance ou vivre dans la honte. » Devrais-je connaître ce sentiment de culpabilité, de lâcheté peut-être, de déshonneur, si cela était le cas, de ne pas exécuter cette pensée vindicative. Je m'en remettais à l'intelligence du cœur de Sally, qui rajouta :

– Tu as tellement de belles valeurs à partager. Quel gâchis ce serait, que de devoir mettre les causes contraires qui symbolisent ta vision de la vie derrière des barreaux ! me répétait-elle.

Je ne me souvenais pas que Sally use d'autant de psychologie pour influencer mes sentiments.

Deux années passèrent après l'obtention du baccalauréat, Sally continua ses études en université et se spécialisa dans la connaissance des bienfaits thérapeutiques des plantes. J.-P., lui, alla au conservatoire de musique pour affûter son art musical. Quant à moi, je n'ai pas poursuivi mes études. À ce moment-là de mon existence j'entamais la phase : « Créer l'indifférence, donné à toi ou à autrui, te sera rendu au centuple ». La peur au ventre, mes rêves étaient brisés, et l'esprit toujours obnubilé par cette page de ma vie que je n'arrivais pas tourner. Je ne croyais plus en rien. Je m'étais laissé envahir par l'image parfaite de ce que je détestais le plus, à l'image de Christophe. La semaine, je travaillais pour une entreprise en maçonnerie, ce qui m'a permis avec l'argent que je gagnais de louer un petit appartement, décoré à l'image de mes sentiments. Équipé d'un nécessaire nécessiteux de cuisine, d'un matelas directement jeté au sol, assorti de son cendrier et d'une vieille télévision, sans oublier le frigo approvisionné en majorité de canettes de bière. Après les cours, Sally me rejoignait, mais ma compagnie n'était guère agréable et peu passionnante. Je me demandais même comment elle me supportait, alors que je ne me supportais pas moi-même, plongé dans les abysses de ma stupidité. Aux alentours de sept heures et demie, elle rentrait chez ses parents, car chez eux, c'est à cette heure-là précise qu'on sert le souper. Les fins de semaine, sauf lorsque j'allais voir ma sœur et ses deux enfants, rares étaient les moments où l'horizon restait sur son assiette. En termes de pilotage : garder la stabilité de l'appareil parallèle au sol, tout en suivant un cap. Je me laissais souvent prendre dans la tourmente d'un orage, malgré la connaissance du danger encouru. Je pilotais au milieu des stratocumulus, tel un kamikaze. Leur nébulosité réduisait et perturbait, considérablement mon champ de vision, accentué par le déversement de la grêle accompagnée de trombes chargées d'alcool. Sally était ma fenêtre, mon éclaircie dans cette tempête éthylique. Elle ne supportait pas de me voir dans cette situation où le crash risquait d'être la seule issue possible. Je dois avouer que je me sentais peu fier, d'avoir les ailes brûlées. Enfant, elle fut rebutée par des scènes affligeantes dues à l'excès de ces boissons au sein de sa famille. Elle s'était jurée de ne jamais leur ressembler et de ne plus vivre ça. Désolé pour ta promesse, Sally.

Les lendemains de cuite, assailli par le pilonnage de coups de marteau qui résonnaient dans ma tête, je promettais, comme un petit garçon qui veut que sa punition cesse, de ne plus recommencer. Mais plus que souvent, la promesse d'un être désorienté trouvant refuge dans l'alcool, n'a guère de poids pour maintenir un équilibre sur la balance de la volonté. La foi que je me portais était tellement inexistante que même dans l'église où j'avais l'habitude de me réfugier, je n'entendais plus aucun écho. Je m'adressai à la statue de l'archange Michael, lui qui me fit un clin d'œil le dimanche de Pâques qui précédait mon sixième anniversaire, tout en descendant de son piédestal et en me faisant signe de la main, zippant sa bouche de ne pas avertir mon voisin de ce dont j'étais témoin. Lui encore, avec qui j'adorais partager des heures durant l'étendue des images et des pensées qui passaient dans ma tête et auxquelles il me répondait de leur faire confiance, car si ce sont des images qui ravivent le plaisir de ton cœur, c'est que ce sont des messages envoyés de l'au-delà. Il m'expliquait tout de même de bien prendre ces messages avec précaution, en demandant une protection, en implorant le ciel d'être assisté par la lumière divine, car les usurpateurs rôdent toujours pour nous tromper dans cet état d'indifférence. Lui non plus ne m'accordait plus ses faveurs. Ou bien alors, c'est peut-être moi, qui ne les lui accordais plus les miennes, dû à mon manque de foi. La réponse à mon indifférence sûrement. Je sentais bien que mon état d'esprit était la cause des répulsions de mon entourage. Sally avait le don de lire en moi, et elle était la seule à avoir le droit de me réprimander. Ceux qui voulaient faire de même avec leurs sermons retournaient illico presto chez eux sans demander leur reste. À cette époque-là de ma vie, je sais que je ne la méritais pas. Sally m'avait souvent ramassé à la petite cuillère. Ses parents lui avaient conseillé de me laisser tomber, car ça n'amènerait rien de bon, notre histoire. Mais je ne sais pas pourquoi, elle criait haut et fort que ce n'était qu'un passage qui commençait à durer, certes, mais que j'allais finir par me reprendre. Elle se battait comme une lionne pour réussir ce qu'elle entreprenait. Elle est ma confidente. Malgré mon comportement compulsif, elle arrivait parfois à rallumer ma flamme, à me faire embrayer sur mes idées futuristes, sur la manière dont j'ambitionnais de construire notre avenir. Lorsque je commençais à lui exposer ma vision de demain, c'est là que j'étais le roi à ses yeux. Elle arrivait à atteindre mon essence pure, en plongeant au plus profond de moi avec ses mots à elle, à me faire rayonner. Mais dans le feu de la mise en œuvre physique de l'exécution de ses idées, le carburant qui alimentait tout, cela, se tarissait rapidement, contraint d'atterrir d'urgence, pour cause de fuite intempestive. La réalité entretenue par un autre carburant, la peur, me renvoyait immédiatement aux enfers. La créativité ne correspondait plus à la symbolique de beauté épanouie que je m'en faisais, mais au rappel automatique de cette journée traumatisante, qui me fit me connecter à la vraie vie, et qu'il m'était impossible de voir, car auparavant, j'étais en haut de mon nuage de rêveur. C'est là que l'expression : « être hanté par ses démons » prend tout son sens : cette faiblesse, alimentée par ces âmes déchues, qui rôdent en permanence autour de nous, qui viennent, comme de l'huile sur du feu, amplifiant la situation en partageant leurs propres peurs, nous précipitant un peu plus dans les abysses. Sally, la main tendue, me soutenait, qu'ensemble on y arriverait.

En rentrant d'une journée harassante de travail, dans mon salon, un nouveau témoignage de son engagement se présenta. Armée de son grand cœur vaillant et des quelques économies qu'elle avait épargnées en travaillant durant les vacances et les samedis pour une enseigne internationale qui vend des produits cosmétiques naturels, elle m'avait acheté une table à dessin d'occasion, garnie de tout son matériel nécessaire. Elle avait à l'esprit qu'en voyant ceci, un déclenchement s'opérerait en moi et que je me remettrais à exploiter mes inventions, avec le concours de J.P., qui était présent pour son installation. Elle avait acquis cette table chez la veuve d'un architecte de renom international, qui voulait s'en débarrasser, car son mari défunt, lui avait-elle dit, avait passé le plus clair de son temps sur sa table à dessin et non sur elle. Avec le temps, elle était devenue sa rivale. C'est pour cela qu'elle voulait s'en soustraire.

La vue de ce bois me semblait familière. On pouvait discerner que cet homme était passionné par son travail, car le plateau de bois sur lequel il vaquait à son imagination était impeccablement entretenu, malgré les années. Il avait une taille inférieure à d'autres plans à dessin plus conventionnels, mais était tout aussi fonctionnel. Le matériel de mesure ainsi que l'équipement qui sert au positionnement d'inclinaison coulissaient comme sur du velours. Il émanait de cet outil de travail une énergie constructive. Sur le verso de la table était estampé, le nom révélateur de la compagnie qui restaurait ce style d'appareillage : les ateliers Da Vinci.

Tel un maçon, Sally œuvrait pour nous reconstruire. Alignant une rangée de sentiments sur une autre rangée sentiments, scellées par le ciment de son amour, afin de bâtir notre avenir. Mais pour cela, il fallait être deux. La mixture de ce mélange étant composée d'alcool en échange d'eau, et l'alchimie avec le ciment m'incite à penser que son colmatage, du moins des effets secondaires pourraient s'en faire sentir avec le temps. Malgré ce fabuleux présent, je trouvais encore le moyen de me défiler et de me quereller avec elle. L'injuriant de ne pas respecter ma position de principe sur la renonciation à réintégrer cet état d'esprit constructeur, afin de contribuer à redorer le blason de l'espèce humaine, qui était pour moi une cause perdue. Après tout, qui suis-je pour croire que ma contribution pourrait être utile ? Elle contredisait mes pensées, persuadée qu'il y avait encore de l'espoir, avec son joli sourire accroché à une dernière espérance de me voir réagir à ses propos. Elle me soumit même d'investir sur moi, tellement elle avait foi en moi, et que les gains seraient fixés à cinquante/cinquante, non négociable. C'était elle qui endossait tous les risques, se justifia-t-elle. Je lui répondis qu'elle misait sur le mauvais cheval, car si moi je n'ai pas la foi en un meilleur avenir, comment motiver mon enthousiasme à le créer ? Se trouvant vaincus par mon comportement désinvolte, le regard terne, ils partirent. J.-P. ne me reconnaissait plus. Son estime et la lueur dans ses yeux avaient baissé d'intensité à mon égard. Il secoua la tête de gauche à droite, les bras ballants, et referma la porte derrière eux.

Après leur départ, je tournai en rond, une bière dans une main et une cigarette de l'autre. Je me sentais observé. Étonnamment, quel que soit l'endroit où je me trouvais dans l'appartement, la polarité de cette table à dessin attirait toujours mon attention. Je résistai un instant en déviant mon regard sur autre chose, mais hormis une photo de ma belle Sally accrochée au mur, il n'y avait rien d'attrayant dans mon espace. Puis, je lui demandai à haute voix de me laisser tranquille, mais elle avait l'air d'être assez obstinée. À l'approche de ce mobilier, il me semblait qu'elle voulait m'accaparer, presque me posséder. C'était la première fois où, inconsciemment, en apposant ma main sur le bois lisse, la matière me fit retourner dans le temps de son histoire. À mes yeux, tout ce que j'y voyais n'était que le fruit de la fertilité de mes rêveries qui vagabondaient dans une féérie imaginative.

Seul le plateau était d'origine. Il avait été découpé d'une seule pièce sur sept bons centimètres d'épaisseur dans le billot d'un immense érable sec, presque fossilisé, qui avait été épargné en partie par le feu. Il était situé seul, au milieu d'un flanc de montagne, encerclé dans un parterre de lave éteinte, au-dessous d'un ancien volcan. À bord d'une caravelle, ce plateau remplaçait la table d'un navigateur, qui fut brisée au cours d'une mutinerie, durant les toutes premières expéditions aux Amériques. Au retour d'une expédition en direction de l'Italie, prise dans une tempête, la caravelle, les cales chargées de trésors, fut coulée en s'éventrant contre un récif, non loin des côtes génoises. La violence du choc fut si forte, que le plateau de bois se désincarcéra littéralement de son socle, traversa les vitraux de la poupe du bateau et continua sa course sur les flots, pour finir par s'échouer, ramené par les courants, sur une plage du littoral. La surface plane aux allures exotiques attira l'œil avisé d'un jeune homme, qui alla aussitôt prévenir son père : le menuisier artiste. Ses sources d'inspirations provenaient d'objets de bois d'ébènes sculptés, ramenés par le grand Marco Polo au court de ces voyages en Asie. Il s'était tellement perfectionné dans cet art, qu'on finit par dissocier le métier de menuisier, à celui qui prit le nom du bois de ses inspirations, pour être qualifié d'ébéniste. Le sourire aux lèvres, le professionnel profita de cette aubaine pour former son apprenti de fils à son savoir faire passionné, appris au fil du temps, et il lui transmit avec fierté cet art, pour qu'à son tour il le perpétuer au gré de ses inspirations.

Dans l'atelier, tous les outils étaient nettoyés et rangés à leur place. Le mobilier était épousseté et le sol, parfaitement balayé. L'endroit était chauffé à l'aide d'un poêle à bois et l'odeur qui accompagnait les crépitements du bois qui se consumait, feutrait l'ambiance. Le lieu était au reflet de ses occupants, silencieux et réfléchi. Le père, méticuleux et soucieux du travail bien fait, prit un instant de réflexion, pour projeter sa réalisation dans une conception finie. Il connaissait la valeur de ce bois exotique qu'il avait entre les mains. Pas de place pour la maladresse. Un peu nerveux, il inspecta les moindres nervures, les moindres nœuds qui pourraient dévier la trajectoire de la lame du ciseau à bois. Il pratiqua quelques mouvements de coupe sur un bois ordinaire avant d'entamer l'original. Sous les yeux remplis de fierté de son fils, il se lança enfin. On entendait, par des gestes répétés et incisifs, qu'il commençait par lui affiner la silhouette, en lui modifiant ses formes pour lui infliger des allures plus convenables, liées à son futur rang. Une fois l'opération faite, ils lui chanfreinèrent les arêtes au rabot à bois, testant leur régularité, d'un seul coup d'œil bien avisé. Du bout de la sensibilité de leurs doigts, ils en caressèrent le plein bois, afin d'en déceler le plus infime défaut, pour l'ajuster aussitôt. L'étape du dégrossissement étant parfaitement accomplie, il ferma un instant les yeux pour appliquer virtuellement le schéma artistique des motifs à reproduire. Ensuite, il empoigna d'une main ferme le maillet de bois et prit le ciseau à bois de l'autre pour débuter son œuvre. Il se retourna vers son fils, qui lui répondit d'un hochement de tête, qu'il était fin prêt à recevoir son enseignement. Il commença donc par lui montrer les rudiments de la sculpture, en tapotant la fibre soigneusement d'un battement retenu et sec, pour orner le pourtour de figures inspirées de détails harmonieux que nous offre la nature. Chaque mouvement était soigneusement pensé, anticipant la succession des prochains, pour la régularité des figures, une œuvre qui nécessita trois jours. Le travail de sculpture achevé, à l'aide d'une toile émeri improvisée, ils poncèrent les imperfections résiduelles. Enfin, ils prirent des chiffons de lin pour patiner ensemble la totalité de ses surfaces, toujours par des gestes minutieusement réguliers et réfléchis, aux mouvements circulaires ancestraux. Pour finir, toujours en la bichonnant, ils l'enduisirent à plusieurs reprises de couches de cire d'abeille, afin de nourrir ses fibres et la protéger. Ce dernier lustrage accentuait les stigmates trahissant son âge, identifiés par le comptage des anneaux l'unissant au temps passé, effectué par le fiston. Ça lui donnait un cachet d'autant plus flatteur, mais on ne donne pas l'âge d'une grande dame. Ils lui assortirent ensuite quatre pieds aux motifs plus massifs, tout en croisant deux chevrons de bois simplement façonnés, positionnés en diagonale et fixés en leur milieu pour la stabiliser. Le style témoignait d'un raffinement, d'une élégance et d'une telle subtilité dans les détails, qu'après le dernier coup de chiffon pour l'épousseter, le père et le fils s'assirent un instant sur l'établi et admirèrent leur œuvre, le sourire jubilatoire aux lèvres, le cœur rempli de satisfaction. Après ces soins de beauté particuliers, elle avait une seconde vie, elle avait une âme délivrée par l'Amour de ses créateurs. La réalisation d'une telle pièce prend du temps, et pendant ce temps, l'argent ne rentre pas pour nourrir la famille, alors ils décidèrent avec considération de s'en séparer et de la mettre sur l'étal des ventes de la boutique tenue par la mère.

Au passage des chalands qui l'admiraient, cette nouvelle table testait les fibres vibratoires de son futur acquéreur. Portant son choix sur les critères, définis par les premiers êtres humains qu'elle a côtoyés, dont les vibrations étaient désormais imprégnées en elle et caractérisaient le raffinement d'un esprit déterminé, espiègle, curieux, racé, spirituel, artistique, enclin de découvertes, et cela régi par l'Amour débordant de la passion de porter à terme leurs ambitions. Arrivant à ses fins, en appâtant sa conquête par ses charmes dans un premier temps, mais pas seulement en émettant des ondes spécifiques à ses aspirations dont elle appréciait les vibrations, qui seront à l'identique des ondes émises par son interlocuteur. Cela a même, à plusieurs occasions, déclenché des enchères pour son acquisition.

On sait qui on est, lorsqu'on vit la flamme de vie que l'on doit vivre. Émettant consciemment cette détermination, l'être correspondant à ces mêmes attentes va se manifester. Ainsi, nous, êtres du romantisme jubilatoire fantasmagorique, nous allons appeler cette manifestation « le coup de foudre », alors que ce n'est que le résultat de nos propres attentes vibratoires communes.

Voyant les nombreux remaniements qui lui furent apportés et la longue liste de propriétaires qu'elle avait accompagnés au fil des siècles, elle s'était fixée comme mission de ne servir de support, de muse, qu'aux grandes pensées créatrices submergées de lumière. Accumulant ainsi l'héritage des mémoires de ces génies, qui lui ont laissé l'empreinte de leurs œuvres.

Le second propriétaire, car le premier fut cet explorateur qui était à l'origine de sa création, un homme qui portait le nom de sa commune natale en Italie. Il était à la fois artiste, scientifique, inventeur, ingénieur, sculpteur, botaniste, philosophe écrivain, poète, mais surtout doté d'un sens aigu à la spiritualité. Il semblait être à l'opposé de son père qui, lui était un homme doté de grandes ressources, et qui privilégiait le pragmatisme intellectuel, refoulant son côté artistique qu'il jugeait futile et oisif, ce qui a orienté sa carrière vers un métier plus cartésien dans le notariat, au service d'une très vieille et très riche famille florentine. Donc, son père, faisant abstraction de ce qui était malgré tout une partie de lui pour son équilibre s'il l'avait développée, préféra frustrer son art jusqu'au jour où, inconsciemment, il le transmit à son fils, par les cellules génétiques. Son fils, accumulant sa propre créativité par ses vies antérieures, le legs génétique de la part maternelle qui était très croyante, ainsi que celui désavoué, donc perturbé aussi, de son héritage génétique paternel, héritant ainsi d'une valeur créatrice débordante qui, lui, par connaissance, revendiquait détenir cette débordante créativité de l'action de grâce. Plus tard, il exposa ses pensées, qui furent une véritable révolution pour l'époque, mais certaines étaient si avancées dans leur conception que leur crédibilité en était affectée. Ce faisant, il effectuait tous ses travaux sur sa table fétiche. Il aimait tellement celle-ci que lorsqu'un souverain français, attiré par son génie, lui proposa d'être mécène pour ses futurs projets, les seuls effets personnels qu'il souhaita emmener avec lui à Ambroise, lors de son dernier voyage, furent ses fameux tableaux, tous ses travaux de recherches qu'il avait accumulés au court de sa vie, financés par de généreux mécènes, et cette fameuse table. Après lui, tant d'autres personnalités, génies, femmes et hommes de talents divers lui succédèrent. Elle fit le tour de la planète à plusieurs reprises, s'immisçant dans la vie de ses acquéreurs. Succédant aux modes, elle en fut aussi victime. Elle avait les attraits d'une muse. Lorsque le génie de l'individu subissait le mal d'inspiration, elle lui libérait une de ses douces essences à la saveur d'érable qui le transportait de nouveau dans l'élaboration de ses pensées. C'était son moyen à elle de les stimuler. Combien de mains, soutenant leur tête effarouchée a-t-elle supportées et encouragées, maculant sa marbrure de la cire chaude dégoulinant de leurs bougeoirs ? Combien de feuilles, restées longtemps vierges, a-t-elle parfumées de ses effluves, avant de voir couler l'encre puisée dans le ciel de la nuit noire, libérant leurs auteurs de leur frénésie déchaînée ? Elle a même été détournée à quelques reprises de sa fonction première, pour être ornée d'acrotères vivants, en s'improvisant support de scènes libertines.

Elle était le trait d'union qui a contribué à regrouper tous ces êtres d'exception, et les a encouragés à nous délivrer leurs lumières. Tout cela pour finir ses vieux jours cloîtrée dans mon minable appartement ! Est-ce enfin le temps pour cette globe-trotteuse de prendre une retraite bien méritée ? Ou bien de continuer la quête qu'elle s'était fixée.

À l'éclairage de la lumière artificielle qui la faisait rayonner comme une jeune fille, une douce odeur d'érable chaud caramélisé vint caresser mes papilles. Devais-je y voir un présage ?

Je sursautai quand la sonnerie de l'entrée retentit et arrêta net la vision de cette rétrospective. C'était Sally qui venait pour m'avouer quelque chose de capital. Mais avant, elle me fixa, l'air interrogatif, et me fit la remarque, qu'en un court instant, l'expression de mon visage avait changée. Elle n'arrivait pas à définir de quelle manière elle était différente, mais elle était bel et bien différente. Elle reprit le fil de la raison de sa venue. Elle commença par me demander de tourner la page avec cette fâcheuse histoire. Qu'il ne s'agissait plus de me lamenter sur mon sort, mais de me préoccuper du sort de toute une famille.

Sur le moment je ne percutai pas. De quelle famille me parlait-elle ? Tout en me regardant, elle caressa d'une main protectrice son ventre et me dit :

— Tu m'as fait autrefois de belles promesses sur notre avenir. Tu m'assurais que je n'aurais jamais à m'en soucier, car tu seras toujours là, à mes côtés, mais aussi à côté de celle de ta famille pour la protéger ! Eh bien, c'est maintenant le moment de prouver les intentions que tu m'avais avancées jadis. Tu ne nous laisseras pas dans le désarroi, n'est-ce pas Benito ?

À cette nouvelle, une réaction insolite survint. Dans la noirceur d'esprit dans laquelle j'évoluais, il y avait encore quelques minutes, ma réaction aurait été d'exploser de colère ; de lui demander d'avorter immédiatement, sachant dans quel monde cette pauvre âme allait devoir se battre pour faire sa place, ou encore trouver d'autres prétextes pour ne pas me responsabiliser. Mais il n'en fut rien. Je sentis mon cœur se réamorcer, comme si, auparavant, il fonctionnait sur la réserve instinctive et qu'à l'annonce de cet événement, il fut introduit par une substance de vie qui le ranima et le regonfla. Je lui demandai si elle se rendait bien compte de... [un court instant fila, l'espace que je trouve les mots justes à mon émotion]... la chance que ce petit être a d'être tombé sur des parents fous et inconscients, mais néanmoins qui se battront pour qu'il vive au mieux et qu'il s'épanouisse. À cet instant de mon existence, je repris la phase qui m'avait toujours habité : créer l'Amour, donné à toi et à autrui, te sera rendu au centuple. Je n'avais nul autre choix. Il s'agissait de protéger ma nouvelle famille. J'avais trouvé en ces mots magiques le déclenchement de ma motivation pour de nouveau me battre au nom de la vie, au nom de l'espoir d'un avenir meilleur, que cette magie ne rester plus dans mon imaginaire sous forme de frustration, mais devienne une réalité. Je serrai très fort Sally dans mes bras et lui demandai pardon, les yeux remplis d'émotion, elle qui, encore une fois, ouvre cette fenêtre d'espoir dans la noirceur de mes nuages. Je lui dis merci de m'aimer autant, de croire en moi et aux valeurs dont je suis imprégné. Elle me répondit qu'après avoir vécu une telle situation de violence, que l'attitude, la vraie, l'énergie à dépenser, était dans l'implication de la recherche d'un moyen de défense efficace, pour que la valeur fondamentale de la vie qui est accordée à chacun, soit enfin reconnue comme un privilège d'existence constructif et non pas comme un passage factice à un acte de présence sur terre. Pour que quiconque ne subisse plus la maltraitance, les châtiments physiques ou psychologiques d'une autre personne, agissant par pur plaisir de faire du mal ou de vengeance, ou propageant la rage d'un égocentrisme démesuré à autrui, dans un intérêt de vanité et de soumission. Au vu et au su de témoignages erronés par la manipulation et l'interprétation des événements survenus dans la vie de chacun. Là, je compris que Sally faisait référence au médecin qui suivait la progression de ses nouvelles molécules testées dans mon corps, dont les effets faisaient ressortir la partie émotionnelle négative de ma personne : Christophe.

Tout en écoutant le déroulement de ses théories, dont elle commença à exposer ses idées, dans ma tête, des schémas se créaient et se mettaient en place. Malgré la lourdeur logistique des équipements nécessaires de la mise en œuvre de son concept, qui tenait d'une élaboration électronique de réseaux poussés, et de tout un tas de réflexions intégrant le domaine technologique, scientifique et de l'éthique, sans compter sur les demandes de brevets, les demandes sanitaires, les accords financiers et j'en passe. Au fur et à mesure qu'elle étayait son développement, tout cela s'imbriquait en une parfaite symbiose avec mon « futur futuriste ». L'union de nos deux êtres composait une seule pensée pour créer ce concept qui n'était pas dénué de bon sens, sous la magie créatrice qui s'opérait. Cela formait une structure intégrant l'électronique à l'homme, et au service de l'homme dans son quotidien, assurant sa surveillance par des moyens préventifs, pour sa santé, la sécurité de sa personne et de ses biens, la gestion de son administratif à tout moment et quel que soit l'endroit où on se trouve dans le monde, avec de nombreuses autres applications annexes pour son confort. Nous tenions le bout d'un concept utile.

Je repris le cours de son explication : c'est combattre ces positions d'oppression, concédées par la force physique d'une brute en mettant en place un système d'alarme. Sur le moment, elle ne voyait pas très bien quelle forme ça pourrait prendre et comment ça pourrait s'organiser, mais moi oui. Je n'avais plus qu'à les retranscrire sur mon ordinateur. Et elle poursuivit en disant que ce système d'alarme préviendrait sur un rayon à relais toutes les personnes environnantes par un réseau social prévu à cet effet, et grâce à un écran, elles pourraient localiser la victime, et le nombre faisant la force dissuaderaient l'agresseur, en espérant que dans le lot, des agents de la force public soient présents. On appellerait ça le SMIP : surveillance mutuelle interactive de proximité. Pour éviter que ceci ne se renouvelle et éviter aussi pour les victimes des troubles psychologiques ou bien encore de tomber dans la noirceur d'une vengeance qui accapare toute son énergie vitale, nos pensées, et nous empêche de voir ce qu'il y a autour de nous. La violence ne se résoudra plus par la violence, mais par l'entraide. Il n'est pas juste que l'on doive subir de telles épreuves, et dans ce cas présent, l'union fera la force. Slogan adopté. Elle me demanda, alors ce que j'en pensais. Je lui répondis que c'était une idée formidable. Et voilà une autre collaboration qui prenait aussi naissance dans nos esprits communs.

Après cette heureuse nouvelle, je proposai à Sally de rester vivre avec moi. Elle m'avoua qu'elle l'aurait fait plus tôt, si je lui avais demandé, mais si je n'avais pas réagi spontanément comme je venais de le faire à l'instant, elle n'aurait rien entrepris avec moi et aurait avorté à contrecœur. Il fallait que je me montre digne de sa persévérance et des efforts considérables qu'elle a dû faire pour me supporter.

Quelques jours plus tard, sa venue avait littéralement transformé mon dépotoir en notre logis et ma survie en rémission par la même occasion. Des travaux de peinture dans l'appartement étaient impératifs pour accueillir les deux nouveaux arrivants. Quelques accessoires, comme un vrai lit, des draps propres, une couette, une armoire, un frigo, de la nourriture, une cuisinière, une table, des chaises, de la vaisselle et des casseroles, un sofa, des meubles, ainsi qu'un lit pour bébé, qui nous avait été donné par ma sœur avec quelques autres compléments additionnels, nous furent nécessaires pour meubler l'ensemble de l'espace qui resta jusque-là vacant. Et le mot « vivre » reprit tout son sens.

Les semaines s'enchaînaient, et la poitrine de Sally s'arrondissait plus vite que son ventre, ce qui la rendait, à mes yeux, encore plus sensuelle. Mais la douleur de leur gonflement ne m'en donnait plus trop l'accessibilité. Elle suivait toujours ses cours à l'université et continuait à travailler comme elle le faisait habituellement au magasin. Cette situation lui demandait une telle énergie que certains soirs, épuisée par regain d'activité, elle s'endormait sur le sofa avant même le coucher du soleil d'hiver. Il ne lui restait plus que cinq mois pour passer son examen final et deux mois de plus pour la date fixée de la délivrance.

Pour ma part, c'en était fini de l'arrêt systématique dans le bistro du coin comme à l'accoutumée en rentrant du travail. Je recevais des brimades de la part de mes collègues de travail qui, eux, avaient préféré camper sur leurs positions, et vivaient la même rengaine tous les jours que Dieu fait. Mais je passais outre. Je profitais de cet argent épargné pour gâter ma promise que j'avais trop longtemps négligée. Je profitais aussi de ce temps disponible pour me mettre à l'étude de ma planification conceptuelle de notre « futur futuriste », intégrant à ceci les idées de Sally. À côté de ma planche à dessin, sur le mur, Sally m'avait accroché la lithographie de « l'homme de Vitruve » que mon parrain et ma marraine m'avaient offerte pour ma première communion. Son message n'était, à l'époque, encore qu'un mystère pour moi, mais elle a toujours été source d'inspiration. Je l'avais scannée pour la projeter sur mon écran d'ordinateur, et elle était devenue l'icône, la page de garde de notre projet.

Alors que Sally venait d'entamer son troisième mois de grossesse, au beau milieu de la nuit, en provenance des toilettes, des pleurs se firent entendre. Étonné, je lui demandai si tout allait bien, croyant qu'il s'agissait d'un de ces symptômes de femmes enceintes, titillant leur sensibilité à rendre le repas de la veille. À cette absence de réponse, je compris que quelque chose de grave venait de se produire. J'accourus la rejoindre. L'effroyable était arrivé. Du sang coulait à l'intérieur de ses cuisses, maculant sa peau claire d'un signe de désillusion. Elle avait perdu le bébé. Le regard accablé, la voix étranglée, elle balbutia quelques mots, qui étaient complètement inaudibles. Aucune logique absolue à cette situation. Elle tourna ses paumes de mains vers le ciel, implorant Dieu de réviser l'injustice qu'elle subissait, tout en répétant le « non, non » protestant contre cette décision à cette situation. La résonance de sa colère finit par déchirer le silence de la nuit. Il m'était impossible de la calmer, car l'espoir qu'elle avait placé sur cette conception, celui qui m'avait extirpé de cette léthargie, pourrait s'évanouir et m'emporterait sûrement de nouveau avec lui. La venue de ce nouvel être involontaire était une question de compromis et non pas la conception d'un bébé de l'amour. Était-ce, peut être, la raison de son interruption de grossesse ? Les questions fusaient dans nos intra-pensées. Tout en songeant à ceci, je l'aidai à nettoyer la perte de son sang qui commençait à la rendre livide, m'aidant d'une serviette à main pour colmater ces saignements. Par mesure de sécurité, j'insistai pour que nous partions immédiatement à l'hôpital.

Sur place, le médecin et les infirmières de garde prirent rapidement Sally en charge et lui administrèrent un calmant pour l'apaiser mais aussi afin de leur permettre de continuer à effectuer les soins nécessaires. Quelques minutes passèrent. Elle était sous l'emprise du médicament, allongée sur le lit, le regard vide, dans une salle de repos. Tout en lui tenant la main, je l'observais. Sans même solliciter ma volonté d'aider Sally dans sa désespérance, je quittai mon ancien corps pour glisser à mon tour dans le miroir de ses yeux. Je m'investis par la volonté de son âme, n'ayant pour unique choix de me laisser aspirer exactement comme sous l'effet d'un siphon. Habituellement, lorsque je fais cette action dans le corps d'un individu à qui je demande toujours la permission d'agir, je rentre dans l'attraction d'une énergie et je suis maintenu par celle-ci. Dans le cas de Sally, il n'y avait plus aucune résistance, aucun champ de gravité pour me soutenir. Un espace vide, déserté de sa présence. Son antre donnait la sensation de pénétrer dans un vieux manoir abandonné, accompagné de ses rumeurs mystiques, faisant claquer les portes aux courants d'air causés par des verrous fracturés. Facilitant l'intrusion d'hôtes indésirables qui, profitant de la diminution de son champ de force d'énergie affaibli, ne tardèrent pas à se manifester en chargeant de leurs assauts perfides. Les hôpitaux sont propices à ces manifestations, car les âmes qui meurent ici et qui n'ont pas pris conscience qu'elles ne font plus partie de ce monde, errent, s'interrogeant sur la cause de leur détachement avec leur corps, et en attendant de trouver des solutions de rechange, perturbent l'énergie des patients fébriles.

Soudain, jaillie d'on ne sait où, une lueur blanche apparut. Cette nébuleuse se présenta à moi par son affiliation avec Sally comme son arrière-grand-mère, puis se déclina dans l'exercice de ses fonctions comme son ange gardien. Elle précisa aussi que son époux, l'arrière-grand-père, lui, s'investissait avec son autre descendance, sa sœur Christelle. Dans ses vibrations, je pouvais décoder en elle toute une délicatesse, un charisme, une sorte d'apaisement maîtrisé dans ses gestes et dans les paroles rassurantes qu'elle me prodiguait. Tout en me délectant de son éloquence, je la vis prélever de sa vaporeuse personne, une sphère lumineuse, dans la fragilité de son énergie, qui s'était égarée. C'était ma Sally, rayonnante de ses vibrations originelles, débordante amour. Diligente, cette grand-mère aux allures gracieuses se retourna calmement en direction de l'espace envahi et par son souffle d'amour atomisa ces vulgaires entités qui osèrent prendre place, dans l'antre de son arrière-petite-fille. Le ménage étant accompli, elle regarda fixement Sally, et dit :

– Maintenant, reprends ta place jeune fille, la vie t'attend. Ose ouvrir la porte de ta vie, et le paradis y est ici à celui qui l'a compris.

À ces mots, elle réintégra son corps. Puis grand-mère se tourna vers moi :

– Quant à toi, jeune homme, prends bien soin de notre descendance, car Jamie a aussi des actes importants à accomplir dans sa vie. Je sais quelles circonstances t'amènent ici, en ce clair instant, précisa-t-elle, fais en sorte qu'elles te soient profitables !

Je sentis, à son intonation, qu'elle en savait plus que ce qu'elle n'en disait. Elle rajouta, de plus, que je trouve le moyen d'apaiser Sally de la rancœur du sentiment qu'elle venait de traverser.

– Comment ? Lui demandai-je.

– Je sais qu'il y a énormément d'Amour entre vous deux. Cette force va te pousser à trouver ce que tu cherches. Observe les signes qui t'entourent. Tu trouveras la solution dans l'importance et l'attention de ce qui se manifeste autour de toi. Tout a une raison d'être ! Ne gâchez rien, vos vies sont basées sur ce sentiment de confiance.

Je lui fis la promesse d'honorer la confiance qu'elle m'accordait. Elle me renouvela les conséquences auxquelles Sally devrait faire face si elle n'identifiait pas les émotions de cette fâcheuse épreuve. Elle m'annonça aussi, sous forme d'énigme, qu'entre ses cinquante et ses soixante ans, il faudra « entièrement » ôter du cœur de Sally, l'allégorique d'une réminiscence maligne du passé qui ne sera pas celle envoyée par Cupidon. Que je l'opérerai avec un don supranormal bien spécifique, qui fait parti intégrant de ma personne et que je maîtriserai par une pratique courante.

– Autre chose concernant la maîtrise du don que l'on t'a accordé : dans quelques années, modère ta mégalomanie, il y a des raisons pour que le monde aille à son allure !

À ces mots, elle disparut, et je me retrouvai à nouveau dans mon corps de jeune homme avec de nouvelles énigmes à résoudre.

Quelques jours passèrent, et je me rendis compte que c'est par l'affectation de ce genre de drame que la nature humaine fait que l'on donne un peu plus d'importance à la valeur des personnes qui nous entourent. Nos familles respectives resserraient un peu plus les liens avec nous. Je remarquais aussi, dès lors qu'une circonstance indépendante à notre volonté se manifestait dans notre vie commune, qu'instinctivement, l'un ou l'autre prenait les rênes de la situation pour alléger le plus affecté des deux dans l'épreuve traversée. Sally continuait à broyer du noir, et il était de mon devoir d'agir. Les phrases de grand-mère résonnaient en moi, mais je n'avais toujours pas trouvé le moyen d'extirper Sally de cette couleur qui l'affadissait.

Un matin, pendant que je buvais mon café avec l'équipe de travail avant d'aller sur le chantier, Patrick, l'entrepreneur pour lequel nous travaillions, commentait les articles qu'il lisait dans les journaux du matin. Il s'attachait à donner son avis sur les chroniques exhibant le monde extérieur, et c'était devenu un besoin pour lui de tourner ça à la désinformation qu'on nous laissait transparaître. L'idée était de montrer son empathie à l'égard de la manipulation intellectuelle qu'on nous infligeait tous les jours, en comparant un même sujet faisant l'actualité principale, traité par différents journaux. Les sources n'étaient pas les mêmes, et la compréhension du fait non plus, à en juger les comparables des différents partis politiques qui gèrent ces quotidiens. Que l'on soit d'accord ou pas avec lui, de par sa verve et son éloquence, il nous entraînait dans son analyse en exposant des opinions toujours de manière à contredire l'écrit de l'auteur, dont il assumait naturellement les conséquences. Ses prises de position le rendaient, bien entendu, impopulaire auprès des conseillers municipaux qui assistaient à ses élucubrations qui pourraient être menaçantes selon les périodes politiques où elles étaient dites. Il relatait la contre-information qui était celle que l'on devrait lire normalement dans ces torchons. Cela pour garder les cerveaux de ses interlocuteurs en alerte, afin qu'ils ne deviennent pas des guimauves et qu'ils ne se fassent pas lobotomiser par des pseudo-intellectuels scribouillards à dix sous la pige, qui sont eux-mêmes manipulés par les politiques en place pour dissimuler les vérités, nous disait-il. Il prenait un sujet : « L'assurance est faite qu'il y a des réserves de pétrole pour au moins encore dix décennies devant nous. D'ici là, nous aurons mis au point de nouvelles énergies, elles seront infiniment moins polluantes et, de plus, renouvelables. » Et lui traduisait cela par : « Il nous reste du pétrole pour moins de cinq décennies, grouillez-vous de trouver des énergies que l'on taxera davantage que le pétrole, et espérons qu'elles soient écologiques, ça calmera les foules et tout le monde sera content. » Il s'en faisait un devoir.

Je l'appréciais pour ses prises de position, même si, parfois ça ne plaisait pas et ça partait en conflit, jusqu'en arriver aux poings.

Le signe, je l'avais enfin trouvé. Ces derniers temps, nous arrivions à mettre un peu d'argent de côté, et je m'étais dit que Sally s'était assez privée pour moi, alors qu'elle avait besoin d'un ordinateur pour ses études, et qu'au lieu de cela, elle avait investi ses économies dans ma table à dessin. Il était temps d'équilibrer tout ça, et j'allai donc lui acheter un ordinateur. Il est vrai qu'à cette époque, ce n'était pas aussi répandu et abordable qu'aujourd'hui. Je lui ouvris un dossier que j'avais intitulé : « l'intra-journal de Sally » ou « le cri du cœur de Sally ». Je lui expliquai d'arrêter d'écouter toutes ces bonnes âmes qui lui faisaient partager leurs propres expériences malheureuses, et qu'elles ne faisaient que la noyer davantage dans son malheur. Je lui proposai de faire, grâce à l'écriture, sortir le ressenti qu'elle éprouvait au fond d'elle sur l'instant, pour libérer toute la noirceur qui l'habitait. Bien sûr, l'acceptation se ferait avec le temps et la compréhension. Qu'expectorer ce qu'elle avait à exprimer ne pourrait qu'épurer son cœur. Qu'exprimer cette sensation d'amertume, de rancœur, d'injustice, d'incompréhension, enfin tous les mots qui lui sembleraient utiles pour s'en servir comme d'un évacuateur, d'un extracteur de culpabilité, d'un nettoyeur de cellules éponges permettrait, j'en étais persuadé, de l'apaiser. D'aller plus loin encore, en parlant même à cette âme qu'elle a portée, et qui a été privée de cette vie présente, des projets que nous voulions lui faire partager, les parties de football dans le jardin avec ses copains, les bagarres avant de se coucher pour exciter sa mère, toute une plaidoirie pour lui donner goût à une nouvelle réincarnation.

L'idée ne la tentait pas vraiment, mais je pressentais que l'approche serait bonne. Il fallut, à mon tour, que je joue de tact pour la faire abonder dans mon sens. Sally est une personne très sensible, toujours prête à aider, très ordonnée et organisée aussi dans le travail. Alors, pour qu'elle adhère, ou du moins qu'elle prenne part à cette expérience, je lui proposai d'amorcer le paragraphe à titre de démarrage. Je construisis des phrases toutes décousues de sens, que je lus à haute voix pour la faire bondir sur la cohérence de leur syntaxe. Le poisson était ferré, elle mordit à l'hameçon. Elle prit ma place au clavier de l'ordinateur, et au fur et à mesure que j'exprimais des sentiments qui pourraient la toucher, elle les retranscrivait à sa manière. Au bout d'un certain temps, elle prit le relais, et toute seule, elle se laissa glisser à l'écriture de ses propres sentiments. À certains moments, des larmes coulaient le long de ses joues. Je restais à ces côtés, silencieux, lisant par-dessus son épaule le contenu d'une cascade de colère. L'étreignant par les épaules pour l'encourager à continuer. Les premières pages étaient d'une telle puissance de rage que la boîte de mouchoirs n'y suffisait plus. L'orage s'atténuant, son visage reprit ses couleurs originelles, et la douce profondeur de son âme renoua avec la personnalité de Sally. Depuis lors, elle s'accorda tous les jours une demi-heure et plus, selon son humeur, à purger son cœur par l'écriture. La pratique de cet exercice la poussa à développer sa créativité et à être plus entreprenante aussi. Au point tel que pendant les trois ans, après l'obtention de son diplôme et d'excellentes références, elle avait monté un plan d'affaires pour ouvrir sa propre boutique en étant distributeur agrée de la marque pour laquelle elle travaillait depuis quelques années maintenant. Qu'elle avait trouvé des ententes commerciales avec ses fournisseurs et qu'ils la suivraient dès qu'elle aurait trouvé un local dans un bon emplacement. Mais pour cela, il fallait déménager sur Marseille, car en allant magasiner avec sa sœur Christine par obligation, me précisa-t-elle, car elles devaient essayer les robes des demoiselles d'honneur pour le mariage de sa cousine, elle avait repéré un emplacement qui, d'après elle, pourrait faire son affaire. Bien sûr, une étude de marché s'imposait. Elle était si enthousiaste à l'idée de créer sa propre affaire qu'il était de mon devoir de la soutenir dans son projet. Je lui demandai de prendre immédiatement rendez-vous avec le propriétaire pour le visiter. À ces mots, elle se jeta à mon cou.

Le jour de la visite, nous avions anticipé le rendez-vous de quelques heures, pour nous rendre compte du mouvement commercial de l'endroit. Nous questionnâmes les professionnels qui animaient le quartier, et les échos étaient favorables sur l'ensemble des interrogations que nous nous posions. Mais une question dérangeait : comment se faisait-il que tous les locaux étaient affectés à une activité depuis bien des années et que celui-ci avait vu une flopée de locataires, et personne n'y a prospéré ? Pourtant, le quartier où était situé le local me paraissait bien correspondre à la clientèle visée des activités énoncées par nos interlocuteurs ! Même des enseignes de renom avaient échoué. Au loin nous vîmes le propriétaire ouvrir la porte du local. Nous nous avançâmes et entrâmes pour nous présenter. Soudain, à peine eus-je franchi le seuil de l'entrée qu'une force s'abattit sur mes épaules et m'empêcha de me concentrer pour ressentir les vibrations de ce lieu. Sally se laissa subjuguer par les charmes de ce lieu, à tel point qu'elle négligea de faire appel à son hypersensibilité qui la guidait sur les bons choix à faire. Des images dans sa tête la projetaient dans la disposition des meubles et de la décoration, qu'elle m'exprimait avec une telle éloquence, tout en m'indiquant les anticipations de futurs agrandissements et leur disposition dans l'espace. Ces images provenaient-elles bien d'elle, ou étaient-elles influencées par une manipulation sous l'effet d'un esprit qui aurait intégré ses pensées en jouant sur sa vulnérabilité causée par son excitation à ouvrir son premier magasin ? Pendant que je l'écoutais, je luttais contre cette pesanteur qui y régnait et qui perturbait mes instruments de repère, comme ferait la traversée d'un champ magnétique sur des instruments électroniques se trouvant sur un tableau de bord. Puis je ressentis un mal-être et des bruits de détonation qui résonnaient dans ma tête. Je demandai au propriétaire, quel était l'historique commercial des lieux, et il me raconta que le premier acquéreur fut son frère, puis ce fut lui qui prit la succession, en restant très vague sur les conditions de cette passation de legs. Ensuite il l'avait mis en location, car lui avait d'autres affaires ailleurs, et il ne pouvait pas s'occuper de celui-ci. Ça c'était la version officielle, mais la version officieuse était tout autre. Encore ce bruit du côté droit de ma tête.

– Alors, qu'en penses-tu, Benito ? me demanda Sally toute enjoué. Ne voulant pas lui gâcher son plaisir, discernant que quelque chose se tramait, je retournai la question.

– Et toi, il te plaît, ce local ? Et ce quartier aussi, Sally ?

– Oui, avec quelques petits travaux, il sera fantastique, et pour moi il est bien situé dans ce centre commercial ! me dit-elle, les yeux remplis d'émotion. Je lui demandai de voir les modalités de location avec le propriétaire. Pendant que je l'entendais négocier avec une sévérité accrue, je m'étais écarté d'eux pour visiter l'arrière-boutique et comprendre ce qui se cachait entre ces murs. Lorsque j'atteignis la porte du fond, des images défilèrent dans mes pensées. Une scène affreuse eut lieu à la période de Noël, à en juger la décoration. Un homme, du nom de Jos, se fit passer pour un livreur de dernière minute, prétextant être envoyé par son frère pour livrer des robes de soirée. Les frères avaient l'habitude de jongler avec les vêtements d'une boutique à l'autre, pour montrer à leur clientèle qu'il y a toujours des nouveautés dans leurs boutiques, et en ces périodes festives, il faut être réactif pour répondre rapidement à la demande. Instinctivement, il ouvrit la porte. À l'ouverture de celle-ci, il fut surpris de voir la face de ce fameux Jos, qu'il avait aussi l'air de connaître. Il le laissa entrer, en lui demandant :

– Tu as trouvé du travail dans la livraison, toi maintenant ?

Ce « TOI » soulevait un ton dédaigneux, voire rancunier dans sa bouche, et en disait long sur leur relation. En un instant, ce fameux Jos sortit une arme, et de sang-froid, abattit d'une balle en pleine tête le frère du présent propriétaire, à l'endroit précis où je me trouvais. Puis Jos dépouilla la victime de l'argent qu'il avait dans ses poches, prit la direction de la caisse enregistreuse et s'enfuit. Il en profita aussi pour chaparder une robe de soirée, courte et rouge avec un nœud papillon dans le dos, pour sa petite amie qui l'attendait dans la voiture. À ce moment-là, l'âme du défunt m'apparut. Et le mal de tête disparut aussitôt. Wow ! Je ne m'étais pas aperçu qu'il s'était introduit en moi, sans me demander la permission de le faire. Je ne sus pas comment me protéger de ce phénomène. Il me répéta de parler de cette vision à Martin, son frère. Je songeai à ce moment-là, que s'il y avait eu autant de locataires qui n'étaient pas restés long-temps en ces lieux, c'était que cette âme y était pour quelque chose. Il ressentit ma pensée et comprit que si je faisais ce qu'il me deman-dait, à mon tour je lui demanderais de ne plus hanter les lieux et ma Sally ! Il me fit signe de la tête qu'il s'exécuterait. Comment annoncer cela à son frère ?

– Dis-lui que c'est Mathéouch qui te l'a transmis.

À ce moment, Sally et monsieur Andriev vinrent me rejoindre. Ils avaient conclu des accords oraux, à les voir radieux tous les deux.

– Attends avant de signer quoi que ce soit Sally, Martin ne nous a pas tout dit sur ce qui s'est passé là, juste où nous sommes !

– Comment connaissez-vous mon prénom et qu'est-ce que vous baragouinez là ?

– Connaissez-vous une personne prénommée Jos ?

– Oui, c'était un ancien employé que mon frère avait aidé à se réinsérer dans la société. Mais pourquoi me parlez-vous de lui, vous le connaissez ?

Hésitant un instant à nous raconter les faits, quelque chose le força à poursuivre :

– Mon frère lui avait tout appris ! Tout ! Même des choses qui ne le regardaient pas. Comment… faire de l'argent non déclaré, faire du « black », quoi ! Comme font tous les commerçants, nous dit-il pour se justifier. Je l'avais prévenu, mon frère, de ne pas faire ça, et il n'en a fait qu'à sa tête. Mais un jour, mon frère s'était aperçu que ce « black », Jos s'en mettait aussi dans ses poches à lui. Alors, furieux, il l'a renvoyé sur-le-champ. Et depuis ce jour-là, on ne l'a plus jamais revu.

Je me mis en face de lui et d'une voix interrogative, je lui demandai si son frère Mathéouch n'avait pas été abattu de sang-froid par ce fameux Jos. Il prit du recul et me demanda qui j'étais pour étayer de telles accusations. Il me demanda même si je n'étais pas envoyé par ce fameux Jos.

Je ne m'attardai pas sur les questions posées et je lui transmis directement l'adresse où cet individu demeurait par l'intermédiaire de Mathéouch qui se trouvait à ses côtés, la main sur son épaule, en n'omettant pas la robe de soirée courte et rouge avec le nœud dans le dos. Puis il me fit conclure la discussion en disant : « Je t'aime, petit Martineck ». Monsieur Andriev me regarda, sceptique, mais la surcharge d'émotion remontée à la surface le fit fondre en larmes à l'écoute du poids de ces mots. Il nous expliqua qu'après la disparition mystérieuse dont leurs parents avaient été victimes, engagés politiques contre l'ancien gouvernement dans les années 1969, c'est leur grand-mère polonaise qui avait demandé l'asile politique à la France, qui les avait élevés, alors qu'ils n'avaient que neuf et onze ans. Leur grand-mère avait le mal du pays, et pour s'en rappeler, voyait en eux les belles choses appartenant à son passé familial et à la maison, et elle les appelait par les prénoms dans sa langue que je lui ai remémorés. Trop de détails évidents lui étaient présentés pour qu'il mette mes dires en doute.

Quelques jours passèrent, et Martin Andriev nous téléphona pour nous faire part que Jos avait tout avoué après que la police eut trouvé l'arme et la robe rouge dans leur placard. Il continua en nous demandant si nous étions toujours d'accord de fixer une date pour que nous puissions passer chez le notaire et finaliser les clauses du bail quand nous le désirerons et qu'il nous offrait gracieusement, les trois premiers mois de loyer.

Sally avait enfin sa première boutique, purifié par les anges nettoyeurs qui avaient amené eux l'âme de Mathéouch et rénovée à neuf par mes bons soins. Il fallut un an avant que Sally retire son premier vrai salaire pour vivre correctement. Heureusement que j'avais gardé mon travail pour assurer nos arrières ! La deuxième année, elle put prendre une apprentie, Lucie, et ce fut à ce moment-là que nous commençâmes à aller à Paris pour assister au « salon du bien être » et profiter de l'occasion pour prendre un ou deux jours de plus pour jouir de cette magnifique ville. Et le voisinage, qui avait fait des paris quant à la longévité de notre activité commerciale fut déficitaire. Sauf la petite vieille d'à côté qui a amassé la cagnotte, car elle sentait que le vent allait tourner en sa faveur. Sally fut même présidente des commerçants du quartier et dynamisa celui-ci en apportant de nouvelles manifestations pour promouvoir davantage ces commerces de proximité avec acharnement. Dans la troisième année d'exercice, trois événements marquants se produisirent dans notre vie. Le premier nous donna accès à la propriété, à quelques kilomètres de Marseille, dans un quartier où des gens passionnés ont eu l'idée de rebâtir à l'identique des maisons traditionnelles du passé, des bâtisses aux façades de pierres et aux tuiles d'argile cuite, pour garder la trace de l'authenticité d'un village provençal d'antan. Dans cette effervescence de passionnés nostalgiques, des liens d'entraide entre voisins se tissèrent, notamment avec ceux de droite, les Delaporta. Le second événement fut d'entamer les démarches pour breveter notre concept de « futur futuriste ». Et le troisième événement, et pas le moindre, fut celui de nous marier et de partir en voyage de noces au Canada. La vie se présentait enfin sous de meilleurs aspects pour nous.

Au retour de ce vibrant et énergique séjour dans ce merveilleux pays, dans un élan de plan d'investissement, Sally me proposa d'agrandir notre affaire commerciale, en rachetant le local d'à côté pour en faire un institut de beauté. Cette activité était complémentaire aux produits que nous vendions et nous permettrait, plus tard, de vendre plus lucrativement notre affaire. Mais la vieille d'à côté qui y vendait ses macramés n'était pas disposée à prendre sa retraite dans l'immédiat, pour nous libérer les lieux. Sally me proposa même d'essayer de faire de petites incantations avec mon don pour nous faciliter la chose. Je lui expliquai qu'avec un don, on peut aussi bien faire le bien que le mal et qu'il n'était pas de mon intérêt de pratiquer ça du côté obscur. Lourdes serait les conséquences, que d'influencer le libre arbitre de chacun.

Alors, en attendant l'épanouissement de nos projets d'agrandissement, c'était peut-être le moment pour moi, de m'investir sur les idées à breveter. Le timing était idéal pour débuter ma nouvelle activité à mi-temps ?

C'était aussi la période où le médecin me prescrit une autre série de médicaments.

Je pris donc rendez-vous avec un conseiller du bureau de l'Office National de la Protection Intellectuelle pour déposer nos inventions, en matinée de la semaine qui s'en venait. Le conseiller qui me reçut m'indiqua les différentes étapes du processus de vérification, la durée que cela prenait en moyenne pour les recherches, selon la complexité de l'idée, ainsi que le coût de l'opération, tout en me présentant un ticket à régler à la caisse en sortant. Au moment de payer, je tâtai mes poches, afin de trouver mon chéquier, et je constatai, après réflexion, qu'il était resté au magasin. La gêne s'immisça dans mon sourire, et je fis part de cette omission à la jeune fille qui attendait le règlement, et lui dis que je m'empressais de revenir au plus vite, pour acquitter ma dette. Elle me précisa que si ce n'était pas réglé, ce ne serait pas traité, par conséquent je savais ce qui me restait à faire.

Deux heures plus tard, à mon retour, on me demanda de patienter dans la salle d'attente. J'étais assis confortablement dans un fauteuil, quand mes phobies obsessionnelles sur la peur de me faire doubler me rattrapèrent dans mes pensées de construction de l'avenir. Tout à coup, le bruit des photocopieurs qui se trouvaient dans la salle arrière s'intensifia anormalement, comme pour m'inciter à lever prestement mes fesses de ma position assise, pour aller voir ce qui s'y complotait. Mais *a priori*, rien de menaçant dans les parages. Je profitai de cette expulsion pour aller m'informer des lectures affichées sur le tableau qui se trouvaient en face de moi, pour y trouver d'éventuelles traces d'indices. Des réserves de prospectus étaient présentées, afin de promouvoir aux créateurs d'idées innovantes l'assurance d'une sécurité optimale des services offerts par l'agence. Ironie du sort, un peu plus loin, quelle ne fut pas ma surprise lorsque j'aperçus, sur une feuille qui énonçait le nom des personnes travaillant dans cet établissement, qu'un conseiller en chef nommé Christophe Dufour était dans cette équipe. Mon sang ne fit qu'un tour. Dans mon esprit, des sirènes criaient : Alerte ! Danger ! Alerte ! Danger ! Le loup est dans la bergerie ! Je tournai à nouveau ma tête en direction des photocopieurs, et je devinai à travers la partie argentée supérieure de la vitre, le profil d'une tête connue, et dans la partie opaque inférieure, une silhouette faisant des gestes brusques, qui montrait son impatience à l'exécution lente d'une tâche de ce photocopieur. Cette tête fit une rotation dans ma direction, et je me sentis aspirer dans le miroir de ces yeux.

Ce dont je ne m'étais pas aperçu pendant ma présence dans ces lieux, c'est qu'une personne m'avait épié durant toute la durée de mon entretien. Cette personne était Christophe. Il m'observait depuis le moment où j'avais franchi la porte d'entrée, et avait fait en sorte de m'éviter lors de mon passage dans les couloirs. Futé jusqu'au bout des ongles, il se doutait bien que si je m'étais aperçu de sa présence, j'aurais sûrement feint pour m'extraire de ses tentacules. J'entendis dans son esprit : « Je savais qu'un jour ou l'autre il viendrait, ce rêveur, déposer une de ses fameuses idées. » Puis je vis qu'il avait attendu que je parte pour s'empresser d'interroger son collègue à mon sujet. À la lecture des dossiers, un sourire en coin, il passa un coup de fil et dit à son interlocuteur : « C'est jour de paye ! Je vais m'acquitter de mes dettes ! J'ai enfin trouvé une idée qui va nous rapporter un maximum ! »

J'ai toujours dit que cet homme était brillant et qu'il savait déceler les bonnes affaires. Malheureusement pour lui, le choix de son camp s'avérait rester obscur. Quelle meilleure place pourrait-on avoir, sinon celle, encore une fois, de prendre les idées des autres pour s'enrichir ? Il n'avait pas changé son mode de fonctionnement ! Mieux encore, il avait affûté sa stratégie. Fini d'infliger l'oppression, de traumatiser ses victimes, ce sont elles, désormais, ces idéalistes, qui se déplacent à lui et lui font offrande de leurs rêveries ! En retour de courrier, quelques mois après leur dépôt, elles reçoivent une lettre où est affirmée la brillance de leur intellect, mais que, malheureusement, une entreprise d'un autre pays s'en porte déjà acquéreuse. N'hésitez à nous contacter si vous avez d'autres idées, nous serons toujours là pour soutenir les idées des personnes qui innovent. Voici l'archétype qui symbolise la petitesse humaine et qui, au fil du temps, a pris la place des valeurs fondamentales de la fraternité.

Sous sa couverture de conseiller en chef au service de l'État, il s'était organisé tout un réseau, dans divers secteurs d'activités, s'associant à des malfrats de niveau international à qui il vendait ces idées dérobées, mais en prenant les précautions nécessaires pour qu'aucune trace de son nom n'apparaisse dans aucune des compagnies avec qui il traitait. Les transactions, avant qu'il ne s'endette dans le jeu et dans la drogue, ne s'opéraient qu'à l'étranger, pendant ses vacances du côté des montagnes du Liechtenstein en hiver, et sur les plus belles plages des Bahamas en été.

Le simple fait de rester dans cette partie vibratoire de son corps, qui serait un chemin de vie que j'aurais pu emprunter si j'adhérais à ses pensées négatives, me répugnait. Cette partie-ci, était de nature à répandre le mal. C'en était viscéral. Dans toutes les vies antérieures que je pouvais observer, j'avais l'impression qu'il affûtait sa destinée, de façon à être le meilleur dans son domaine. Avant de venir sur terre pour se réincarner, il choisissait parfois des familles où les éléments qui la composaient étaient durs, éteints de toute compassion, de façon à s'endurcir davantage. Tiens ! Bizarrement, je vis l'âme de Sally l'accompagner pour le cajoler et le rassurer. Mais que faisait-elle là, avec ce monstre ? Chargé de remords et touché par l'amour pour ses actes de barbarie, à quelques reprises de ses vies passées, il avait voulu changer, se racheter, car nul n'est dépourvu de bonté, mais il faut payer ses dettes, alors à ce moment-là, c'est la vie qui le rattrapait, pour l'équilibre céleste. Donner du mal à toi ou à autrui te sera rendu au centuple. Dans les méandres de sa perversité, je réussis enfin à atteindre la source du déclenchement de cette malignité qui fit naître cette partie obscure en moi : Christophe.

De sa longue errance sous forme minérale et végétale, au fil de ces réincarnations, il accumula dans les mémoires de ses cellules actuelles, les formules moléculaires aux vertus médicinales mais aussi toxiques qu'elles renfermaient. Après cette profitable expérience, il incarna pour la première fois : la chair. Il investit la carapace, les écailles, la fourrure, dans la forme de différents animaux de bons ou mauvais acabits. Sous cette forme instinctive, il accumula d'autres molécules bénéfiques à son évolution. Pour une dernière expérience dans cette forme, il lui fut accordé de la vivre dans la suprématie du règne. Notamment en réincarnant celle d'un animal dominant la chaîne alimentaire, vivant dans la savane, qu'il fut malheureusement contraint de quitter dans la fleur de l'âge, abattu par un jeune homme, en quête d'émancipation. Son évolution fut enrichie ensuite, d'expériences extraordinaires dans les vibrations de femmes et d'hommes de tous bords sociaux, ethniques, culturels, religieux, et à la suite de son ascension, il se réincarna dans un être qui marqua à jamais ses sens vibratoires. Christophe devait devenir le futur grand chef d'une tribu, dans une partie de l'Afrique occidentale, mais la vie, à sa grande discrétion, écourta sa gloire.

Il avait une vingtaine d'années, lorsqu'il dut montrer à son village qu'il était le prétendant au titre de chef, comme ses ancêtres avaient honorablement rempli ce rôle avant lui, dans la lignée des leaders du clan. Mais pour cela, il fallait être pleinement émancipé. Ce qui veut dire que s'il prétendait s'alléguer d'accéder au trône avec l'accord de ses pères, il fallait s'acquitter de certains prestiges. Savoir parader comme un paon en faisait partie, mais les valeurs fondamentales qu'un chef doit avoir sont innées, et elles proviennent d'un cœur vaillant portant sur l'intérêt de faire les choses pour tous et pas seulement pour son égo. Pour cela, il devait démontrer que les capacités élogieuses transmises par son génotype étaient biens présentes, en ramenant, au petit matin, sur la place centrale, la carcasse du roi des animaux pour montrer sa force et son courage. Qu'y a-t-il de plus élogieux et courageux que de démontrer que l'on peut affronter et mettre à mort le plus féroce des animaux, le lion, qui serait susceptible d'attaquer leur village ? Donc, une lourde tâche attendait Christophe. Lui se sentait à la hauteur. Sa fonction lui conférait aussi quelques avantages, comme le privilège de choisir sa promise parmi les plus belles filles du village, ce qui s'était déjà projeté depuis sa tendre enfance.

Ceux qui qualifiaient Christophe disaient de lui qu'il était fort, courageux et fier, au même titre qu'un « Lion ». Depuis sa plus tendre enfance, il surveillait tous les faits et gestes de son père qui, à ses yeux, était exemplaire par l'amour qu'il portait à sa femme, ses enfants, ainsi qu'à ses frères et sœurs de la tribu. Il connaissait toute l'importance de cette souveraineté patriarcale, à tel point qu'il en développa un mimétisme chronique, dans le but de ne pas commettre d'erreurs, le jour où, à son tour, il succéderait à son père. Le moment venu, il devra en être à la hauteur des responsabilités qui lui incomberaient, et il avait bien trop de fierté et d'assurance acquises en lui, pour penser à échouer dans sa mission. Mais son père qui, avec le temps, s'était enrichi de ces réussites comme de ces échecs, ce qui en composait ses expériences, avait acquis sa propre sagesse, veillait et l'observait, en prenant garde que Christophe ne devienne pas un clone en omettant de développer sa propre identité. Il lui disait :

« Chaque passage sur terre a une raison d'être, mon fils. Nous ne paradons pas sur les acquis des honneurs décernés à nos aïeuls par leur bravoure, sous prétexte que nous sommes de leur descendance directe. Nous les honorons pour les pierres à l'édifice qu'ils ont apportées à la communauté, mais nous devons montrer, plus encore, que nous sommes dignes de leur succéder, au risque de trébucher sur notre parcours parfois, cela fait partie de nos expériences. Nous devons jouer notre rôle, pour remplir cette vie que l'on nous accorde, mais nous avons surtout le droit de prendre la direction de l'accomplissement de soi, de montrer nos sentiments bons ou moins bons et le droit d'improviser, de rire, de créer de la joie. Cela prouve que nous sommes humains à ceux qui nous entourent et qui nous succéderont, afin d'achever respectueusement notre œuvre, au jour du trépas. Respecte les codes, Christophe, les valeurs fondamentales de vie que nous t'inculquons, mais ne sois pas sourd à ce que dicte la raison de ton cœur, car tes opinions sont ta personnalité, et rien n'est figé dans le temps, apprends à t'adapter et évoluer. Elles ne plairont pas toujours à une minorité, mais si elles sont justes, tu seras respecté, même par l'opposition. Attentionne-les ! Ce sont-elles qui tracent ta route. »

– Oui père.

Christophe appréciait toujours ces moments de transmission de belles valeurs partagées avec son père, qui seraient son héritage à transmettre à son tour.

Christophe était amoureux de Corin, la fille du sorcier. Déjà, lorsqu'ils jouaient tous les deux à attraper les lézards, il lui avait soutenu officiellement, ainsi qu'à sa mère qui les surveillait, que dès lors qu'il serait chef, il la prendrait pour la mère de sa descendance. Ce qui avait l'air de convenir à sa déclarante en voyant ce radieux sourire.

Au petit matin, qui allait déterminer si Christophe avait ou pas l'étoffe d'un chef, Corin, ainsi que les principaux décideurs de la tribu qui avaient veillé toute la nuit, virent au loin, dans les premières lueurs du matin, le halo d'une crinière qui s'avançait vers le village. Le chef, de nature préventive, demanda à tous ses membres de se tenir en alerte, munis de leur sagaie. La silhouette continuait à avancer avec nonchalance dans leur direction. Au fur et à mesure qu'elle s'approchait, elle déambulait, compensant son poids d'un côté ou d'un autre pour rester malgré tout debout, tel le sorcier après quelques bouffées de plantes séchées lorsqu'il rentre dans une transe, jusqu'à réaliser que c'était Christophe, qui s'était revêtu de la carcasse évidée, représentant son premier engagement accompli. Éreinté par une nuit entière d'affrontement avec le roi de la savane et le transport de sa dépouille, il fut aidé par Corin à se nettoyer dans la rivière, et un repos bien mérité lui fut accordé. Pendant que le futur chef dormait, une des parties de son contrat qui le qualifiait fut dépecée puis érigée sur sa case, la gueule ouverte, juste au-dessus de l'entrée. Et la partie comestible fut apportée sur la place centrale où l'attendait une braise surplombée d'une broche pour célébrer le courage du nouveau chef, et profitant de cette occasion pour annoncer officiellement ses épousailles avec Corin.

Le temps passait, et il prenait son nouveau rôle de chef à cœur, en suivant les conseils que son père lui avait soigneusement prodigués.

Un après-midi, en rentrant heureux d'une chasse fructueuse de deux jours, Christophe et la bande de jeunes et valeureux chasseurs qui l'avaient accompagné, découvrirent leur village dévasté. Leur sourire s'éteignit pour laisser place à la torpeur. Seuls les vieillards, les femmes d'un âge mûr et les enfants de moins de dix ans étaient encore présents. Sa vieille tante Rolisa se dirigea péniblement vers lui et expliqua que des hommes à la peau blanche, munis de lances qui tiraient du feu, avaient tué leurs frères et son père qui s'étaient opposés à eux, lorsqu'ils commencèrent à les traiter comme s'ils étaient du mauvais bétail. Puis, ils ligotèrent les autres, même Corin, avec des chaînes et les embarquèrent dans d'immenses pirogues composées d'arbres géants qui embrassaient le ciel, dont les branches étaient surmontées de nuages blancs et qui une fois déployés, faisaient s'engouffrer le vent pour les aider à avancer sur la mer. Mais le petit Téoma et Gohu, son petit frère, leur dirent qu'il restait encore une grande pirogue du côté du pic au pied dans l'eau. Christophe regarda autour de lui, constatant avec désolation l'étendue de ce désastre. Il ne pouvait contenir sa rage de vengeance en repensant à ses frères. Avec ses acolytes, ils accoururent en direction de la plage. À la lisière de la forêt, leur course fut stoppée net, à la vue des lances de feu que tenaient au poing les brigands à la solde des commerçants d'esclaves, qui faisaient le sale boulot à leur place. En considérant ces corps athlétiques, un sourire aux lèvres s'affichait. Ces tortionnaires se réjouissaient d'avance de la capture opportune qui s'offrait à eux, de jeunes hommes vigoureux, qu'ils voyaient se transformer en une multitude de pièces d'or remplissant allègrement leurs poches, sur le fameux marché de l'île du Cap-Vert. Christophe déchaîna sa colère sur le premier envahisseur qui se porta à sa hauteur, mais un coup de crosse porté à la tête, calma prématurément ses pulsions vindicatives, et il en perdit connaissance.

Quand il se réveilla, ils furent tous vendus, considérés comme de vulgaires marchandises au même titre que du bétail. C'est en ce lieu

330

sordide qu'impuissant, il vit brièvement et pour la dernière fois, le visage apeuré de Corin se faisant maltraiter par ses tortionnaires. Puis ils firent une traversée dans ces pirogues à nuages, dans des conditions effroyables. Même le grand océan avait des allures fâchées, en montrant son mécontentement, jusqu'à l'arrivée sur cette terre inconnue. La conquête d'un Nouveau Monde pour certains, une vision de l'enfer pour d'autres, où l'existence ne fut plus qu'une question de survie. Là, les saisons changeaient radicalement d'une à l'autre. Le travail harassant, l'humiliation permanente, les brimades, les insultes, les homicides, étaient d'usage courant. Plus de chasse pour se nourrir, parfois même les rôles étaient inversés, et c'était eux, les proies à chasser. Ne leur laissant aucune chance de se défendre.

Privé de l'amour de Corin et de toute autre forme d'amour, son cœur s'assécha, effaçant radicalement toutes les promesses faites à son père. Son sang s'était transformé en venin intemporel, en pensant qu'il avait échoué dans sa mission de protecteur. Lui qui croyait que vaincre une force de la nature le mettrait à l'abri de tout, il se trouvait impuissant face à des semblables moins respectueux que la bête fauve. Ses détracteurs lui avaient brisé sa fierté qui le déterminait à coup de barre à mine, et plus rien n'y faisait. Basé sur ce que son père lui avait transmis sur l'amélioration de son être, à chaque passage sur terre, lui s'était fait la promesse de se venger à chaque retour sur terre, pour anéantir cette espèce de blancs arrogants, aux allures supérieures. Comment? En les faisant souffrir à leur tour.

Dans le tracé d'évolution que nous suivons tous ensemble au moment où nous sommes sur terre pour l'épanouissement de notre destinée, le libre choix nous est donné d'orienter nos sentiments et d'influencer, par là même, celle de ceux qui nous entourent. À nous de lui donner le bon cap.

À chaque réincarnation, Christophe avait choisi, non plus la noirceur de sa peau qui avait contribué à l'anéantissement de sa tribu, mais de s'orienter vers la noirceur de ses sentiments en devenant paradoxalement blanc de peau, tout en continuant de haïr tous ses semblables pour autant.

Durant le laps de temps que j'intériorisais cette partie de mon antre, je commençais à me sentir happé par le syndrome de Stockholm, imprégné par l'attirance de sa compassion. Je le voyais défiler à différentes époques, dans différents endroits du monde, dissimulé sous des apparats ancrés dans les mémoires collectives, nous rappelant l'atrocité des actes commis par ceux qui les portaient. La violence émise contre les siens le remplissait de satisfaction, lui donnant l'impression de dominance en assouvissant sa vengeance. Nos destins se sont souvent croisés. Heurtés serait le mot juste, car le conflit était le seul lien qui nous rapprochait. À cet instant, un frisson dans mon dos me remit dans l'exactitude de mes propres convictions.

Je ne pouvais continuer à me résigner, non plus à camper sur cette situation de culpabilité de faits qui, à cause et malheureusement par le témoignage de leur existence, aujourd'hui sont condamnés et nous servent d'exemples de responsabilité envers notre descendance pour ne plus réitérer ces injustices. De surcroît, ma vraie personnalité est conçue originalement pour l'amour, la joie, l'épanouissement et la construction. Et je compte bien abonder dans ce sens.

À mon initiative, lorsque j'eus l'occasion de passer par la section de ses faiblesses, j'accentuai sur un de ses vices : l'augmentation des prises de drogue qu'il ingérait dans des boîtes de nuit et lieux abjects qu'il fréquentait, puis je m'expulsai de ce lieu sordide pour réintégrer mon corps de prime jeunesse. À cet instant, je compris que mon intervention dans ses faiblesses était un acte qui me condamna à neuf années de coma, pour avoir dérogé à l'équilibre universel et celle aux convictions précédemment citées. Mon devoir est d'aider autrui dans le sens d'améliorer son sort, mais pas de l'éliminer. Sa vie fait néanmoins partie de la création d'un univers, d'un équilibre.

Mes esprits repris, j'accourus dans la pièce où se trouvaient les photocopieurs pour l'interroger sur ses intentions.

– Alors, crapule, je vois que tu n'as pas changé !

– La même chose que toi ! me répondit-il.

À ce moment-là, je n'essayai même pas de contrôler ma colère, quand j'eus l'impression de renouer avec une partie noire de mon passé. Cette phrase déclencha en moi, l'énergie de lui administrer une droite dans le nez, comme si une programmation de ces cinq mots était le détonateur instinctif de ce geste. À l'impact, j'entendis un craquement, et vis l'abondance de son sang, maculer son complet beige. Je profitai qu'il était à terre pour récupérer mes dossiers et partir prestement. Arrivé à la voiture, tout en contrôlant que l'ensemble des pages était en ma possession, je m'aperçus, mais un peu tard, que j'avais laissé dans le photocopieur une page déterminante : l'organigramme des différentes inventions qui formaient le concept. Document qui servit par la suite à Christophe pour convaincre ses acolytes de me retrouver.

Lorsque je rejoignis Sally au magasin pour lui raconter cette mésaventure, elle était sur le point, elle aussi, de m'annoncer ce jour-là, une nouvelle qui m'aurait rempli le cœur de bonheur dans d'autres circonstances. Un heureux événement qui serait survenu lors de notre voyage professionnel de quatre jours sur Paris, au salon Bien-être du mois de novembre. Mais je ne lui laissai pas le temps d'en découdre, en raison de mes préoccupations. L'urgence aidant, elle me demanda pourquoi je ne m'étais pas rendu à la police. Je lui répondis que Christophe était de mèche avec tout un réseau de mafieux, dont certains hauts placés corrompus, infiltrés dans la vie politique et le système judiciaire de la ville. Faire cela aurait facilité leur tâche pour me retrouver.

J'étais en colère contre moi-même, de m'être fait avoir comme un débutant, car je n'avais pas prêté attention à certains songes qui s'étaient répétés plusieurs nuits d'affilée, me prévenant qu'un danger approchait. Et me voilà, par négligence envers les signes d'avertissement, de nouveau en confrontation avec cet énergumène notoire.

– Mais qui est Christophe ? me demanda Sally.

La colère s'empara encore un peu plus de moi, car j'avais l'impression de réintégrer une boucle du passé, comme le jour de ma raclée dans le garage. J'essayai cette fois de garder mon calme en prenant mes pilules et de parer à toute éventualité avec sérénité.

– Il ne gagnera pas cette fois-ci, même si mon projet devait avorter et ne devait pas voir le jour.

Je rajustai ma phrase en excluant la négation pour me réapproprier ce qui m'appartient dans l'Univers.

– Je gagne cette fois-ci, car mon projet se réalise dans de bonnes conditions, et moi seul le mènerai à son terme.

Une priorité s'imposait : s'assurer que Sally soit à l'abri. J'affichai sur la vitrine : magasin fermé. Sans indiquer la durée de cette fermeture. Sally me rétorqua, à juste titre, que nous rentrions dans une période commerciale cruciale, avec les fêtes de fin d'année qui s'en venaient, et surtout l'engouement ou les craintes que cette année-là avait provoqués. C'était l'année charnière du passage à l'an deux mille.

Ce moment rendait euphoriques une certaine catégorie de personnes optimistes. Ce comportement était motivé par l'espoir que des changements, conduits par cette nouvelle ère, dans un monde focalisé uniquement sur le profit monétaire, allait le transformer avec la même ferveur en un monde basé sur des valeurs plus profitables à l'enrichissement de l'évolution spirituelle humaines, plus conscience de l'importance de son évolution au sein de son environnement, tout en pratiquant un mode de vie technologique évolutif, plus respectueux, comme pour enfin ouvrir une porte vers la rédemption, pour le salut de notre âme.

La catégorie opposée, les pessimistes, eux, annonçaient cet événement comme une catastrophe, la fin du monde, et certains même s'éliminèrent, suivant aveuglément le mouvement idéologique de leurs prêcheurs, les confondant avec des martyrs, ignorant à quoi ils s'exposaient en accomplissant un tel acte de suicide, en arrivant de l'autre côté du miroir. L'annonce de changements probables déstabilise et fait peur. Mais n'en déplaise aux sceptiques, les cadeaux offerts par la vie, en plus de ceux marquant des dates ponctuelles dans l'année, sont le reflet de la valeur des graines que l'on sème, et dont on estime pour soi ou pour ceux à qui on les offre, récolter les fruits. Ils auront la saveur de l'intérêt qu'on leurs aura porté. À nous de prendre soin de notre terre à cultiver.

Et enfin, la dernière catégorie, ceux dont l'intérêt n'est motivé par rien. Dont la perspective d'avenir est d'avance morose. Cheminant dans une culture léthargique, qui les fait glisser peu à peu dans la plainte de vivre une vie misérable, rétorquant dans leur négativité que rien, jamais ne va bien. Paradoxalement, toujours admiratif, par l'intermédiaire des médias généraux, de la réussite jalousée d'autrui, en fabulant qu'un jour peut être, ils intégreront par magie, la place de ces osants. Intoxiquant leurs cellules éponges d'informations erronées s'ajoutant une éducation inculquée par leurs géniteurs ou leur entourage, qui leur donnent pour solution de réussite de pratiquer des activités illégales, les désintéressant de gagner un revenu honnêtement, en les orientant sur des manœuvres mensongères pour profiter d'un système social généreux mis en place à la base pour les vrais nécessiteux. Les moyens de vérification sur l'honnêteté de leur déclaration s'avérant impossible à examiner, car le contrôle de leurs dires serait trop fastidieux, et c'est bien par cette faille que l'endettement de ces services sociaux s'effectue : par manque de personnel pour une surveillance accrue. Advienne que pourra, négligeant leur épanouissement créatif personnel, croyant, par cet échange, s'enrichir. Ainsi va la vie, changement d'ère ou pas, ils veulent toucher leurs allocations mensuelles, se réjouissant par avance de la maigre augmentation annuelle à venir de leurs indemnités.

Alors que je prenais la direction de la maison afin de nous munir de quelques vêtements pour partir quelque temps, nous mettre à l'abri d'éventuelles représailles, il me revint en mémoire que l'oncle de J.P., notre coach de judo, était aussi commandant dans les brigades d'interventions. Il devait être prédestiné à être mon ange gardien terrestre, cet homme-là. Je téléphonai à J.P. en lui expliquant la situation que nous étions en train de traverser. J.-P., ce brave J.P. me dit : « il ne va pas s'en sortir comme ça, cette fois-ci ». Lui aussi avait une revanche à prendre sur cet affreux individu. Il fit le nécessaire pour joindre son oncle. L'après-midi même, il nous fixa un rendez-vous chez le coach. Puis Sally appela Lucie, l'apprentie, pour la prévenir qu'elle aussi était en vacances. En évitant de dire que les vacances étaient forcées.

En arrivant devant chez nous, assise sur le muret, notre voisine se tenait là, une pioche à la main.

– Mais que fais-tu là, Alice ? Avec ces températures hivernales et dans ton état !

– Quel état ! Je suis juste enceinte ! Et on est tout de même, dans le sud de la France ! On n'est pas dans le nord, à Montélimar, nous répondit-elle dans un phrasé chantant, typique de la région.

Ses propos n'étaient pas entièrement faux en ce qui concerne la température clémente pour la saison, mais pour les distances qui nous indiquent l'éloignement du nord, j'avais des doutes. Elle continua en nous dire :

– J'ai vu une voiture s'arrêter devant chez vous ; j'ai demandé à ces personnes ce qu'elles voulaient, et elles m'ont répondu « Ferme ta grande gueule la grosse. » Elles n'avaient pas vu que je creusais une tranchée avec ma pioche pour monter mon muret, d'où j'en sortis rapidement. À ces propos blessants, la belle voiture de luxe est repartie avec quelques trous dans la carrosserie. C'était sûrement des lascars qui viennent repérer pour après nous cambrioler. Ils ne l'emporteront pas au paradis ces voyous.

À ces paroles, je ne voulus pas alarmer Alice sur l'ampleur du problème. Je me tournai vers Sally, et mon regard en disait long sur la rapidité d'exécution de ces organismes-là. Pendant que Sally s'entretenait avec Alice, j'en profitai pour récupérer tous mes dessins, mes croquis, les écrits de mes brouillons ainsi que l'ordinateur où les informations principales étaient enregistrées. Je fis ensuite une valise de vêtements, dans la chambre qui donnait sur la cour où j'entendais Sally débattre avec Alice.

– Mais tu es folle, ils auraient pu te faire du mal à toi et ton bébé !

– Ils ne me faisaient pas peur, ces « men in black », tu sais. Et tout en se tenant le ventre, elle continua :

– Par contre, j'ai bien peur que vous deviez m'emmener presto à la clinique, car je suis en train de perdre les eaux, et l'accouchement n'est prévu que dans trois semaines.

Tout à coup, toujours à l'intérieur de la maison pour finir de regrouper mes affaires, j'entendis crier Sally. Dans ma tête, j'imaginai que les malfrats étaient revenus et j'accourus vers elles avec une batte de base-ball à la main.

– Que se passe-t-il ?

– On est contraints de changer nos plans, tu vas devoir emmener Alice à la clinique, car Pierrot est parti en déplacement pendant deux semaines, en Chine, et l'arrivée du bébé n'était prévue qu'aux alentour de Noël.

Par un signe de la tête, Sally m'indiqua la flaque qui s'était étendue entre les pieds d'Alice.

Pris de panique, j'installai Alice sur la banquette arrière de l'auto, tout en dégageant les dossiers dans le coffre pour ne pas qu'ils soient mouillés, pendant que Sally attrapait les effets de maternité qu'Alice avait préparés, le cas échéant, dans son hall d'entrée. Le sens de l'organisation est tellement ancré en Sally que même dans des circonstances d'urgence, elle pense à tout. Comme sa valise n'était pas faite, que dans le pire des cas, Alice séjournerait à la clinique une semaine et que son mari ne serait pas rentré d'ici là, elle proposa de nous rejoindre avec la voiture d'Alice qui, elle, la récupérerait à sa sortie de la maternité, avec le bébé. Sur cette explication, je m'empressai d'accompagner Alice à la clinique, tout en gardant nos cellulaires respectifs en communication.

Arrivés au lieu-dit, Alice m'avoua qu'elle n'avait pas peur de grand-chose dans la vie. Mais là, en ces circonstances, elle devait accepter que de mettre son premier enfant au monde seule, eh bien ça, ça lui donnait un peu le trac. Ça la ramènerait au moment où elle avait dû se retrouver à devoir se faire avorter à cause de la lâcheté son ancien petit copain. Il l'avait vulgairement larguée après qu'ils aient décidé ensemble d'avoir un enfant. L'idée de la procréation était excitante, mais à l'annonce de ce qui devait être une grande nouvelle, il avait pris ses jambes à son cou, et depuis, elle n'avait plus jamais entendu parler de lui. Lorsqu'elle s'était retrouvée dans une posture un peu frustrante, devant le médecin qui devait l'avorter, elle avait eu le sentiment d'être une de ces filles paumées qui avaient pris en otage leur petit copain en leur faisant un bébé dans le dos. Mais pour Alice, c'était la plus belle preuve d'Amour que d'offrir un enfant à l'être aimé. Je la rassurai en lui disant que sa pensée était pure et courageuse, mais qu'apparemment, son ex-petit ami en était dépourvu. Pour ne pas qu'elle ait l'impression d'accoucher comme une personne anonyme, j'acceptai de partager ce moment avec elle. Elle sourcilla pour me remercier et me faire comprendre que c'était peut-être dans notre karma de vivre une telle situation atypique. Heureux de la confiance qu'elle m'accordait, mais tout de même gêné par le manque d'intimité qui nous séparait, je tournai la tête en direction de la porte, espérant voir arriver Sally pour prendre la relève.

– Dépêche-toi Sally ; accélère la cadence.

– J'ai tout entendu ! répondit Sally. Et je n'ai pas encore fini. Je serai là dans une demi-heure.

– Mais le travail a déjà commencé ! lui dis-je, paniquer !

L'infirmière s'approcha de nous et me demanda :

– Vous êtes le papa :

– Un « NOUI » vous conviendrait ?

Un instant, elle me regarda d'un air suspicieux et dit :

– Mettez cette blouse et suivez-nous, mais il faudra couper ce téléphone !

À cette exigence, d'une seule voix, Alice et moi criâmes :

– Non, c'est une question de...

Un court moment passa.

– De décalage horaire ! m'empressai-je de dire !

– Oui, c'est ça ! De décalage horaire ! Dans l'espacement de ses inspirations et expirations contrôlées rapidement, Alice leur dit :

– Je vais vous expliquer ; mon mari est actuellement en Chine, et comme il ne peut pas assister physiquement et visuellement à l'accouchement, il voudrait au moins être là par les ondes pour vivre en direct l'événement. Vous comprenez ? Pierrot ! Tu es toujours là ?

Sally, de l'autre côté du combiné, joua le jeu en prenant une voix masculine :

– Oui chérie, je suis là, et je suis de tout cœur avec toi ! dit-elle en saccadant ses mots.

– Vous voyez, il est là ! Sachez que je lui commenterai tous les détails, madame l'infirmière ! ajoutai-je.

– Et Sally répondit :

– Non, mais ça va pas ? C'est dégueulasse !

Le travail d'Alice continua, avec le rapprochement de ses contractions. Je restai à ses côtés en mimant les : « Poussez, poussez ; respirez ! » Que la sage-femme lui demandait d'exécuter, comme si l'accomplissement de cet acte avait été effectué par Sally. « Poussez ! Poussez ! Maintenant ! » imposa la sage-femme. À la délivrance du bébé, un phénomène magique se produisit. L'atmosphère autour de nous changea, et des anges se présentèrent pour accueillir ce nouvel être, le couvrant de leur protection divine. C'était un garçon, qu'elle prénomma sous l'influence du souffle de son ange gardien : Marco. Je pleurais de bonheur. Émue, Alice mima un grand merci pour ma présence et me demanda si je voulais bien être le parrain de ce petit ange. Je la remerciai à mon tour pour l'honneur qu'elle m'accordait, mais aussi car elle venait de mettre au monde un nouvel « Espoir ». Marco nous regarda dans un sourire satisfait, puis un des anges apposa son doigt sur sa bouche pour ne pas que Marco dévoile tous les secrets de l'au-delà et sur ce geste les anges pénétrèrent les rayons du soleil qui inondait la pièce.

– C'est un garçon ! C'est un garçon ! Chérie !

Et je me repris, en voyant le regard du staff hospitalier, rempli d'interrogations sur mes relations avec son soi-disant mari : euh… Pierrot ! Son mari bien sûr !

Après ce quiproquo, j'embrassai Alice pour lui indiquer que je devais partir, puis je sortis du bloc et descendis dans le hall d'entrée pour attendre l'arrivée de Sally.

– Je suis en bas depuis tout ce temps ! m'avoua Sally doucement dans l'oreillette. Je suis fière de toi, tu as été bon d'assister Alice dans cette épreuve.

Je la surpris en me postant derrière elle. Elle sursauta, puis tout en faisant demi-tour, se jeta dans mes bras. À cet instant, je trouvai qu'elle avait un comportement bizarre. Soucieux à l'idée de tout ce qui nous attendait, je la pris par la main pour nous rendre au rendez-vous fixé avec le coach.

À la gendarmerie, J.-P. nous attendait en retrait. Son inquiétude transparaissait sur son visage. J'expliquai toute l'affaire aux enquêteurs, qui eurent l'air étonnés lorsque j'annonçai le nom de Christophe Dufour. Cet individu n'existait ni dans les fichiers de la police, ni même dans les services fiscaux. L'étendue de mes allégations n'était fondée que sur des suppositions. Heureusement pour moi, le coach leur relata le témoignage de faits similaires auxquels je fus confronté à l'époque et lors desquels lui aussi était intervenu, il y a quelques années en arrière. Tout en me soutenant dans mes propos, le haut divisionnaire prit la décision d'ouvrir une enquête et nous mit sous surveillance rapprochée le temps que toute cette histoire se résolve.

En revanche, il y avait bien une plainte contre moi, pour coups et blessures sur un représentant de l'État dans l'exercice de ses fonctions, qui devra être jugée dans deux mois.

Donc, pour les gens extérieurs à l'affaire, et pour n'éveiller aucun soupçon, nous avions rouvert le magasin et nous avions embauché, pour la période de Noël, deux nouvelles recrues au sein de l'équipe. Nos présumés cousins de Nice, que nous hébergions, et dont le but était qu'ils ouvrent eux aussi une boutique comme la nôtre. À cette situation atypique, un phénomène se produisit. Le magasin donnant de l'extérieur l'impression qu'il était toute la journée bien achalandé, le monde attirant le monde, nous faisions des records de chiffres d'affaires. Nous avions même mis à contribution nos protecteurs.

Les commerçants, toujours envieux de la réussite de leurs voisins, nous jalousaient d'avoir un aussi gros staff, et surtout voir les clients ressortir avec des sacs cadeaux. Ils étaient si avides que certains avaient même contacté les marques avec lesquelles nous travaillions pour essayer de se faire livrer de la marchandise. Mais malheureusement pour eux, nous avions des contrats d'exclusivité dans un périmètre donné avec chacune des marques. Alors, voyant que nous nous étions assurés d'exclusivités, ils persistèrent en contactant des marques concurrentes de moins bonnes qualité, jouant sur des prix largement inférieurs aux nôtres. Même avec ces stratagèmes peu flatteurs, c'était nos paquets cadeaux qu'on voyait déambuler dans les rues. Pour faire de la poésie, il faut avoir l'âme poète ! leur disais-je !

Nous, nous étions bien protégés pour le magasin, mais le concept quant à lui ne l'était pas du tout. Fréquemment, à la fermeture du magasin, J.-P. venait me rendre visite dans mon bureau et je lui faisais part de ce problème. Ensemble, nous essayâmes de parer à cela en faisant breveter toutes les inventions à l'INPI de Lyon. Mais pour cela, il ne fallait pas prendre de risques inconsidérés de manière à ne pas se les faire subtiliser, sur la période du trajet, sachant que tous mes faits et gestes pourraient être surveillés par qui on savait. Mais comment faire ?

J.P., de par sa passion, avait toujours des airs de musique qui lui traversaient la tête. Selon ses humeurs, son tempo était plus ou moins véloce. Il avait toujours cette fâcheuse manie qui consiste, à l'aide deux crayons à mine faisant office de baguettes à percussion, à reproduire le rythme de ses inspirations sur un coin de table. Tac… Tac… Tac… Tac… Tac. Au début, je demandai à J.P. de cesser ses enfantillages avec ses crayons, prétextant que ces tamtams m'empêchaient de réfléchir. À insister de la sorte, il en devenait crispant. Puis une détonation dans ma tête engendra un rappel de souvenirs. Ces coups alternatifs me replongèrent au moment où j'effectuais mon service militaire dans la section des transmissions. À partir de là, je lui demandai de continuer, tac… tac. Tac. Lui s'interrogeait à ma réaction.

« Oui ! C'est ça ! J'ai trouvé, continue ! » Le tempo et le morse ne faisaient qu'un. J'annonçai à J.P. qu'il allait composer pour moi, très rapidement, et peu m'importe le résultat obtenu, un album des plus farfelus qu'il aurait à composer dans toute sa carrière. Cet album servirait de bande sonore pour un montage photo, qui allait être gravé sur un DVD, il porterait le titre « Tout spécialement pour un ange ». J'évitai de m'étaler sur le sujet, pour sa sécurité et celle de mes proches. Je passai les sept jours, et prenant du retard, les trois dernières nuits suivantes, à encoder le concept. Ces nouveaux médicaments m'aidaient à ne pas dormir. J'avais deux priorités à mettre en place. La première fut celle que les percussions soient les dominantes et que les rythmes soient respectés scrupuleusement à mes exigences pour qu'à son écoute, et à l'aide d'une méthode psychotechnique, un déclenchement se fasse en morse dans ma tête, pour me dévoiler son contenu. Peu importe l'accompagnement qu'il prévoyait d'ajuster avec les autres instruments, ils n'étaient là que pour masquer mon projet. J.-P. enregistra les variations sur son ordinateur et mit sept jours complets pour clôturer sa symphonie. Mais négliger son travail, ça, c'était hors de question. Il s'était senti inspiré, et certains morceaux marquaient même les esprits. La deuxième priorité fut que les croquis et les dessins soient camouflés numériquement, sous forme de dessins qui auraient été exécutés par mes neveux, en guise de cadeaux d'anniversaire. Pour cela, ils furent scannés, puis numérisés, et Sally avait usé de ses talents d'artiste pour les dissimuler, telle une faussaire voulant camoufler une œuvre d'art dérobée dans un musée. Ce procédé d'encodage servit par la suite à des étudiants du M.I.T du Massachusetts, pour décoder les messages les plus stupéfiants qui nous furent transmis après enquêtes, à travers des œuvres de grands compositeurs, notamment un des plus illustres, qui avait la particularité d'être sourd et de ressentir à travers son corps tous les messages vibratoires qui lui étaient délivrés, que lui, à son tour, délivra au monde entier sous forme de musique, par son génie créateur.

Le matin du trente et un décembre de l'année mille neuf cent quatre-vingt-dix-neuf, avec Joseph, mon garde du corps, nous partîmes aux aurores pour Lyon où nous étions attendus à l'INPI par une autre délégation, en charge d'effectuer l'enregistrement officiel des documents dont moi seul pouvais procéder au décodage une fois sur place. Je m'abstins de réveiller ma belle Sally à cette heure matinale, pour lui dire au revoir. Je lui écrivis un petit mot, que je laissai sur la table de la cuisine, pour lui exprimer combien je l'aimais. Je lui donnai rendez-vous le soir même pour fêter la nouvelle année, rempli d'espoir. Et je finis celui-ci par : « Reine, parmi les reines, nul besoin de diadème pour être à mes yeux une reine. »

À mi-parcours, nous devions effectuer une halte qui était prévue à Valence, en tenant au courant le coach par cellulaire de notre progression. Pour le voyage, nous avions pris ma voiture, mais ce fut Joseph qui conduisit, car il était entraîné à parer, le cas échéant, d'éventuelles représailles. Sur l'autoroute nous écoutâmes le compact disque que J.P. nous avait concocté, pour ne pas nous endormir. La résonance en percussion était si intense qu'il nous aurait été impossible de tomber dans le sommeil. Je fis la remarque à mon pilote, que mon meilleur ami avait du talent. À ces mots, un flash blanc apparut, et à partir de là, toute la scène fut observée de plus haut dans ma sphère. Car le but n'était pas de ressentir à nouveau la souffrance de cet instant, mais de la comprendre. Michael assistait avec moi à cette rétrospective.

Pendant que nous découvrions tranquillement cette musique, une voiture noire se posta à côté de nous, empreinte de martellements sur la carrosserie, et un homme sortit un révolver par sa vitre baissée. À la vue de cette arme, Joseph eut le réflexe d'appuyer sur la tirette du réglage d'inclinaison du dossier, pour que je me retrouve allongé et ne plus être en ligne de mire. À ce moment-là, le tireur visa le pneu avant de la voiture. Je m'aperçus par ma vision externe, que la balise qui permettait au coach de suivre notre progression par satellite avait été piratée, et que nous avions été repérés ainsi. La vitesse pratiquée sur autoroute était très élevée. À l'explosion du pneu, malgré l'expérience de ces situations, Joseph perdit tout de même le contrôle du véhicule, et nous partîmes en tête à queue. Dans sa course, nous percutâmes le dernier pylône qui soutenait le pont que nous finissions de traverser. À l'impact, la ceinture de sécurité ne me maintenant plus, je fus projeté à travers le pare-brise arrière. La force de l'impact me transforma en un véritable bélier qui fit ouvrir la porte du coffre. À terre, après avoir valdingué sur l'asphalte comme une poupée de chiffon, j'étais toujours conscient. Je vis finir la course de la voiture contre le parapet. La voiture noire qui nous suivait s'arrêta à proximité de l'épave, et j'en vis descendre Christophe, le nez plâtré, le torse bombé, trônant dans la posture de l'archétype du glorieux gladiateur. Il se réjouissait de voir les dossiers dans le coffre que j'avais laissés le jour où j'avais emmené Alice à la clinique. S'accordant encore une fois, le droit de s'emparer frauduleusement des rêveries d'autrui ne lui appartenant pas. Tout d'un coup, à sa grande surprise, la voiture prit feu, et une déflagration suivit, faisant brûler dans l'intensité de son incandescence Joseph et les pages du dossier qui retombaient sur lui calcinées. Christophe s'approcha de moi, sortit un appareil photo et shoota, actionnant l'automatisme de son flash par manque de lumière. Sur ces dernières images, je rentrai dans un coma de neuf longues années.

– Depuis le premier jour que tu as commencé à prendre des médicaments qui devaient te permettre d'éradiquer des phénomènes que les humains stigmatisent par le terme « paranormal », qui sont à l'encontre de leur pragmatisme, ou qui entraînent la peur de changements qui n'arrangeraient plus leurs affaires, ces médicaments ont erroné ta vision du monde. Les effets de composés chimiques dans certaines molécules qui t'ont été administrées sans que toi et ta famille ne le sachiez ont interagi avec tes molécules organiques complexes dans ton organisme, induisant ta propre perception de la vérité dans ta quête de l'absolue vérité. Tout ce stratagème pour éviter de rentrer dans le gouffre financier qu'engendre la recherche d'un nouveau médicament à mettre sur le marché, ainsi que limiter les essais cliniques, et bien sûr, ne pas indemniser les familles qui donneraient l'autorisation de tester de nouveaux médicaments sur leurs proches, et qui porteraient à les faire revenir de leur coma.

– Tu te souviens de ces soi-disant guérisons miraculeuses survenues à l'hôpital, dont certains groupes pharmaceutiques se ventaient d'être à l'origine ? me dit Michael, en rajoutant : c'était une collaboration entre le génie céleste d'un ange gardien qui répondait aux vibrations pures d'un génie humain qui cherchait des solutions pour améliorer la vie des siens, qui avait provoqué ça.

– Ma vie ne fut qu'une vulgaire fumisterie alors ? Et puis, moi, qu'est-ce que j'ai avoir avec tout ça ? Qu'est-ce qu'il me veut ce groupe pharmaceutique ?

– Non, ta vie n'est pas vaine, tu as la chance de voir la sincère personnalité des gens quand ils ne sont pas fardés de ce manteau de peur qui les empêche d'avancer. Tu vas leur apprendre comment s'en délester, en les aidant à comprendre leurs peurs dans la lecture du miroir de leurs yeux. Ainsi, par la réminiscence de leur passé, ils libéreront l'effluve de leur raison. À partir de là, cette énergie libérée, va révéler un mouvement céleste qui se mettra en branle, et seuls de nos alliés nous nous souviendrons.

Et il enchaîna en répondant à ma seconde question, comme si tout cela était lié ensemble, dans un raisonnement préétabli pour ma compréhension :

– Tu me demandais ce que tu as avoir avec tout ça ? Toi, comme tant d'autres dans les mondes où vivent des êtres vivants, avec vos dons paranormaux de différentes natures, êtes missionnés pour faire la connexion entre le ciel et la terre, afin de former une communion et faire passer des messages à vos semblables, vos commandants et dirigeants, car dans l'Univers, quelque chose d'important se prépare, mais je ne peux pas t'en dire plus pour l'instant. Ce que je peux te dire en revanche, c'est que seule la foi pourra nous sauver, et que cette foi qui dégage de l'énergie nous permettra de combattre le « Christophe » à une autre échelle. Car céleste est l'élévation, telle est la voix de la rédemption. Ou de notre civilisation, nous serons témoins de sa perdition !

– Mais pourquoi autant de mystères autour de mon vécu ? Cette confusion était-elle un passage obligé ? Tu aurais aussi bien pu me l'expliquer comme on prend un cours sur les bancs de classe, et j'aurais vécu une adolescence normale, au lieu de me faire passer pour un paranoïaque ou un schizophrène aux yeux des gens.

À cette réflexion, je reçus une décharge électrique.

– Aïe ! Mais ça ne va pas !

– Te rappelles-tu lorsque je te disais que nous étions tous liés les uns aux autres ? Et la chance d'user de son libre arbitre, mais qui n'a pas les mêmes conséquences si l'on fait un choix du cœur ou un choix calculateur. Eh bien, ton médecin avait un choix à faire et tu en as subi les conséquences. Comme la perception de l'effet de cette décharge qui t'a fait réagir, il fallait que tu le ressentes pour en comprendre le sens et combattre ce choix, pour qu'à son tour il

346

comprenne. Le comprends-tu ? Seuls les écrits restent. Te souviens-tu de cette expression ? Là, cette expérience est ancrée dans tes mémoires. Le fait de l'avoir ressentie au plus profond de ton âme, lorsque tu rencontreras une situation comme celle-ci dans l'avenir, tu pourras juger immédiatement des bons gestes à poser pour éviter que ça ne se reproduise. C'est l'apprentissage qui fera évoluer ton âme !

– Pour ta troisième question, à savoir quel lien as-tu avec ce groupe pharmaceutique ? Eh bien, te souviens-tu, lorsque tu faisais tes recherches sur ton implant auprès du médecin qui te prescrit tes médicaments depuis tant d'années, la face inquiète qu'il avait pris lorsque tu lui expliquas la partie du concept qui détecte la composition du sang, et qu'il essaya de te dissuader de réaliser une telle invention, par crainte de représailles à ton égard ? Et toi, ne connaissant pas la situation, tu lui tenais tête, en exposant tous les bienfaits que ça apporterait au monde. À ce moment-là, tu devenais une menace pour lui et le groupe pharmaceutique qui finançait le projet, car il ne pourrait plus poursuivre ses expériences frauduleuses sous le joug de ses tortionnaires, si tu arrivais à obtenir un tel brevet pour l'exploitation du projet. Et à partir de là, toute ta vie a basculé. C'est pour cela aussi que, lorsque tu t'es présenté au poste de police et que tu as décliné le nom de Christophe Dufour, ils ne trouvaient pas son existence dans leurs fichiers et ceux du gouvernement. Car pour toi, tout ce qui est lié à l'immoralité, l'atrocité, le non-respect d'autrui, enfin tout ce qui est négatif, est représenté par l'icône de Christophe, la partie noire de ta personnalité. Puis la course-poursuite, l'accident et le coma où tu as développé, à l'abri de ces imposteurs, l'ensemble de tes dons de Dieu. Mais ta mère ne savait pas ce qu'il se tramait dans cet hôpital, elle faisait confiance au médecin. Malgré cela, elle a tout de même d'autres secrets à te confier à propos de toute cette histoire, et c'est à elle de te les dire pour s'en libérer à son tour.

Après cette bouleversante révélation, Michael me montra les faits marquants de toute la durée de mon absence. Comme l'accouchement de Sally et les premiers pas de Jamie, auxquels je n'avais pas pu assister. L'amour que me témoignait Sally ainsi que tous mes proches, avec leurs cadeaux de sentiments sincères qui s'empilaient le long des murs de ma chambre. Le soutien d'amitié que Patrick mon ancien employeur, et son épouse partageaient à l'égard de Sally et de Jamie. Ou encore, plus corsé, la pression que subissait le médecin qui suivait ma convalescence, à l'hôpital, par un groupe pharmaceutique, obligeant ce dernier à trouver le moyen de me réveiller de ce coma pour des raisons financières. Il menaçait même de décimer sa famille si les recherches scientifiques que ce docteur menait sur de nouvelles molécules pour solliciter le réveil des patients dans le coma, n'accéléraient pas pour aboutir à un résultat concluant. Il me revenait à l'esprit, les fameuses discussions et expériences que Michael faisait refaire sous d'autres approches aux vibrations scientifiques que ce médecin possédait. La pression que ce groupe pharmaceutique imposait au médecin, n'était que le résultat, de ce que ce groupe subissait pour se dépêtrer de ses difficultés pécuniaires auprès de ses créanciers mafieux. Puis Michael me montra, comment les partenaires se sont débarrassés de certains dirigeants du groupe pharmaceutique. Tannés de voir sans cesse leurs promesses de les rembourser repoussées, ils leur fournirent un aller simple dans les fondations d'un immeuble en construction où leur âme restait coincée et perturbait les occupants. Ensuite, leurs ex-acolytes prirent les choses en mains. La vision de mon kidnapping par les voies maritimes, un soir de pleine lune, orchestré par ce réseau mafieux qui voulait s'emparer du concept, alléché par les explications du médecin qui, je n'en doute pas, devaient être convaincantes sous la menace. Terrifier, pour la sécurité de sa famille, il fut mis en relation avec l'équipe du coach, par l'entremise de Sally qui voyait tout ce qui se tramait. Les infirmières eurent eu vent de l'histoire et participèrent à l'élaboration d'un plan d'intervention mis en place pour l'occasion. Leur contribution, qui avait pour effet de susciter les fantasmes des tortionnaires qui menaçaient l'hôpital, contribua à l'arrestation de tout un ensemble de têtes du milieu, allant jusqu'à toucher de très haut postes dirigeants et commandants.

Quelques mois plus tard, après que l'affaire fut jugée, le médecin orienta sa carrière professionnelle plus dans la recherche légale, et reçut quelques années plus tard le prix scientifique de l'année, pour avoir découvert une molécule qui stimule une partie précise de notre cerveau pour sortir le patient de son coma. Devons-nous nous sentir obligés pour cela de dire merci à la partie « Christophe » de notre être qui nous poussés à nous dépasser dans le positionnement d'une pression pour le combattre ?

Une autre partie insolite du déroulement de l'histoire fut celle de visionner mon antre. Mon moi intérieur. Dont l'illustration par Michael dans cette cage de verre renfermant ma concentration d'énergie retenue, régentée par des pulsions, relié au « cœur du monde » par des rêves qui m'ordonnaient d'avancer pour réaliser qui je suis, et qui était réfréné dans son action par un monde hostile, avide de pouvoir, gardant une méfiance envers les gens de mon espèce. Je ne voulais pas me dévoiler à lui. Car le monde sait qu'avoir en face de soi le discernement instinctif du vrai et du faux, par des visions d'actes passés, présents et à venir que je peux observer sur des vibrations, cela n'arrangerait pas toujours les affaires peu recommandables de certains.

Pourquoi tous ces événements se sont-ils déroulés comme ceci ? Parce que je me suis enfermé dans ma bulle, m'interdisant de m'épanouir, ne faisant pas confiance à l'importance, comme tout un chacun, d'être missionné sur terre. En ne disant rien. Je croyais me protéger en agissant ainsi, mais je me fourvoyais. Mes cellules éponges, par mon système de protection interne, m'ont rappelé à l'ordre. J'avais peur, oui peur, de montrer au monde les visions qui se déroulent dans ma tête. Devant justifier et être jugé perpétuellement pour ce que je suis réellement. Me contraignant à devoir rentrer dans un moule que la société a établi et qui ne relate pas le bon développement que doit exprimer chacun de nous. De là venait mon malaise. Conscient que des codes, des règlements sont nécessaires pour contrôler l'adrénaline compulsive de certains individus. Mais à force d'utiliser ces mêmes voies d'accès pour tous, avec une croissance démographique exponentielle, elles deviennent trop étroites pour conserver ces mêmes infrastructures. On tarde à en construire d'autres pour désengorger celles existantes surchargées, où l'on se sent de plus en plus étriqués dans son expression. Par conséquent, chaque individu doit être orienté vers des destinations que d'autres ont choisies à leur place et qui nous forcent à faire des détours considérables, nous déroutant de notre trajectoire initiale, jusqu'à parfois nous perdre. Ces mêmes orienteurs, pour asseoir leur position de dirigeants en exhibant la croyance qu'ils maîtrisent la situation, nous imposent des trajectoires discordantes aux nôtres. Augmentant notre frustration qui atteint des sommets de saturation, au même titre qu'un volcan qui est sur le point de rentrer en éruption. Un même événement à une échelle différente. À l'image de constats sur les crises sociales, économiques qui ne cessent de se multiplier à travers le monde. Et ce même regard de désuétude, d'interrogation, s'affiche sur le visage de la population. Combien de temps encore doit-on subir cela, avant de voir une élévation du bon sens collectif? Peu de gouvernements, à travers le monde, peuvent orgueilleusement se sentir satisfaits des conditions de vie de leur population.

Malgré tous ces constats, on persiste à plonger dans les abysses, ne léguant à notre descendance, nul autre choix que de continuer à souffrir en serrant un peu plus la corde autour de notre cou.

Le siècle que nous traversons et l'un des plus fertiles. Les développements en matière d'avancée technologique font l'objet d'un bond spectaculaire, le plus grand qu'il ait été donné de faire à l'humanité de toute son histoire. Dans le passé, à un moment donné, successivement, chaque pays dans le monde a atteint une suprématie à une période faste de son histoire. Aujourd'hui, ce sont tous les pays ensemble qui atteignent cet apogée. Les effets de la communication, de l'image ont eu comme effet de répercussions sur notre comportement de nous permettre de mieux connaître, comprendre l'ensemble des éléments qui composent le globe sur lequel nous vivons. La rapidité des transports d'un continent à l'autre a contribué aussi à ce développement. L'accès à la connaissance, à l'information, à la culture aujourd'hui en un clic de souris est accessible à tous. Nous vivons un siècle d'exaltation, d'effervescence. Imaginons si, aujourd'hui, les intentions étaient plus rassembleuses, plus réparties dans l'équilibre des chances de chacun, d'autres portes s'ouvriraient à nous.

Mais il y a un revers à cette médaille. Nous individuellement, où en sommes-nous ? L'évolution laisse des gens en dehors du système, car ils ne savent pas où se situer. La machine tourne trop vite. Une ardoise financière avoisinant des centaines de milliards de dollars de déficit dans les domaines de la santé physiologique et psychologique. De plus en plus atteints par un rythme de vie toujours en accélération, entretenant notre stress ; négligeant notre alimentation par manque de temps ; sans oublier l'absence d'entretien physique musculaire car toute la motivation s'est éteinte, sous le poids accumulé par une malbouffe liée à un emploi du temps surchargé. Et cela a pour effet de remplir les hôpitaux, les dispensaires, les cabinets de psychos, créant des maladies modernes. On dérègle la planète comme nous, nous nous sommes déréglés. Tout est lié. On veut aller vite pour marquer l'Histoire, puis on paie ses excès de vitesse. Peut-être que ralentir un peu, pour faire un bilan d'où nous en sommes et où nous voulons aller nous permettrait, d'atteindre de plus grandes vitesses par la suite, en maîtrisant mieux celles-ci. Exigeons différents systèmes scolaires en adéquation avec le réel besoin de chaque individu, et pas ceux auxquels nos dirigeants, commandants nous prédestinent ! Oui, car chaque individu est unique et important. Il ne suffit pas qu'il sache absolument tout comme tout le monde, mais qu'il sache, lui qui il est pour savoir ce qu'il est destiné à faire pour s'épanouir. Peut-être que cet individu, suivi dès sa plus jeune enfance, avec sa propre feuille de route, indiquant par la manifestation de ses actes continus une ou des activités qui traiteraient de plusieurs facettes de sa personnalité, notamment des attraits qui stimulent le côté dominant de sa personnalité et l'entraîneraient à plus étudier les matières académiques, qui correspondraient à l'orientation prise dans l'objectif de sa réussite. Pour savoir qui je suis et non pas à qui je ressemble. Le terme « échec scolaire » ne devenant plus que le niveau de jugement des personnes qui les encadrent.

Comme si l'on donnait accès à des voies aériennes individuelles. Qui nous feraient passer de la dimension deux à la dimension trois. Cette utilisation permettrait de décongestionner ces voies terrestres utilisées par tous, aux mêmes heures de pointe, pour une fluidité et une tranquillité d'esprit. Toujours contrôlées par des codes, ces voies proposées à l'infini et à différents niveaux nous donneraient accès à un souci de moins dans nos têtes. L'obligation de ne plus suivre des routes d'asphalte traditionnelles nous serait accordée, et la mise en place de sa personnalité active deviendrait productive naturellement, dans une société qui s'en verrait d'autant plus prospère. N'utilisons pas cette information qu'au premier degré.

J'ai vu comment, avec des médicaments ultrapuissants, ils stoppaient les visions qui sont transmises aux personnes comme moi, qui ressentent ce qu'il se passe au-delà de la vision commune de la population.

En effet, nous rentrons dans une nouvelle ère, et certains chuteront de leur pinacle.

À ce moment-là, toujours dans ma sphère, j'étais témoin du fameux moment où les gens venaient à mon chevet, en croyant que le fait de s'y présenter déclencherait une guérison miraculeuse. Mais cette soi-disant guérison miraculeuse, n'était due qu'à l'entretien d'âme céleste à âme humaine, celles qui ne se mentent pas. Plus précisément, de leur moi profond terrestre à celui de leur double céleste qui réside dans le « cœur du monde ». Délayant dans la plus grande des franchises quelles sont les causes de leur mal être, et une fois celles-ci décelées, puis acceptées par la foi de guérir, engageant le processus de guérison physiologique à se débloquer, stimulé par l'action de notre système interne biologique d'auto guérison. Une phrase me revint à l'esprit : « Seulement de nos alliés, nous nous souviendrons. Ardent défenseur de la foi, en proie de supposition, de leur dévotion, nous leurs accorderons l'évolution. »

Je sentis mon cœur soulagé, voire rassuré. À cette bonne nouvelle, je remerciai Michael du plus profond de mon âme et je revins parmi les miens par le couloir du « cœur du monde » qui s'était enrichi de nouvelles récompenses.

Ils étaient encore tous les quatre, en train de débattre de détails confondus. Je les mis tous d'accord en leur donnant la version que Michael m'avait transmise. À ces explications, mes parents prirent leur tête entre les mains et se mirent à pleurer à chaudes larmes. Et ma mère prit la parole :

– Si j'avais su à l'avance, jamais je ne t'aurais fait suivre cette médecine expérimentale. Non ! Jamais !

– Maman ! Pourquoi tu n'as pas accepté comment j'étais ? Hein ? Pourquoi ?

Elle reprit son souffle, essuya son nez, et nous apprit que feu mon grand-père m'avait transmis son don. Et que par celui-ci, il avait été obligé de quitter, bien malgré lui, sa terre natale, ou c'était sa mort et celle de sa famille qui l'attendait. Ça s'est passé après la Seconde Guerre mondiale. Lui aussi avait subi la pression de groupes mafieux, car dans son village en Sicile, il était réputé pour guérir les gens juste en apposant ses mains sur eux. Mais il était aussi connu pour ses dons de médiumnité, ce qui n'arrangeait pas les affaires de certaines organisations qui se formaient dans l'illégalité et qui ne voulaient pas que quelqu'un ait le regard sur leurs opérations. Ils le sommèrent ou de partir loin, très loin, ou la seule maison où il habiterait se trouverait dans le cimetière du village. Il prit femme, enfants et beau-fils pour partir en France où personne ne le connaissait pour ce qu'il était, et finit par dénier ses dons de Dieu jusqu'à sa mort. Alors, quand à mes six ans, j'appris à mes parents que je voyais et parlais avec des morts qui se trouvent autour de nous, ma mère se sentit maudite par cette malédiction et se dit que si un moyen existait pour étouffer ça dans l'œuf, elle me l'appliquerait. Et un jour, son sentiment était si fort, qu'il devint réalité. Elle se rappela très bien, comment tout a commencé. C'était un matin très froid de l'hiver, alors qu'elle attendait le bus pour aller en ville, elle s'empara d'un journal régional qu'un homme très élégant avait jeté de colère quelques secondes avant qu'elle n'arrive, sur le banc de l'abribus. Il y avait en première page, la photo en noir et blanc d'un clochard qui s'était pendu avec une écharpe rouge en contraste. Elle le feuilleta et tomba sur un article qui vantait les mérites de chercheurs qui avaient trouvé un médicament, un psychotrope, qui soignerait des maladies mentales, des troubles de la personnalité, en modifiant le comportement, par action directe et indirecte sur le système nerveux central ou par action périphérique. Donc, elle voyait là le remède parfait de se débarrasser de cette malédiction, et moi, j'étais le candidat parfait pour eux. Ce qu'ils n'avaient pas dit à l'époque dans le journal, c'est que le médicament était encore expérimental. Tous les mois, pendant quinze ans, à chaque nouvelle prescription, nous avions un questionnaire à remplir sur les changements ou pas que l'on avait observés sur mon comportement. Et elle ne finissait pas d'en rajouter à mon sujet. Elle rapportait toutes les fois qui ont marqué mon existence. À commencer, dès les premières prises de ce médicament, mes humeurs étaient changeantes. Un moment j'étais adorable, un autre moment, je piquais des crises et je démolissais tout avec mon ballon, dans le jardin public en face de chez nous. J'étais souvent seul, je parlais souvent à mes parents de J.P. et de Christophe et de Michael, mais ils ne les ont jamais vus et avaient compris que c'étaient des amis imaginaires. La seule vraie amie que mes parents ont vue fut Sally, qui était atteinte des mêmes symptômes que moi et que j'avais rencontrée quelques années après, dans ce même hôpital où je me faisais traiter. J'avais du mal à rester concentré pendant les cours d'école. Ce que personne ne savait, c'est que ce monde matériel et ce monde spirituel continuaient à s'amalgamer en moi. Et selon le dosage que le médecin me prescrivait, parfois je ne voyais plus ce côté spirituel et ça me déstabilisait, par le manque de repères. D'autres fois, ça me rendait amorphe, tel un drogué rentrant dans des pensées eidétiques. Souvent installé à mon bureau devant une page blanche, selon ce qui se passait dans ma tête, influencée par quelque chose qui l'avait attisée, elle se colorait et partait dans une imagination débordante, à tel point que je la vivais. C'était dans ces moments-là que je me sentais voler comme un oiseau dans de magnifiques paysages. Que je me voyais créer et dessiner un futur technologique potentiel qui améliorerait la vie des habitants de cette planète, avec des idées plus folles les unes que les autres. C'était encore là que je passais des moments langoureux avec Sally. Puis lorsque je revenais à moi au bout de quelques heures, car les effets du médicament perdaient de leurs intensités, ma mère venait me chercher pour souper, et ma page reprenait son blanc immaculé initial. C'est ce qu'elle voulait dire, quand elle disait que j'étais souvent ailleurs. Il y eut aussi la période de ma dernière année d'études, où là, en plus d'avoir affecté mes neurones, ça avait aussi affecté mes nerfs. Tout ce que je touchais se transformait en brisures, et tout ce que je disais n'avait de sens que pour moi, car j'avais du mal à articuler ma mâchoire. Le projet de fin d'études que je devais réaliser et qui comptait pour la note finale, ne ressemblait plus à rien, tellement il avait été rafistolé avec des bandes adhésives. Malgré tout, je reçus un prix pour l'idée originale, et ce fut mon oncle Joseph, brigadier-chef à Marseille, qui m'emmena le chercher à l'académie scolaire de Marseille. Après l'obtention de mon baccalauréat, je ne voulais plus continuer mes études, car ça me demandait une énergie de concentration considérable. Sally, par contre, avait poursuivi les siennes. Alors, j'avais trouvé un job de manœuvre maçon, ce qui me rapportait assez d'argent pour me prendre en charge et me louer un petit appartement, non loin de chez mes parents. Coïncidait à cette période, l'arrêt total des prises des médicaments, sans l'avis du médecin. Pendant la durée de ma décision, ça allait bien. Puis dans cette période de sevrage, je sentis que j'étais dépendant de l'effet que ces molécules me procuraient, mais j'avais la volonté de résister avec l'aide de Sally. Je résistai jusqu'au jour où on me proposa de boire une bière. Homme de tous les excès, me voilà dépendant de l'alcool à mes moments libres. Et j'en ai trouvé, des moments libres. Là, bizarrement, à l'absorption d'alcool, plus de voix dans ma tête. Plus d'esprits autour de moi qui me taraudaient ma concentration. Même Michael ne vibrait plus autour de moi. J'avais enfin trouvé le venin miracle pour être seul avec moi-même. Tellement seul, qu'au bout d'un moment, je m'ennuyais. Je rentrais en dépression. Encore une fois, c'était Sally qui était là pour me sauver en me redonnant goût à la vie. Puis la suite on la connaît.

La fausse-couche, due sûrement à des spermes génétiquement modifiés par la prise de médicaments, l'ouverture du magasin, le brevet, la course-poursuite et neuf années de coma, sans oublier la naissance de Jamie.

Quelques jours après cette découverte déroutante et l'éclaircissement de toute cette histoire, nous fîmes le fameux voyage au Canada. Sur place, les effets escomptés ont bien ressurgi à la surface. Même Jamie avait les mains qui vibraient et éprouvait ce ressenti qui la rendait plutôt euphorique. Quant à Sally, l'idée de venir s'installer dans ce grand et magnifique pays ne faisait que s'affirmer dans ses pensées. Ici, nous serions des inconnus, pas d'individus à l'image de Christophe et de sa bande de malfrats qui tourneraient autour de nous. Je ne ferais que réitérer ce qu'avait fait mon grand-père pour mettre à l'abri ma famille. Un nouveau départ, une nouvelle vie. Pour ma part, excepté mes proches qui me manqueraient, l'aventure me tentait. Je pouvais écrire n'importe où, et cet endroit, pour moi, était source d'inspiration. Je dois rajouter que les vibrations que je ressentais stimulaient davantage mes sens. Au cours du souper, dans un restaurant du vieux Montréal, Jamie fit une chose qu'elle n'avait jamais faite jusqu'à présent. Elle nous prédit par un flash inopiné qu'elle nous voyait finir nos jours ici et que c'était la meilleure chose à faire pour suivre notre chemin de vie. Vivre une nouvelle vie ailleurs, accompagnée de nouvelles aventures ne la dérangerait pas non plus. D'autant plus qu'elle aussi appréciait l'énergie qui y régnait. Nous la rassurâmes sur le fait que toutes les personnes, qui nous étaient chères, seraient toujours les bienvenues. Mia casa è sua casa !

Ce fut le cas pour sa grand-mère, qui vint plusieurs fois en avion nous rendre visite. Quant à son grand-père, lui vint aussi par les airs, mais avec un autre moyen de locomotion moins polluant. Il partit rejoindre les anges, l'année où nous nous sommes installés à Montréal. Sa présence protectrice, demeure toujours autour des siens. Au cours de mes quêtes, lorsque je vais me ressourcer dans « le cœur du monde », très souvent, il m'accompagne. Il est fier de me présenter à mes ascendants. Nous partageons, maintenant, plus de moments privilégiés que lors de son vivant. Dans son regard, je sens des regrets. Mais comment pourrions-nous le blâmer, lui qui ne s'est toujours préoccupé que d'une seule chose : travailler ardemment pour le confort de sa famille. Nous vivions confortablement, nous ne manquions de rien, ma mère, ma sœur et moi. Et nous ne manquions surtout pas d'amour de leur part ! J'aime remercier les personnes qui me sont chères en leur écrivant quelques mots que je brûle dans un feu de bois pour leur transmettre mes sentiments.

Le souffle de l'ange.

Parfois, les yeux fermés je peux te deviner,
Quand froid sur moi, tu poses ton voile léger,
Et qu'au lointain, tu me fais voyager,
Pour découvrir un monde de respect.

De ta main liée à la mienne pour m'accompagner,

Au lendemain d'une vie nouvelle,
Tu me rassures le long de la passerelle
Pour rejoindre la famille universelle.

Nul besoin de jugement,
Au ciel, tu iras directement,
Tes actes sur terre ont été exemplaires,
Avec ma mère, vous êtes de pair.

Les poings fermés, tu as avancé,
Combattant vents et gelées,
Sur ton deux-roues motorisé,
Pour nourrir au quotidien ta portée.

Ha ! Combien on a aimé célébrer ces belles soirées,
En improvisant de grandes tablées sous les oliviers,
De l'anniversaire de l'aîné au dernier,
Ils remplissaient ton cœur de fierté.

Pour nous avoir permis de connaître une vraie vie de famille, merci,

Pour nous avoir permis de grandir en sécurité, merci,

Pour ne pas rendre anodins tous les actes qui voulaient dire pour nous, « Je t'aime », merci,

Et on m'a dit que, comme toi, les anges aiment le champagne, alors merci papa.

De retour en France, nous procédâmes au long et fastidieux passage administratif du remplissage de dossier, pour obtenir un visa de résident permanent afin de demeurer au Canada. Après quelques entretiens et un an d'attente, l'acceptation du visa nous fut accordée. Le jour où nous avions reçu la réponse positive, un déclenchement sur les préparatifs pour exécuter notre départ s'enchaîna et s'effectua de lui-même. Nous mîmes la maison en vente, et quinze jours après, nous signions le compromis de vente. Des propositions nous furent faites pour l'achat du magasin par le voisinage. Les bilans étaient bons. L'équipe en place était dynamique. Et malgré les sommes qui nous furent proposées, notre souhait était que quelqu'un de compétent dans ce domaine prenne la succession pour perpétuer le travail que Sally avait mis en place. Nous encourageâmes donc Lucie, qui était toute désignée pour mériter cette opportunité, en connaissant parfaitement des rouages de l'entreprise, de franchir le pas en le rachetant. Nous fûmes fiers le jour où elle nous annonça qu'elle acceptait la proposition. En deux mois, nous étions prêts pour partir. Dans cette période, nous eûmes une agréable surprise. Le médecin qui avait fait les expériences sur ma personne avait assigné devant la Cour le laboratoire pharmaceutique qui avait engrangé de conséquents bénéfices grâce à ses découvertes, pour qu'ils nous versent des indemnités de dédommagement pour compenser les préjudices matériels et moraux que nous avions tous subis. Une partie fut offerte à nos parents, dans l'espoir qu'ils viennent tous les quatre nous voir au Canada une fois installés. Et la seconde, avec Sally nous avions une petite idée de placement, pour ne plus que de telles choses arrivent. Nous avions une idéologie à mettre en place.

Pour notre départ, nous organisâmes une grande fête chez mes parents, afin de dire au revoir à tous nos proches. Quelques jours après, l'avion nous attendait sur le tarmac de Marseille-Marignane. La séparation fut très douloureuse à l'aéroport. Ma mère me reprochait d'être parti neuf années, et maintenant, quand est-ce que l'on se reverrait? L'âme en peine, je les serrai fort contre moi.

– On ne fait pas des enfants pour soi !

– Je vous aime très fort et de tout mon cœur.

C'est les mots qu'on pouvait entendre résonner à l'intérieur de l'aéroport. Les yeux embrumés, nous traversâmes la douane, puis l'embarquement destination Canada.

Arrivés à Montréal, les objectifs auxquels nous aspirions se réalisèrent. Nous nous sommes installés dans un quartier du centre-ville et avions inscrit Jamie dans une école à quelques pas de chez nous. L'intégration dans ce pays se faisait tranquillement. Malgré une langue commune, nous avions beaucoup à apprendre d'eux. C'était à nous de nous adapter. Je pris le temps d'écrire et je mis un petit moment avant de trouver un éditeur qui veuille me publier. En même temps, je mis en place notre concept du « futur futuriste » sur plusieurs années, avec des investisseurs, qui trouvèrent le projet très ambitieux. Je n'avais plus de temps à perdre.

Je continuais aussi à équilibrer les cellules éponges de personnes ou d'âmes que la vie mettait sur mon chemin. Parfois la vie m'amenait à me rendre compte des effets du travail que j'effectuais par des phénomènes qui survenaient après la remise à l'univers du contenu. Pour ceux qui en étaient allégés, leur vie s'en voyait plus épanouie et la foi renaissait en eux. En revanche pour ceux qui en avaient émis la cause, ils se voyaient du jour au lendemain affectés d'étranges symptômes, voir d'une spontanée rupture d'anévrisme. L'équilibre céleste !!! Ce n'est pas toujours aussi radical !

Pendant ce temps, Sally préparait la logistique de mes conférences et m'assistait également dans certains domaines du projet, qu'elle maîtrisait bien mieux que moi : la gestion d'entreprise. Pour ses loisirs, elle s'était enfin inscrite dans un centre d'équitation et elle s'y sentait dans son élément. Jamie, elle, grâce au concept, son quotidien fut plus équilibré et elle perdit les kilos superflus qui l'incommodaient pour pratiquer l'art de sa vie : la danse. Son don du ciel ne faisait que croître, et je voyais qu'une grande mission l'attendait, quand elle aurait atteint l'âge de trente ans. D'ici là, elle a des choses à accomplir. Elle aussi continuait à travailler avec les anges. À l'âge de dix-huit ans, au cours d'une représentation à la place des Arts, elle se fit approcher par une grande compagnie de danse originaire de Marseille. Cela ne nous enchantait guère de devoir la laisser partir à six mille kilomètres de nous. La brider dans son ascension, sur son chemin de vie, alors qu'elle s'épanouit dans sa passion, il en était hors de question. Nous avions assez mené bataille par le passé pour faire admettre cela aux dirigeants qui allaient à l'encontre de cette idéologie, le libre épanouissement de chaque individu, pour l'infliger à notre fille. « On ne fait pas des enfants pour soi. » Au cours d'une discussion, elle nous assura qu'elle reviendrait triompher dans cette même salle dans quelques années. Et elle nous fit remarquer, à juste titre, que son grand-père, lui, à l'époque où avec sa femme, ils étaient venus immigrer en France, les moyens de communication étaient limités au téléphone et au courrier, voire au télégramme pour les cas d'urgence, alors que nous, avec les moyens technologiques qu'il existe aujourd'hui, nous serions toujours en contact visuellement et autant de fois que nous le désirerions dans une journée.

Trois ans plus tard, la voilà respectant son présage, acclamée debout par une salle, triomphant par la croyance de voir réalisé son rêve. Admirée par une foule en délire. Des minutes interminables d'applaudissements, pendant qu'une pluie de pétales inondaient la scène. Tout en contemplant cette foule sifflant et hurlant des sentiments de plaisir, je regardais Sally, les yeux remplis d'émotion, le cœur débordant de joie pour notre fille. Des invités inattendus étaient là aussi pour l'occasion, dont les applaudissements ne pouvaient être perçus que par les vibrations du cœur. Ils étaient venus nombreux, pour la première représentation.

En guise de mot de la fin, nous avions pu réentendre :

« Ose ouvrir la porte de ta vie, et le paradis y est ici à celui qui l'a compris

Ce sont les rêveurs qui ont construit le monde, car ils sont connectés au cœur du monde, au cœur de Dieu ! »

J'allais oublier, j'avais dit au tout début de l'histoire, lorsque Michael est né, que le nom et le prénom que l'on recevait à la naissance ne nous étaient pas attribués au hasard. Mon nom à moi c'est

Benito Ducielo ce qui signifie en français : « Béni du ciel ». On ne peut pas espérer mieux comme présage. Un autre petit message provenant de notre ami à tous :

Nous vivons dans un monde matériel régi par un monde spirituel qui veut que :
La technique, ça s'apprend,
Le cœur, ça se cultive,
Mais innés sont les talents.
Et toi, révèles-tu réellement la valeur des tiens ?
Si tu veux le savoir, je t'invite à faire un tour dans « le cœur du monde ».

Michael Archangelo.

Imprimé en France
ISBN 978-2-7563-2337-4
Dépôt légal : 3e trimestre 2012